À caça de Harry Winston

Obras da autora publicadas pela Editora Record

À caça de Harry Winston

Todo mundo que vale a pena conhecer

O diabo veste Prada

Lauren Weisberger

À CAÇA DE HARRY WINSTON

Tradução de
FABIANA COLASANTI

10ª EDIÇÃO

EDITORA RECORD
RIO DE JANEIRO • SÃO PAULO
2013

CIP-Brasil. Catalogação-na-fonte
Sindicato Nacional dos Editores de Livros, RJ.

W42a
10ª ed.

Weisberger, Lauren, 1977-
À caça de Harry Winston / Lauren Weisberger; tradução de Fabiana Colasanti. – 10ª ed. – Rio de Janeiro: Record, 2013.

Tradução de: Chasing Harry Winston
ISBN 978-85-01-08617-4

1. Jovens mulheres – Ficção. 2. Amizade – Ficção. 3. Romance americano. I. Colasanti, Fabiana. II. Título.

09-0623

CDD – 813
CDU – 821.111(73)-3

Texto revisado segundo o novo Acordo Ortográfico da Língua Portuguesa

Título original norte-americano:
CHASING HARRY WINSTON

Capa: HarperCollins Publishers Ltd. 2008
Editoração eletrônica: Abreu's System

Direitos exclusivos de publicação em língua portuguesa somente para o Brasil adquiridos pela
EDITORA RECORD LTDA.
Rua Argentina 171 – Rio de Janeiro, RJ – 20921-380 – Tel.: 2585-2000
que se reserva a propriedade literária desta tradução

Impresso no Brasil

ISBN 978-85-01-08617-4

para Mike, com amor

calcinha é uma palavra abominável

Quando a campainha de Leigh tocou inesperadamente às 21h numa segunda-feira, ela não pensou, *Meu Deus, quem será*. Ela pensou, *Merda. Vá embora*. Será que havia alguém que realmente gostava de receber visitas de surpresa de gente que resolveu dar uma passadinha para "dar um oi" ou "ver como você está"? Reclusos, provavelmente. Ou aquelas pessoas simpáticas do meio-oeste que ela já vira representadas em *Big Love*, mas que nunca havia conhecido pessoalmente — é, eles não deviam se incomodar. Mas isso! Isso era uma afronta. As noites de segunda-feira eram sagradas e completamente proibidas para o resto do mundo, um momento de Nenhum Contato Humano, quando Leigh podia ficar de moletom e assistir a vários episódios gravados de *Project Runway*. Era seu único momento sozinha a semana inteira e, depois de um treinamento intensivo, ela conseguira fazer com que seus amigos, sua família e seu namorado, Russell, aceitassem.

As meninas haviam parado de convidá-la para programas nas noites de segunda-feira no final dos anos 1990; Russel, que no começo do namoro havia se recusado abertamente a ceder, agora sufocava silenciosamente seu ressentimento (e, na temporada de futebol, adorava ter suas próprias noites de segunda-feira livres); sua mãe teve dificuldades em passar uma noite por semana sem telefonar, aceitando finalmente, depois de todos aqueles anos, que não teria sua ligação retornada até terça-feira de manhã, não importava quantas vezes apertasse a tecla *redial.* Até o editor de Leigh sabia que não devia lhe passar coisas para ler nas noites de segunda-feira... ou, Deus proíba, dar um telefonema que a interrompesse. Exatamente por isso era tão inacreditável que sua campainha tivesse acabado de tocar — inacreditável e apavorante.

Pensando ser o zelador, para trocar o filtro do ar condicionado; ou um dos entregadores do Hot Enchiladas deixando um menu; ou, mais provável que tudo, alguém que simplesmente confundira sua porta com a de um dos vizinhos, ela apertou o botão de Mudo no controle remoto da TV e não mexeu um músculo. Inclinou a cabeça para o lado como um labrador, tentando obter alguma confirmação de que o intruso fora embora, mas a única coisa que ouviu foi o barulho surdo e constante do andar de cima. Sofrendo do que seu antigo terapeuta chamava de "sensibilidade a ruídos" e todos os outros descreviam como "neurose total", Leigh havia, é claro, investigado completamente sua vizinha de cima antes de comprometer as economias de uma vida inteira: o apartamento podia ser o mais perfeito que vira em um ano e meio de procura, mas ela não ia se arriscar.

Leigh pedira a Adriana informações sobre a mulher de cima, do apartamento 17D, mas sua amiga apenas franzira os lábios carnudos e dera de ombros. Apesar de Adriana ter vivido na cobertura do prédio desde o dia em que seus pais haviam se mudado de São Paulo para Nova York há quase duas décadas, ela incorporara completamente a atitude nova-iorquina Eu-Prometo-Ignorá-lo-Se-Você-Me-Fizer-A-Mesma-Gentileza em relação a seus vizinhos e não pôde lhe dar nenhuma informação sobre a mulher. Portanto, num sábado chuvoso de dezembro, logo antes do Natal, Leigh dera discretamente 20 dólares ao porteiro, estilo James Bond, e esperara na portaria, fingindo ler um original. Após três horas lendo a mesma história cem vezes, o porteiro tossiu alto e olhou *significativamente* para ela por cima dos óculos. Ao erguer os olhos, Leigh sentiu uma onda imediata de alívio. Diante dela, retirando um catálogo da QVC da caixa de correio, estava uma mulher gorda com um vestido de bolinhas. *Não tem um dia menos do que 80 anos*, pensou Leigh, dando um suspiro de alívio; não haveria saltos agulha martelando contra o piso de tábua corrida, nenhuma festa até de madrugada, nenhum bando de visitas batendo o pé.

No dia seguinte, Leigh fez um cheque com a entrada e, dois meses depois, mudou-se animadamente para seu apartamento quarto-e-sala dos sonhos. Tinha uma cozinha reformada, uma banheira enorme e uma vista do ângulo norte mais do que decente do Empire State Building. Podia ser uma das menores unidades no prédio — está bem, *a* menor —, mas mesmo assim era um sonho, um sonho lindo e afortunado em um prédio que ela nunca havia pensado que pudesse pagar, cada um dos metros quadrados obscenamente caros quitado com seu suor e economias.

Como poderia prever que a aparentemente inócua vizinha do andar de cima fosse uma usuária dedicada de enormes tamancos ortopédicos de madeira? Leigh repreendia-se regularmente por seu amadorismo ao pensar que saltos altos eram o único risco potencial de barulho. Até ver sua vizinha usando os malditos sapatos, Leigh criara uma elaborada teoria para a barulheira incessante no andar de cima. Decidiu que a mulher só podia ser holandesa (já que todo mundo sabe que os holandeses usam tamancos) e provavelmente era a matriarca de uma enorme e orgulhosa família que recebia visitas constantes de inúmeros filhos, netos, sobrinhas, sobrinhos, irmãos, primos e pessoas em busca de conselhos... todos, muito provavelmente, holandeses que também usavam tamancos. Depois de vê-la usando uma tala semirrígida e fingir interesse em suas doenças nojentas, incluindo (mas não limitadas a) fasciíte plantar, unha encravada, neuromas e joanetes, Leigh se expressou da forma mais solidária que conseguiu e então subiu correndo para verificar sua cópia das regras do condomínio. E, como previa, elas ordenavam que os proprietários recobrissem oitenta por cento do piso com carpete — o que percebeu ser um ponto totalmente discutível, já que a página seguinte declarava que sua vizinha de cima era presidente do conselho.

Leigh já aguentara quase quatro meses de tamancadas incessantes, algo que poderia ser engraçado se estivesse acontecendo com outra pessoa. Seus nervos estavam diretamente ligados ao volume e frequência do constante *tum-tum-tum*, que dava lugar a um *tuntum-tum-tun-*

tum-tum-tum quando seu coração começava a bater junto com ele. Tentava respirar devagar, mas suas exalações eram curtas e ofegantes, pontuadas por pequenas arfadas, como as de um peixe. Enquanto examinava sua aparência (a qual, em dias bons, ela considerava "etérea" e em todos os outros dias aceitava como "doentia") na porta espelhada do armário do corredor, uma camada fina de suor começou a umedecer sua testa.

Esse negócio de suar/respirar parecia estar acontecendo mais frequentemente — e não só quando ela ouvia as batidas de madeira na madeira. Às vezes, Leigh acordava de um sono tão profundo que quase doía, apenas para sentir seu coração acelerado e os lençóis ensopados. Na semana anterior, no meio de uma *shavasna* completamente relaxante — apesar de o instrutor ter se sentido compelido a tocar uma versão a capela de "*Amazing Grace*" pelo sistema de som —, Leigh sentira uma dor aguda atravessar seu peito a cada inspiração controlada. E, esta manhã mesmo, enquanto observava a maré de gente indo para o trabalho se amontoando no trem N — ela se obrigava a pegar o metrô, mas odiava cada segundo —, sua garganta começara a se contrair e seu pulso acelerou inexplicavelmente. Só parecia haver duas explicações plausíveis e, apesar de poder ser um pouco hipocondríaca, nem mesmo Leigh acreditava ser uma provável candidata a infarto: era um ataque de pânico, pura e simplesmente.

Numa tentativa ineficaz de dissipar o pânico, Leigh pressionou as pontas dos dedos contra as têmporas e alongou o pescoço de um lado para o outro, nenhuma das duas medidas dando o menor resultado. Parecia que seus pulmões só alcançavam 10 por cento da capacidade e, enquanto imaginava quem encontraria seu corpo — e quando —, ela ouviu um soluço baixo e sufocado, e mais um toque da campainha.

Foi na ponta dos pés até a porta e espiou pelo olho mágico, mas viu apenas o corredor vazio. Era exatamente assim que as pessoas acabavam sendo assaltadas e estupradas na cidade de Nova York — ludibriadas por algum gênio do crime a abrirem suas portas. *Não vou cair nessa*, pensou enquanto telefonava furtivamente para o porteiro. Não importava que a segurança de seu prédio rivalizasse com a da ONU ou que em oito anos morando na cidade ela não tivesse conhecido pessoalmente ninguém que tivesse ao menos tido a carteira batida, ou que as chances de um assassino psicopata escolher seu apartamento entre as mais de 200 outras unidades em seu prédio fossem improváveis... Era assim que começava.

O porteiro atendeu depois de quatro toques intermináveis.

— Gerard, é Leigh Eisner, do 16D. Há alguém do lado de fora da minha porta. Acho que estão tentando arrombá-la. Pode subir imediatamente? Devo ligar para a polícia? — As palavras saíam em uma desordem frenética enquanto Leigh andava de um lado para o outro no pequeno hall de entrada e jogava quadrados de Nicorette na boca diretamente do invólucro de papel laminado.

— Srta. Eisner, é claro que vou mandar alguém aí imediatamente, mas talvez esteja confundindo a srta. Solomon com outra pessoa. Ela chegou há alguns minutos e seguiu diretamente para o seu apartamento... o que é admissível para alguém em sua lista de autorização permanente.

— Emmy está aqui? — perguntou Leigh. Esqueceu tudo sobre sua morte iminente por doença ou homicídio, abriu a porta e encontrou a amiga se balançando para a frente e para trás no chão do corredor, os joelhos puxados junto ao peito, o rosto molhado de lágrimas.

— Senhorita, posso ajudá-la em mais alguma coisa? Ainda devo...

— Obrigada pela ajuda, Gerard. Estamos bem agora — disse Leigh, fechando o celular e enfiando-o no bolso canguru de seu moletom. Caiu de joelhos sem pensar e passou os braços em volta de Emmy.

— Querida, o que houve? — sussurrou, afastando o cabelo úmido de lágrimas do rosto de Emmy e juntando-o num rabo-de-cavalo. — O que aconteceu?

A demonstração de preocupação trouxe consigo uma nova torrente de lágrimas; Emmy soluçava tanto que seu corpo tremia. Leigh repassou as possibilidades do que poderia causar tanta dor e conseguiu pensar em apenas três: morte na família, morte iminente na família ou homem.

— Querida, são seus pais? Aconteceu alguma coisa com eles? Com a Izzie?

Emmy balançou a cabeça.

— Fale comigo, Emmy. Está tudo bem com o Duncan?

Isso provocou um gemido tão infeliz que Leigh sentiu-se mal só de ouvir.

— Acabou — chorou Emmy, a voz presa na garganta. — Acabou de vez.

Emmy fizera esse pronunciamento não menos que oito vezes nos cinco anos de namoro com Duncan, mas algo esta noite parecia diferente.

— Querida, tenho certeza de que é só...

— Ele conheceu alguém.

— Ele *o quê*? — Leigh deixou os braços caírem e sentou-se de cócoras.

— Desculpe, deixe-me refazer a frase: eu comprei alguém para ele.

— Do que diabos você está falando?

— Lembra-se de quando dei a ele um título da Clay em seu aniversário de 35 anos porque ele estava absolutamente desesperado para entrar em forma de novo? E aí ele nunca foi, nem uma única vez em dois anos inteiros, porque, segundo ele, não era "um uso eficiente" do seu tempo ir correr na esteira? Então, em vez de simplesmente cancelar a porcaria toda e esquecer essa história, eu, o grande gênio, decidi lhe pagar uma série de aulas com uma personal trainer para que ele não precisasse desperdiçar nenhum segundo precioso se exercitando como todo mundo.

— Acho que estou vendo onde isso foi parar.

— O quê? Você acha que ele trepou com ela? — Emmy riu melancolicamente. As pessoas às vezes ficavam surpresas ao ouvir Emmy falar palavrões com tanta ferocidade; afinal, ela só tinha 1,55m de altura e não parecia ser mais velha do que uma adolescente, mas Leigh quase nem percebia mais. — Eu também achei. É tão pior do que isso.

— Isso já parece ruim o suficiente, querida. — Leigh achou que solidariedade e apoio irrestrito eram o melhor que podia oferecer, mas Emmy não parecia reconfortada.

— Você deve estar imaginando como pode ficar pior, certo? Bem, deixe-me lhe dizer como. Ele não trepou com ela; talvez eu pudesse lidar com isso. Nããããooo, não o meu Duncan. Ele "se apaixonou" por ela — Emmy desenhou as aspas com o dedo indicador e o médio de ambas as mãos e revirou os olhos vermelhos de tanto chorar. — Ele está "esperando por ela", abre-aspas-fecha-aspas, até que ela esteja "pronta". Ela é VIRGEM, pelo amor de Deus! Eu aguentei cinco anos de traições e mentiras e sexo estranho e depravado para que ele pudesse SE APAIXONARPORUMAPROFESSORADEGINÁSTICAVIRGEMQUEEU CONTRATEIPARAELENAACADEMIAQUEEUPAGUEI? *Apaixonado!* Leigh, o que é que eu vou fazer?

Leigh, aliviada por finalmente poder fazer algo, pegou o braço de Emmy e a ajudou a ficar de pé.

— Entre, querida. Vamos lá para dentro. Vou fazer um chá e você pode me contar o que aconteceu.

Emmy fungou.

— Ah, Deus, eu esqueci... é segunda-feira. Não quero interromper. Eu vou ficar bem...

— Não seja ridícula. Eu nem estava fazendo nada — mentiu Leigh. — Entre agora mesmo.

Leigh a guiou até o sofá e, depois de dar tapinhas no braço exageradamente estofado para indicar onde Emmy deveria botar a cabeça, abaixou-se atrás da parede que separava a sala de estar da cozinha. Com suas bancadas de granito salpicado de pintinhas e eletrodomésticos novos de aço inoxidável, a cozinha era o aposento favorito de Leigh em todo o apartamento. Todas as suas panelas estavam penduradas por ordem de tamanho em ganchos debaixo dos armários, e todos os seus utensílios e temperos estavam organizados obsessivamente em potes de vidro e aço combinando. Farelos, coisas derramadas, invólucros, pratos sujos — inexistentes. A geladeira parecia ter sido limpa com aspirador e as bancadas não tinham nenhuma mancha. Se fosse possível um aposento personificar a personalidade neurótica de seu dono, a cozinha e Leigh seriam gêmeas idênticas.

Ela encheu a chaleira (comprada na semana anterior numa liquidação de artigos para o lar na Bloomingdale's, porque quem disse que você só tem direito a coisas novas quando tem uma lista de casamento?), encheu uma bandeja com queijo e Wheat Thins e espiou pela janela que dava para a sala de estar, para se assegurar de que Emmy estava descansando confortavelmente. Vendo que estava deitada reta, de barriga para cima, com um braço passado por cima dos olhos, Leigh tirou o celular do bolso e selecionou na agenda de telefones o número de Adriana. Digitou: *S.O.S. E e D terminaram. Desça para cá imediatamente.*

— Você tem um Advil? — Emmy gritou do sofá. E então, mais baixo: — Duncan sempre tinha Advil.

Leigh abriu a boca para acrescentar que Duncan sempre tinha um monte de coisas — um cartão do seu serviço favorito de acompanhantes, uma foto dele mesmo quando criança do tamanho da carteira e, ocasionalmente, uma ou duas verrugas genitais que ele jurava serem apenas "apêndices de pele" —, mas se controlou. Além de ser desnecessário, já que Emmy estava sofrendo o suficiente, seria hipócrita: ao contrário do que todo mundo pensava, Leigh também não tinha exatamente o relacionamento mais perfeito do mundo. Mas afastou Russell da mente.

— Claro, vou pegar já, já — falou, desligando o fogo da chaleira que apitava. — O chá está pronto.

As garotas haviam acabando de dar o primeiro gole quando a campainha tocou. Emmy olhou para Leigh, que apenas disse:

— Adriana.

— Está aberta! — Leigh gritou para a porta, mas Adriana já havia percebido. Entrou afobada na sala de estar e parou com as mãos nos quadris, inspecionando a cena.

— O que está acontecendo aqui? — perguntou. O sotaque ligeiramente brasileiro de Adriana, pouco mais do que uma cadência suave e sexy quando estava calma, a tornava praticamente ininteligível quando se sentia, segundo ela mesma, "apaixonada" por algo ou alguém. Que era basicamente sempre. — Onde estão as bebidas?

Leigh fez um gesto em direção à cozinha.

— A água ainda está quente. Olhe no armário em cima do micro-ondas. Tem um monte de sabores diferentes no...

— Nada de chá! — guinchou Adriana e apontou para Emmy. — Não está vendo que ela está infeliz? Precisamos de bebida *de verdade*. Vou fazer caipirinha.

— Não tenho hortelã. Ou limão. Na verdade, não sei nem se tenho o álcool certo — retrucou Leigh.

— Eu trouxe tudo — Adriana ergueu um grande saco de papel acima da cabeça e sorriu.

Leigh frequentemente achava a brusquidão de Adriana irritante, às vezes um pouco sufocante, mas esta noite estava grata por ela estar tomando as rédeas da situação. Já fazia quase 12 anos desde que Leigh vira o sorriso de Adriana pela primeira vez, e ele ainda a fazia sentir-se intimidada e um pouco ansiosa. *Como alguém pode ser tão bonita?*, pensou pela milionésima vez. *Que poder superior orquestrou uma união tão perfeita de genes? Quem decidiu que uma única alma merecia uma* pele *assim?* Era tão injusto.

Passaram-se mais alguns minutos antes que os drinques fossem preparados e distribuídos, e todas tivessem se acomodado: Emmy e Adriana se espalharam no sofá; Leigh sentou-se de pernas cruzadas no chão.

— Então, conte-nos o que aconteceu — pediu Leigh, pousando uma das mãos no joelho de Emmy. — Respire fundo e nos diga tudo.

Emmy suspirou e, pela primeira vez desde que havia chegado, pareceu não ter mais lágrimas.

— Na verdade, não há tanto assim para contar. Ela é absolutamente adorável, tipo, nojenta de bonita. E jovem. Muito, muito jovem.

— O que é muito, muito jovem? — perguntou Leigh.

— Vinte e três.

— Isso não é *tão* jovem.

— Ela tem um perfil no MySpace — acrescentou Emmy.

Leigh fez uma careta.

— E está no Facebook.

— Deus do Céu — murmurou Adriana.

— É, eu sei. Sua cor favorita é lavanda e seu livro preferido é *A dieta de South Beach,* e ela simplesmente *adora* massa de biscoito, fogueiras de acampamento e assistir a desenhos animados sábado de manhã. Ah, e ela simplesmente *tem* que dormir nove horas ou fica muito, muito mal-humorada.

— O que mais? — perguntou Leigh, apesar de poder prever a resposta.

— O que mais você quer saber?

Adriana começou a rodada, tipo programa de perguntas e respostas.

— Nome?

— Brianna Sheldon.

— Universidade?

— SMU, formada em Comunicação, faz parte da irmandade Kappa Kappa Gamma — Emmy enunciou essas últimas três palavras com a entonação perfeita de uma patricinha da Califórnia.

— Cidade natal?

— Nascida em Richmond, criada em um bairro nobre de Charleston.

— Música?

— Como se você precisasse perguntar. Kenny Chesney.

— Esporte praticado no ensino médio.

— Vamos dizer juntas... — Emmy falou.

— Líder de torcida — disseram Adriana e Leigh simultaneamente.

— Óbvio — suspirou Emmy, mas então sorriu por um segundo. — Encontrei algumas fotos dela no site do fotógrafo do casamento de sua irmã. Ela consegue ficar bem até de tafetá azul-petróleo. A história toda realmente dá vontade de vomitar.

As garotas riram, acostumadas à mais antiga das tradições femininas de intimidade. Quando sua vida estava na sarjeta porque seu ex-namorado repentinamente aparecera no canaldocasamento.com, nada era mais reconfortante do que falar mal da nova namorada. Na verdade, era como tinham ficado amigas, para começo de conversa. Leigh e Emmy se conheceram primeiro em Introdução à Astronomia, uma aula que ambas cursavam para preencher a temida exigência de se ter uma matéria de Ciências. Nenhuma das duas percebeu, até ser tarde demais, que Astro na verdade era uma mistura agressiva de Química, Cálculo e Física, e não a chance de aprender todas as constelações e olhar para as lindas estrelas, como haviam esperado inicialmente. Elas eram os dois membros menos competentes e com menos pontos de seu grupo de laboratório, e o professor-assistente conseguiu reunir palavras suficientes em inglês para avisá-las de que era melhor começarem a melhorar ou corriam o risco de serem reprovadas, o que incitou Leigh e Emmy a se encontrarem três vezes por semana na sala de estudos do dormitório de Emmy, um casulo de vidro iluminado por lâmpadas fluorescentes enfiado entre a cozinha e o banheiro misto. Elas estavam começando a atacar as notas de revisão para a prova que se aproximava quando ouviram um barulho seguido por gritos claramente femininos. Olharam uma para a outra e sorriram ao ouvir a troca de palavras iradas no final do corredor, certas de que era mais uma briga entre uma menina desprezada e o cara bêbado que não havia ligado no dia seguinte. A gritaria, no entanto, mudou significamente e em segundos Emmy e Leigh viram uma menina linda com cabelo cor de mel e um sotaque sexy ser atacada por uma artilharia de palavras lançadas por uma loura muito menos bonita, histérica e com o rosto vermelho, do lado de fora da sala de estudos.

— Não acredito que votei em você! — berrava a garota de rosto vermelho. — Eu fiquei na frente da irmandade inteira para falar em seu favor e é assim que você demonstra gratidão? Dormindo com o meu namorado?

A bonitona com sotaque suspirou. Quando falou, foi com uma resignação tranquila.

— Annie, eu disse que sinto muito. Nunca teria feito isso se soubesse que ele era seu namorado.

Isso não acalmou a que gritava.

— Como podia não saber? Nós estamos juntos há, tipo, meses!

— Eu não sabia porque ele *me* abordou ontem à noite, *me* paquerou, trouxe drinques para *mim* e *me* convidou para o baile *black-tie* da fraternidade dele. Sinto muito se não me ocorreu que ele tinha namorada. Se tivesse me ocorrido, eu garanto que não teria me interessado — a garota esticou a mão em um gesto de reconciliação e desculpas. — Por favor. Os homens não são tão importantes assim. Vamos esquecer isso, está bem?

— Esquecer isso? — sibilou a garota, quase rosnando através dos dentes cerrados. — Você não passa de uma caloura piranha, dormindo com os caras do último ano porque acha que eles realmente gostam de você. Fique longe de mim e fique longe dele, e mantenha sua piranhagem idiota fora da minha vida. Entendido? — A voz da garota havia ficado mais alta; quando ela finalmente perguntou se Adriana havia entendido, estava gritando novamente.

Emmy e Leigh ficaram observando enquanto Adriana olhava a outra garota, parecendo avaliar mentalmente a resposta e então, decidindo não reagir, simplesmente disse:

— Entendido perfeitamente.

Imediatamente, a loura virou-se em seus Pumas e afastou-se enfurecida. Adriana finalmente se permitiu sorrir antes de perceber Emmy e Leigh observando do lounge.

— Vocês viram isso? — perguntou Adriana, entrando pela porta.

Emmy tossiu, e Leigh corou e assentiu.

— Ela estava realmente furiosa — disse Leigh.

Adriana riu.

— Como ela fez o favor de observar, eu sou só uma caloura idiota. Como poderia saber quem está namorando quem por aqui? Principalmente quando o cara em questão passou metade da noite me dizendo como era ótimo estar solteiro de novo depois de ficar amarrado por quatro meses. Eu devia ter posto um polígrafo nele?

Leigh recostou-se na cadeira e deu um gole em sua Coca diet.

— Talvez você devesse começar a carregar uma lista de todas as garotas mais velhas e solteiras do campus e seus números de telefone. Assim, toda vez que você conhecer um cara, pode ligar para cada uma delas e se assegurar de que ele está disponível.

O rosto de Adriana se abriu num sorriso enorme e Leigh ficou encantada: viu imediatamente por que o garoto da noite anterior havia perdido a memória sobre sua namorada na presença dela.

— Meu nome é Adriana — disse ela, acenando primeiro para Leigh e depois para Emmy. — Aparentemente também conhecida como Rainha das Vagabundas da Turma de 2000.

Leigh se apresentou.

— Oi. Eu sou Leigh. Estava pensando em entrar para uma irmandade no segundo semestre, até conhecer sua "irmã". Portanto, obrigada por essa aula educativa.

Emmy dobrou a ponta da página de seu livro e sorriu para Adriana.

— Meu nome é Emmy. Também atendo por A Última Virgem da Turma de 2000, caso você não tenha ouvido falar. É um prazer conhecê-la.

As garotas conversaram durante três horas naquela noite e, quando terminaram, haviam estabelecido um plano de ação para as semanas seguintes: Adriana sairia da irmandade na qual havia entrado sob coação (pressão da mãe), Leigh retiraria seu pedido de avaliação por uma irmandade no segundo semestre e Emmy perderia a virgindade assim que encontrasse um candidato adequado.

Nos 12 anos que haviam se passado desde aquela noite, as meninas mal haviam levantado a cabeça para respirar.

— E por acaso também li em sua página no Friendster, usando a senha do Duncan, claro, que ela sonha em ter dois meninos e uma menina, e quer ser uma jovem mãe. Isso não é uma graça? Essa parte não pareceu incomodar Duncan.

Leigh e Adriana trocaram olhares e ambas viraram-se para Emmy, que estava completamente absorta tirando a cutícula de um polegar com a unha do outro, num esforço óbvio para não chorar.

Então era isso. A idade da nova garota, o fato de ser líder de torcida, até seu nome ah-tão-bonitinho podiam ser enfurecedores, mas não eram intoleráveis; o fato de que ela também ansiava ser mãe assim que fosse humanamente possível era o golpe fatal. Desde que qualquer um podia se lembrar, Emmy fora muito clara a respeito de seu desejo de ter filhos. Obcecada. Ela dizia a qualquer um que a escutasse que queria ter uma família enorme e que queria isso o mais rápido possível. Quatro, cinco, seis filhos — meninos, meninas, um bando de cada; não importava para Emmy, desde que acontecesse... logo. E, apesar de Duncan certamente saber melhor do que qualquer um o quanto Emmy queria ser mãe, conseguira se esquivar de qualquer discussão séria sobre o assunto. Nos primeiros dois anos de seu relacionamento, Emmy guardara esse desejo para si mesma. Afinal de contas, tinham apenas 25 anos e ela sabia que havia tempo suficiente. Mas, assim que seus anos juntos começaram a passar e nada parecia mudar, Emmy ficou mais insistente e Duncan se tornou mais cauteloso. Dizia coisas como "Falando estatisticamente, eu provavelmente terei filhos um dia" e Emmy ignorava sua falta de entusiasmo e a reveladora escolha de pronome, concentrando-se, em vez disso, no fato de Duncan ter pronunciado as três palavras mágicas: "Eu terei filhos". Era por causa dessas três palavras mágicas que Emmy permitia a Duncan suas noites fora por causa do "trabalho" e, uma vez — sabe lá Deus por que agora —, um contato inexplicável com clamídia. Afinal de contas, ele havia concordado em ser o pai de seus futuros filhos.

Adriana quebrou o silêncio primeiro, fazendo o que sempre fazia quando se sentia desconfortável: mudando totalmente de assunto.

— Leigh, *querida,** está 30 graus lá fora. Por que está vestida como se estivéssemos no meio do inverno?

Leigh olhou para sua calça grossa de lã sintética e suéter combinando e deu de ombros.

— Não está se sentindo bem? Está com frio?

---

* Em Português no original. (*N. da T.*)

— Sei lá, foi a primeira coisa que vi. Que importância tem?

— Não é que tenha importância, só é estranho que alguém tão, como devo dizer, *consciente da temperatura* não esteja derretendo agora.

Leigh não ia admitir que estava, na verdade, com calor — com calor demais —, mas que havia circunstâncias atenuantes. Adriana podia ter perguntado, mas ela definitivamente não queria ouvir que havia se coberto de roupas porque odiava quando a parte de trás de seus braços e coxas grudavam no sofá de couro. Que é claro que ela preferia ficar largada de cueca samba-canção e um top, mas o grude da pele com couro — sem falar naqueles barulhos irritantes toda vez que ela mudava de posição — tornavam isso impossível. Leigh sabia que pensariam que ela era maluca se explicasse que, na verdade, já usara todos os seus pijamas leves de calça comprida (e até todas as suas calças de ioga) e que, como preferia usá-los sem calcinha, na realidade eles só eram usados uma vez e acabavam no cesto de roupa suja muito rápido. Então ela estava usando o conjunto de lã sintética apenas porque era a única opção limpa em seu armário que podia protegê-la do temido sofá de couro que tanto sua mãe quanto Emmy haviam insistido ser a escolha certa, apesar de Leigh realmente querer o sofá mais moderno de tecido que não daria a sensação de estar sentada num barril de argamassa o tempo todo. Sem sequer *mencionar* o fato de que em alguns poucos meses (seis) seria inverno, e ela precisaria se vestir como um esquimó porque, independente do quanto mantivesse o apartamento quente, o sofá pareceria gelo contra sua pele nua em vez de macio e aconchegante como o sofá de camurça que todo mundo havia vetado. Não, era melhor deixar o assunto para lá.

— Hum — murmurou Leigh, esperando encerrar a conversa ao não dizer nada. — Acho que estamos prontas para uma segunda rodada.

O segundo drinque desceu mais fácil do que o primeiro, tão fácil, na verdade, que até os passos cada vez mais barulhentos do andar de cima não faziam mais Leigh se sentir tão... enlouquecida. Estava na hora de ajudar sua amiga.

— Então, diga-nos as três coisas principais que a líder de torcida não vai ficar nada animada em descobrir sobre o Duncan — falou Leigh, juntando as solas dos pés e empurrando os joelhos para o chão, sentindo o lado interno das coxas alongarem.

— Isso, isso, boa ideia — concordou Adriana.

Uma mecha do cabelo naturalmente castanho de Emmy — ela era a única entre as três, e possivelmente a única mulher em toda Manhattan que nunca havia tingido, feito permanente, luzes, alisamento ou nem mesmo salpicado suco de limão em sua cabeleira na altura do ombro — soltou-se de seu rabo de cavalo, cobrindo metade da franja e seu olho esquerdo inteiro. Leigh sentiu vontade de estender a mão e enfiá-la atrás da orelha de Emmy, mas resistiu. Em vez disso, jogou mais um pedaço de Nicorette na boca.

Emmy olhou para cima.

— Como assim?

— Bem, quais são os defeitos dele? Hábitos nojentos? Coisas com as quais não dá para conviver? — perguntou Leigh.

Adriana jogou as mãos para cima, exasperada.

— Qual é, Emmy. Qualquer coisa! Manias, defeitos, obsessões, vícios, segredos... Vai fazer com que você se sinta melhor. Conte-nos o que há de errado com ele.

Emmy fungou.

— Não havia nad...

— Não ouse dizer que não havia nada errado com ele — interrompeu Leigh. — Tudo bem, admito que Duncan era muito — Leigh fez uma pausa, querendo dizer "manipulador" ou "insincero" ou "enganador", mas se conteve a tempo — encantador, mas ele tem que ter *algo* que você nunca nos falou. Algum tipo de informação secreta que vai fazer a safadinha da Brianna pendurar os pompons.

— Distúrbio de personalidade narcisista? — instigou Adriana.

Leigh imediatamente aproveitou a deixa.

— Disfunção erétil?

— Vício em jogo?

— Chorava mais do que você?

— Bêbado violento?

— Problemas com a mãe?

— Procure lá no fundo, Emmy — estimulou Leigh.

— Bem, há algo que eu sempre achei meio esquisito... — disse Emmy.

As garotas olharam avidamente para ela.

— Não que fosse nada de mais. Ele não fazia isso quando transávamos nem nada — ela emendou rapidamente.

— Isso acabou de ficar muito mais interessante — disse Adriana.

— Conte logo, Emmy — pediu Leigh.

— Ele, hum... — ela tossiu e limpou a garganta. — A gente nunca conversou direito sobre isso, mas ele, hum, às vezes usava minhas calcinhas para ir trabalhar.

A revelação foi suficiente para calar as duas pessoas que se consideravam falantes profissionais. Elas falavam sem parar em consultas no psiquiatra, se livravam de multas de trânsito e conseguiam mesas em restaurantes totalmente ocupados mas, por vários segundos — possivelmente um minuto inteiro —, nenhuma das duas conseguiu produzir uma reação remotamente lógica ou racional diante da nova informação.

Adriana se recuperou primeiro.

— *Calcinha* é uma palavra abominável — disse. Franziu a testa e esvaziou a jarra de caipirinha em seu copo.

Leigh ficou olhando para ela.

— Não acredito que esteja sendo pedante num momento como este. Uma de suas melhores amigas acabou de lhe contar que seu namorado de quase cinco anos gostava de usar suas calcinhas e seu maior problema é com a palavra?

— Só estou destacando a vulgaridade. Todas as mulheres odeiam a palavra. *Calcinha.* Diga: *calcinha.* Me dá arrepios.

— Adriana! *Ele usava a roupa de baixo dela.*

— Eu sei, acredite em mim, eu ouvi. Eu estava comentando, como observação paralela, com licença, que, no futuro, acho que não devíamos usar essa palavra. *Calcinha.* Eca. Você não a acha repulsiva?

Leigh fez uma pausa por um momento.

— É, acho que sim. Mas essa não é realmente a questão aqui.

Adriana deu um gole e olhou propositalmente para Leigh.

— Bem, então qual é?

— O fato de que o namorado dela — Leigh apontou para Emmy, que observava a discussão com os olhos esbugalhados e uma expressão vazia — vestia um terno todos os dias e ia para o escritório. Que, debaixo do dito terno, ele estava usando uma linda tanga de renda. *Isso* não a incomoda ligeiramente mais do que a palavra *calcinha*?

Só depois que Emmy engasgou audivelmente Leigh percebeu que tinha ido longe demais.

— Ah, meu Deus, sinto muito, meu amor. Eu não queria que isso soasse tão horrível quanto...

Emmy ergueu a mão, palma para a frente, os dedos afastados.

— Pare, por favor.

— Isso foi tão insensível da minha parte. Eu juro, nem estava...

— É só que vocês entenderam tudo errado. O Duncan nunca mostrou nenhum interesse em minhas tanguinhas de renda. Ou nas calcinhas tipo cueca ou nos shortinhos, por falar nisso — Emmy sorriu maliciosamente. — Mas com certeza parecia adorar meus fios-dentais...

— Ei, piranha, estou pronto para você — Gilles agarrou Adriana pelo braço enquanto passava por ela, quase derrubando o celular que ela equilibrava entre o queixo e o ombro esquerdo. — E ande logo. Tenho coisa melhor para fazer do que ouvir você transar por telefone o dia inteiro.

Algumas das mulheres mais velhas desviaram o olhar de suas *Vogue* e *Town & Country*, os olhos esbugalhados desaprovando a falta de educação, a completa desconsideração de uma simples cortesia básica. Olharam para cima, na verdade, bem a tempo de ver Adriana colocar sua xícara no pires e, tendo agora uma das mãos livres, levantar o braço direito acima da cabeça e esticar o dedo médio. Fez isso sem olhar para cima, ainda inteiramente imersa em sua conversa.

— Sim, *querido*, sim, sim, sim. Vai ser perfeito. Perfeito! A gente se vê lá — sua voz ficou mais baixa, mas apenas um pouco. — Mal posso esperar. Parece delicioso. Hum. Beijo, beijo — ela tocou a tela do iPhone com a unha pintada de vermelho e o jogou dentro de sua enorme bolsa Bottega Veneta.

— Quem é a presa de sorte da semana? — perguntou Gilles enquanto Adriana se aproximava. Ele virou sua cadeira de rodinhas na direção dela, que, consciente de que tinha a atenção do salão inteiro, inclinou-se para a frente só um pouquinho, permitindo que sua blusa de seda caísse alguns centímetros para longe de seu peito e sua bunda — não especialmente pequena, mas redonda e dura do jeito que os homens adoravam — subisse no ar até que ela a colocasse, de leve, no assento de couro.

— Ah, por favor, você está mesmo interessado? Ele já é chato para transar, que dirá falar sobre ele.

— Alguém está de bom humor hoje — Gilles posicionou-se atrás dela, trabalhando em seu cabelo ondulado com um pente de dentes largos e conversando com ela através do espelho. — O de sempre, eu presumo?

— Talvez um pouco mais claro em torno do rosto? — ela tomou o resto do café e então apoiou a cabeça no peito dele. Suspirou. — Estou presa na rotina, Gilles. Estou cansada de todos os homens, de todos os nomes e rostos diferentes de que tenho que me lembrar. Sem falar nos produtos! O meu banheiro parece uma farmácia. Há tantas latas diferentes de creme de barbear e sabonetes que eu poderia abrir uma loja.

— Adi, querida — ele sabia que ela odiava esse apelido, então usava-o com prazer em toda chance que tinha —, você está parecendo uma ingrata. Sabe quantas garotas trocariam de lugar com você num piscar de olhos? Para passar apenas uma noite nesse seu corpo? Caramba, hoje de manhã mesmo eu tive dois projetos de *socialite* tagarelando sem parar sobre o quanto sua vida é *fabulosa*.

— Sério? — ela fez beicinho para si mesma no espelho, mas ele detectou uma ponta de prazer.

Era verdade que seu nome aparecia regularmente em todas as grandes colunas de fofoca — o que ela podia fazer se os fotógrafos da alta sociedade eram atraídos para ela como um ímã? —, e é claro que estava na lista de basicamente todas as festas, lançamentos de produtos, inaugurações de lojas e eventos beneficentes importantes. E sim, se fosse inteiramente sincera, teria que admitir que havia namorado alguns homens impressionantemente ricos, lindos e famosos na vida, mas ficava maluca por todo mundo presumir que as armadilhas de uma vida fabulosa eram o bastante para fazê-la feliz. Não que não fossem ótimas — ou que ela estivesse disposta a abrir mão de um único segundo —, mas, com a idade avançada (aproximando-se dos 30), Adriana começara a suspeitar de que havia algo mais.

— Sério. Portanto, segure sua onda, garota. Você pode adejar como um anjo no evento beneficente da Make-A-

Wish,* mas no fundo é uma piranha safada e eu a amo por isso. Além do mais, da última vez falamos sobre *você* o tempo inteiro. Agora é a minha vez — quadril projetado para o lado, ele esticou impacientemente a mão enquanto seu assistente, um moreno magricelo com olhos de Bambi e uma expressão assustada, corria para botar um pedaço de papel laminado na palma de sua mão.

Adriana suspirou e fez sinal para o assistente trazer mais um cappuccino.

— Está bem. Como *você* está?

— Que gentileza sua perguntar! — Gilles se curvou e a beijou no rosto. — Vejamos. Decidi concentrar minha busca por um marido em homens que já estão em um relacionamento sério. Admito, ainda é cedo, mas estou obtendo alguns resultados positivos.

Adriana suspirou.

— Será que não há homens solteiros suficientes por aí para mantê-lo ocupado? Você realmente precisa bancar o destruidor de lares?

— Sabe o que eles dizem, querida: se você não pode ter um lar feliz, destrua um.

— Quem são "eles"? — perguntou ela.

— Ora, eu, é claro. Você nunca viu um homem gostar tanto de um boquete até ver um cara que não recebe um há dez anos.

Adriana riu e imediatamente olhou para o colo. Apesar de sempre simular indiferença e fingir achar normais as descrições amplas e explícitas de Gilles sobre sexo gay,

---

* Make-A-Wish Foundation, entidade que realiza o último desejo de crianças com doenças terminais. (*N. da T.*)

na verdade ficava um pouco constrangida, e admitir isso a incomodava. Ela atribuía essa pontinha de caretice a seus pais, que, apesar de serem generosos com seu dinheiro e exuberantes nas várias formas como o gastavam, não podiam ser chamados de pioneiros sociais. Não que ela fosse exatamente conservadora quando o assunto era sua própria vida amorosa, tudo bem — perdera a virgindade aos 13 anos e fora para a cama com dúzias de homens desde então.

— Acho que descobri alguma coisa, sério — Gilles falou enquanto colocava habilmente os pedaços de papel alumínio em um halo emoldurando seu rosto, a cabeça inclinada só um pouquinho, a testa enrugada com a concentração.

Adriana estava acostumada com suas mudanças constantes de "escolhas de estilo de vida" e adorava contá-las às garotas. Outros encontros haviam rendido pérolas como "na dúvida, depile", "homens de verdade usam decoradores" e "sem malhar, sem namorar", todas regras às quais ele aderia com dedicação surpreendente. Só tivera dificuldade com uma única promessa, feita em seu aniversário de 40 anos, quando jurou nunca mais transar com prostitutos e acompanhantes ("michês são para crianças. De hoje em diante, só civis"), mas uma jura posterior de nunca mais voltar a Vegas o jogara de volta no caminho errado.

O telefone de Adriana tocou. Espiando por cima de seu ombro, Gilles viu antes dela que era Leigh.

— Diga a ela que, se não conseguir convencer aquele seu namorado Adonis a botar logo uma aliança em seu dedo, vou raptá-lo e apresentá-lo às maravilhas do estilo de vida gay.

— Hum, tenho certeza de que ela está apavorada — e então, ao telefone: — Ouviu isso, Leigh? Precisa se casar com o Russell imediatamente ou o Gilles vai seduzi-lo.

Gilles passou a solução em uma mecha de cabelo usando uma pincelada suave para cima seguida de uma ligeira virada no pulso. Então, enrolou as pontas até a raiz e dobrou o papel laminado sobre toda aquela gororoba com um tapinha preciso com o pente.

— O que ela disse?

— Que ele é todo seu — Gilles abriu a boca, mas Adriana balançou a cabeça e ergueu uma das mãos em um gesto de "pare". — Esplêndido! Pode contar comigo. É claro que eu tenho programa hoje à noite, mas estava louca para ter um motivo para cancelar. Além do mais, se a Emmy quer sair, quem somos nós para impedir? A que horas? Perfeito, *querida*, a gente se encontra na portaria às 21 horas. Beijo!

— O que há de errado com a Emmy? — perguntou Gilles.

— Duncan conheceu uma garota de 23 anos que está louca para ter filhos com ele.

— Ah, mas é claro. Como ela está?

— Na verdade, não acho que esteja arrasada — falou Adriana, lambendo um pouquinho da espuma do leite dos lábios. — Ela só acha que *devia* estar. Há muito papo de "eu nunca mais vou conhecer ninguém", mas não muita coisa que tenha a ver com sentir falta do Duncan. Ela vai ficar bem.

Gilles suspirou.

— Eu sonho em botar as mãos naquele cabelo. Sabe o quanto é raro cabelo virgem hoje em dia? É como o Santo Graal da tintura.

— Pode deixar, vou dizer isso a ela. Quer vir hoje? Vamos sair para jantar e beber em algum lugar. Nada de mais, só as garotas.

— Você sabe o quanto eu gosto de sair com as garotas, mas tenho um encontro com o *maître* do último fim de semana. Tomara que ele me leve direto para uma mesa tranquila no fundo do seu quarto.

— Vou ficar de dedos cruzados por você — Adriana olhou descaradamente para o homem alto, de ombros largos, camisa social de xadrez azul e calças perfeitamente passadas que acabara de se aproximar do balcão da recepcionista.

Gilles seguiu seu olhar até a porta enquanto envolvia a última mecha de cabelo em papel alumínio e balançava as mãos num gesto de "*voilà!*".

— Terminei, amor. — O assistente com olhos de Bambi agarrou o braço de Adriana e a levou para um assento no secador. Gilles gritou de sua estação de trabalho alto o suficiente para todo mundo, e certamente para o recém-chegado, ouvir:

— Apenas fique sentada aí e concentre-se em manter as pernas fechadas, querida. Sei que não é fácil, mas só estou pedindo 15 minutos.

Adriana revirou os olhos dramaticamente e lhe mostrou o dedo de novo, desta vez mantendo-o alto o bastante para que o salão inteiro visse. Ela adorou os olhares chocados que recebeu das damas da sociedade, que se pareciam muito com sua mãe. Viu pelo canto do olho que o homem que os observara estava sorrindo, achando divertido. *Sou velha demais para isso*, pensou enquanto dava outra espiada no bonitão desconhecido. O homem passou por ela e deu um sorriso em sua direção. Tanto por calculismo quanto por instinto natural, Adriana olhou para cima com olhos bem abertos, olhos que diziam "Quem, eu?" e colocou só uma pontinha minúscula da língua no meio do lábio superior. Ela tinha que parar de agir assim, sem dúvida; mas, por enquanto, era simplesmente divertido demais.

Andando em silêncio pelo apartamento para não acordar Otis, Emmy percebeu que não havia tanta coisa para arrumar. Era um apartamento pequeno, mesmo para um conjugado em Manhattan; o banheiro era meio soturno e a luz — principalmente nas tardes de sábado, quando você estava acostumada a ficar na casa do seu namorado — era praticamente inexistente, mas de que outra maneira ela podia esperar viver no melhor quarteirão arborizado do West Village por menos de 2.500 dólares? Ela o havia decorado tão cuidadosamente quanto seu orçamento de recém-formada permitia, o que não era muito, mas pelo menos conseguira pintar as paredes de amarelo-claro, instalar uma cama embutida na parede do fundo e colocar algumas almofadas confortáveis em volta de um tapete extrapeludo que encontrara numa liquidação de uma ponta de estoque. Não era grande, mas era confortável e, se Emmy não pensasse na cozinha do apartamento de Izzie em Miami ou no novo quarto-e-sala de Leigh ou na cobertura palaciana de Adriana — especialmente a de Adriana — podia até gostar dele. Só parecia ser tão absolutamente cruel que alguém que gostava tanto de comida quanto ela, que passaria alegremente todos os minutos livres ou no hortifruti ou no fogão, não tivesse uma cozinha. Onde mais no mundo 23 mil dólares de aluguel por ano não lhe davam direito a um forno? Aqui, ela era obrigada a se virar com uma pia, um micro-ondas e uma geladeira pequena, e o senhorio — só depois de ela implorar e negociar uma quantidade ridícula de vezes — comprara uma chapa quente novinha. Nos primeiros anos, ela lutou bravamente para inventar pratos usando seus recursos limitados, mas o esforço de fazer qualquer coisa além de requentar a exauriu. Agora, como a maioria dos nova-iorquinos, a ex-aluna de culinária só pedia comida por telefone ou comia fora.

Emmy desistiu da ideia de fazer faxina, jogou-se na cama por fazer e começou a folhear as páginas do álbum de fotos com capa dura que havia montado no kodakgallery.com para comemorar os primeiros três anos de seu namoro com Duncan. Passara horas selecionando as melhores fotos e cortando-as em tamanhos variados e removendo os olhos vermelhos. *Clique, clique, clique* — ela clicou o mouse até seus dedos formigarem e sua mão doer, determinada a deixá-lo perfeito. Algumas das páginas eram no estilo colagem e outras tinham, dramaticamente, apenas uma foto. A que escolhera para a capa era a sua favorita: uma foto em preto-e-branco que alguém havia tirado durante o jantar de aniversário de 85 anos do avô de Duncan, no Le Cirque. Emmy se lembrava do excelente bacalhau com crosta de gergelim mais do que de qualquer outra coisa daquela noite. Só agora, anos depois, percebia como seus braços enlaçavam protetoramente os ombros de Duncan ou a forma como olhava para ele, com um sorriso largo, enquanto ele sorria daquela sua maneira controlada e olhava em outra direção. Os especialistas em linguagem corporal da *US Weekly* fariam a festa com aquilo! Sem mencionar o fato de que o álbum, apresentado em um jantar comemorativo de seu terceiro aniversário de namoro, gerara o tipo de entusiasmo que normalmente só se espera quando alguém ganha uma echarpe ou um par de luvas (o que, por acaso, foi exatamente o que ele deu a ela, um conjuntinho embalado e embrulhado profissionalmente). Duncan rasgou o papel e as fitas esmeradamente selecionados com sua masculinidade e os jogou de lado sem se incomodar em descolar — que dirá ler — o cartão preso atrás com fita adesiva. Agradeceu, deu-lhe um beijo no rosto e folheou o álbum enquanto dava aquele sorrisinho contido e então pediu licença para atender um telefonema do seu chefe. Pediu a ela que levasse o álbum de fotos para sua casa aquela noite, para não precisar levá-lo para o escritório, e ele ficara na sala de Emmy durante os dois anos seguintes, sendo aberto apenas pelas visitas ocasionais que inevitavelmente comentavam como Emmy e Duncan formavam um belo casal.

Otis gralhou de sua gaiola no canto do conjugado em forma de cachimbo. Enganchou seu bico em uma das barras de metal, sacudiu-a com força e grasnou: "Otis quer sair. Otis quer sair."

Mais de 11 anos e Otis continuava firme e forte. Emmy lera em algum lugar que papagaios-cinzentos podem viver até os 60 anos, mas rezava todos os dias para que fosse um erro tipográfico. Não gostara muito de Otis quando ele ainda pertencia a Mark, o primeiro de seus três namorados, mas gostava ainda menos dele agora, que dividiam o apartamento de 32 metros quadrados e aprendera (com nenhuma aula e ainda menos encorajamento) um vocabulário constrangedoramente amplo que se concentrava quase exclusivamente em exigências, críticas e debates consigo mesmo na terceira pessoa. Inicialmente, ela havia se recusado a tomar conta dele durante três semanas quando, depois da formatura, Mark foi aperfeiçoar seu espanhol na Guatemala. Mas ele implorou e ela concordou: a história da sua vida. As duas semanas de Mark viraram um mês e um mês virou três e três viraram uma bolsa Fullbright para estudar os efeitos subsequentes da guerra civil em uma geração de crianças guatemaltecas. Mark há muito havia se casado com uma voluntária do Corpo de Paz nascida na Nicarágua e criada nos Estados Unidos, e se mudara para Buenos Aires, mas Otis permanecera.

Emmy destrancou a gaiola e esperou que Otis abrisse a porta. Ele pulou desajeitadamente no braço que ela oferecia e a olhou diretamente nos olhos. "Uva!", gritou. Ela suspirou e tirou uma da tigela aninhada em seu edredom. Em geral, Emmy preferia frutas que pudesse cortar ou descascar, mas Otis tinha fixação por uvas. O pássaro a arrancou de seus dedos, engoliu-a inteira e imediatamente exigiu outra.

Ela era tão clichê! Rejeitada pelo namorado estúpido, substituída por uma mulher mais jovem, pronta para rasgar o símbolo pictórico de seu relacionamento de mentira e tendo como companhia apenas um animal ingrato. Seria engraçado se não fosse sua vida patética. Diabos, *era* engraçado quando Renée Zellwegger interpretava uma garota doce e gordinha sofrendo depois de encher a cara por sentir pena de si mesma, mas de alguma forma não era tão hilário quando *você* era aquela garota doce e gordinha — está bem, magérrima, mas não de um jeito atraente — e sua vida acabara de se transformar num filme mulherzinha.

Cinco anos jogados pelo ralo. Os anos de 25 a 29 tinham sido sobre Duncan, o tempo todo, e o que ela tinha agora? Não o emprego que o *chef* Massey oferecera há um ano e lhe daria a oportunidade de viajar pelo mundo procurando locais para novos restaurantes e supervisionando inaugurações — Duncan implorara a ela para manter a posição de gerente geral em Nova York, para que eles pudessem se ver com mais regularidade. Com certeza não uma aliança de noivado. Não, isso estava reservado para a líder de torcida virgem quase menor de idade que nunca, jamais precisaria aguentar os pesadelos sobre seus ovários murchos. Emmy teria que se virar com o pingente de prata esterlina em formato de coração que Duncan lhe dera de aniversário, idêntico — ela descobrira depois — aos que ele também comprara para sua irmã e sua avó em seus aniversários. É claro que, se Emmy estivesse sendo realmente masoquista, poderia salientar que na verdade fora a *mãe* de Duncan quem selecionara e adquirira os três, a fim de poupar seu filho ocupado do tempo e do esforço que presentear exigia.

Quando ela havia ficado tão amarga? Como as coisas tinham acabado assim? A culpa era exclusivamente sua; disso ela tinha certeza absoluta. Claro, Duncan era diferente quando começaram a namorar — pueril, encantador e, apesar de não ser exatamente atencioso, pelo menos um pouco mais presente —, mas Emmy também era. Acabara de largar um emprego como garçonete em Los Angeles para voltar para a escola de culinária, seu sonho desde menina. Pela primeira vez desde a faculdade, estava novamente com Leigh e Adriana, encantada com Manhattan e orgulhosa de si mesma por tomar uma atitude tão decisiva. Está bem, a escola de culinária não era exatamente como ela havia previsto: as aulas frequentemente eram rigorosas e chatas, e a competição entre seus colegas de classe por estágios e outras oportunidades em restaurantes era chocante. Como muitos estavam temporariamente em Nova York e não conheciam ninguém além dos outros alunos, a vida social rapidamente se tornou incestuosa. E houve o pequeno incidente com o *chef* do guia Michelin, que se espalhara em menos tempo do que levava para fazer um *croque-monsieur*. Emmy ainda amava cozinhar, mas estava desiludida com a escola de culinária quando conseguiu um estágio no restaurante do *chef* Massey em Nova York, Willow. Conhecera Duncan durante esse estágio, uma época louca e de pouco sono em sua vida, quando estava começando a perceber que gostava mais do salão do que da cozinha, e trabalhava 24 horas por dia para descobrir onde era seu lugar na indústria alimentícia, se é que havia um. Ela odiava os egos dos *chefs* e a falta de criatividade necessária para simplesmente recriar receitas cuidadosamente escritas. Odiava não ser capaz de interagir com as pessoas que comiam as refeições que ela estava ajudando a preparar. Odiava ficar presa por oito, dez horas seguidas em uma cozinha quente, enfumaçada e sem janelas, apenas com os gritos dos pedidos e o barulho das panelas para lembrá-la de que não estava no inferno. Nada disso constava na noção romântica de como seria sua vida como *chef* mundialmente famosa. O que a surpreendera ainda mais era o quanto ela adorava servir mesas e cuidar do bar, podendo conversar com os clientes e os outros funcionários e, algum tempo depois, como subgerente, assegurar-se de que tudo estava correndo sem problemas. Foi uma época tumultuada para Emmy, de redefinição do que realmente queria para sua carreira e sua vida, e ela percebia agora que estava no ponto para ser colhida por alguém como Duncan. Era quase — quase — compreensível que tivesse se apaixonado tão imediatamente por ele aquela noite, na festa após o evento beneficente Jovens Amigos Sei-Lá-do-Quê, um dos vários eventos para os quais Adriana a havia arrastado naquele ano.

Emmy notara sua presença horas antes que ele a abordasse, apesar de ainda não saber dizer por quê. Pode ter sido o terno amarrotado e a gravata frouxa, ambos conservadores, de bom gosto e habilmente combinando, tão diferente dos uniformes largos de poliéster dos *chefs*, aos quais ela se acostumara. Ou talvez fosse a forma como ele parecia conhecer todo mundo e distribuía tapinhas nas costas e beijos nas bochechas e fazia a reverência galante e ocasional a amigos e futuros amigos. Quem, no mundo, era tão confiante assim? Quem podia andar com tamanha tranquilidade entre tantas pessoas sem parecer minimamente inseguro? Os olhos de Emmy o seguiam pela sala, a princípio sutilmente e então com uma intensidade que ela própria não entendia. Só quando a maior parte da turma de jovens profissionais havia saído para jantar tarde ou dormir cedo e Adriana fora embora com seu homem *du jour*, Duncan apareceu a seu lado.

— Oi, meu nome é Duncan — ele escorregou por entre o banquinho dela e o vazio ao lado, inclinando-se por cima do braço direito apoiado no bar.

— Ah, me desculpe. Pode ficar, eu já estava indo embora. — Emmy levantou-se rapidamente do banquinho, colocando-o entre eles.

Ele deu um sorriso largo.

— Eu não quero seu lugar.

— Ah, hum, desculpe.

— Quero lhe pagar um drinque.

— Obrigada, mas eu estava, hum...

— Indo embora. É, você já disse. Mas eu espero poder convencê-la a ficar mais um pouco.

O barman se materializou com duas taças de martíni, pequenas comparadas às do tamanho de um aquário que a maioria dos lugares servia. Um líquido transparente numa, leitoso na outra, e ambas com um palito com azeitonas verdes gigantescas.

Duncan deslizou a que estava em sua mão esquerda na direção dela pelo finzinho da haste, os dedos pressionando a base achatada de vidro.

— Os dois são de vodca. Este aqui é normal e este aqui — enquanto ele empurrava sua mão direita, ela percebeu o quanto suas unhas eram limpas e brancas, como suas cutículas pareciam macias e bem-cuidadas — é extrassujo. Qual você prefere?

Meu Pai do Céu! Você acha que isso seria o bastante para ativar o detector de baixaria de alguém, mas nããããooo, não o de Emmy. Ela o achara absolutamente encantador e, quando convidada momentos depois, o acompanhara alegremente para casa. É claro que Emmy não dormira com Duncan naquela noite, ou no fim de semana seguinte ou no outro depois disso. Afinal de contas, ela só estivera com dois homens antes dele (o *chef* francês não contava: ela tinha planejado transar com ele até puxar sua cueca branca extrajusta e descobrir, exatamente, o que Adriana queria dizer quando insistira que Emmy "simplesmente saberia" quando frente a uma situação não circuncidada) e ambos eram relacionamentos firmes. Ela estava nervosa. Seu recato — algo que Duncan ainda não havia encontrado em uma garota — aumentou a determinação dele, e Emmy se pegou, de forma bastante involuntária, bancando a difícil. Quanto mais tempo ela negava, mais ele a perseguia, e dessa forma sua interação passou a parecer um namoro. Houve jantares românticos em restaurantes e jantares à luz de velas em casa, e grandes e festivos *brunches* de domingo em bistrôs descolados no Centro. Ele ligava só para dizer oi, lhe mandava balas de goma e bolinhos de manteiga de amendoim na escola, a convidava para sair com dias de antecedência, para garantir que ela não faria outros planos. Quem poderia prever que toda aquela felicidade acabaria de repente cinco anos depois, que ela ficaria tão cínica e Duncan teria perdido metade do cabelo e que eles, o casal que estava junto há mais tempo entre todos os seus amigos, desmoronariam como um castelo de areia ao primeiro sinal de uma brisa tropical?

Emmy fez essas perguntas a sua irmã assim que atendeu o telefone. Izzie vinha ligando duas vezes mais do que o normal desde que Duncan dispensara Emmy na semana anterior; essa já era a quarta vez em 24 horas.

— Você realmente acabou de comparar seu namoro a um castelo de areia e a líder de torcida a uma *brisa tropical*? — perguntou Izzie.

— Qual é, Izzie, fale sério por um segundo. Você poderia prever que isso aconteceria?

Houve uma pausa enquanto Izzie considerava suas palavras.

— Bem, não sei se é exatamente assim.

— Assim como?

— Estamos falando em círculos, Em.

— Então seja direta comigo.

— Só estou dizendo que não foi totalmente do nada.

— Não sei o que você quer dizer.

— É só que, quando você diz que tudo desmoronou ao primeiro sinal de, hum, outra garota, não tenho certeza de que isso seja preciso. Não que a precisão tenha importância, é claro. Independente disso, ele é um idiota e um tolo, e você sem dúvida é muita areia para o caminhãozinho dele.

— Está bem, ótimo, então não foi exatamente o *primeiro* sinal. Todo mundo merece uma segunda chance.

— É verdade. Mas uma sexta ou uma sétima?

— Uau. Não se segure agora, Izzie. Sério, me diga o que realmente pensa.

— Sei que parece duro, Em, mas é verdade.

Junto com Leigh e Adriana, Izzie apoiara Emmy durante mais "erros", "avaliações equivocadas", "descuidos", "acidentes", "escorregadas" e (a favorita de todo mundo) "recaídas" do Duncan do que qualquer um podia se lembrar. Emmy sabia que sua irmã e suas amigas odiavam Duncan por fazê-la passar por situações difíceis; sua desaprovação era palpável e, após o primeiro ano, muito verbal. Mas o que elas não entendiam, não tinham como entender, era o que ela sentia quando os olhos dele encontravam os dela numa festa lotada. Ou quando ele a convidava para o chuveiro e a esfregava com sal marinho com aroma de pepino, ou entrava no táxi primeiro para ela não ter que deslizar no banco de trás, ou sabia pedir para ela temakis de atum com molho picante, mas sem crocância. Essas minúcias faziam parte de todos os relacionamentos, é claro, mas Izzie e as meninas simplesmente não sabiam qual era a sensação quando Duncan voltava sua atenção transitória para ela e se concentrava, mesmo que apenas por alguns momentos. Fazia com que todos os outros dramas parecessem ruídos insignificantes, exatamente o que Duncan sempre lhe assegurou serem: flertes inocentes, nada mais.

Que idiotice!

Ela ficava furiosa só de pensar nisso agora. Como podia ter aceitado sua análise racional de que desmaiar no sofá de uma garota qualquer era compreensível — droga, era completamente aceitável — quando alguém havia bebido tanto uísque quanto ele? O que ela estava pensando quando convidou Duncan de volta para sua cama sem pedir uma explicação aceitável para a mensagem um tanto perturbadora de "uma velha amiga de família" que ela ouvira em sua caixa postal? E não vamos nem mencionar todo o desastre que exigiu uma visita de emergência ao ginecologista que assegurou que, felizmente, estava tudo bem, a não ser pela opinião do médico de que o "carocinho de nada" do Duncan era muito provavelmente uma aquisição recente e não, como Duncan insistia, uma explosão súbita dos velhos tempos de faculdade?

O som da voz de Izzie interrompeu seus pensamentos.

— E não estou dizendo isso só porque sou sua irmã, o que eu sou, ou porque sou obrigada a dizer, o que sou completamente, mas porque acredito de verdade: o

Duncan *nunca* vai mudar e vocês dois não seriam, não poderiam, nem agora nem nunca, ser felizes juntos.

A simplicidade disso quase tirou seu fôlego. Izzie, 20 meses mais nova do que Emmy e quase um clone físico, mais uma vez provava ser infinitamente mais calma, sábia e mais madura. Há quanto tempo Izzie achava isso? E por que, durante todas as intermináveis conversas a respeito do ex-namorado-atual-marido de Izzie ou de seus pais ou de Duncan, Izzie nunca declarara essa verdade básica com tanta clareza?

— Só porque você nunca ouviu antes não significa que eu não tenha dito. Emmy, todas nós dissemos. *Vimos* dizendo. É como se você tivesse ficado temporariamente louca por cinco anos.

— Você é uma gracinha. Aposto que todo mundo queria ter uma irmã como você.

— Por favor. Nós duas sabemos que você é uma monógama em série e que tem problemas para se definir fora de um relacionamento. Soa familiar? Porque, se me perguntar, parece à beça com a mamãe.

— Obrigada por esse *insight* estelar. Talvez você possa me esclarecer como todas essas coisas estão afetando o Otis? Tenho certeza de que rompimentos podem ser devastadores para os papagaios também. Pensando bem, provavelmente devia pensar em botá-lo na terapia. Deus, eu tenho sido tão autocentrada. O pássaro está sofrendo!

Apesar de Izzie agora ser residente de ginecologia e obstetrícia no Hospital da Universidade de Miami, ela flertara brevemente com a psiquiatria e raramente se abstinha de analisar alguma coisa — planta, pessoa ou animal — em seu caminho.

— Brinque o quanto quiser, Em. Você sempre lidou com tudo fazendo piada e não estou dizendo que é a pior abordagem. Só quero estimulá-la a passar algum tempo sozinha. Concentre-se em si mesma: faça o que quiser, quando quiser, sem precisar pensar em mais ninguém.

— Se você começar com essa palhaçada sobre duas metades não serem iguais a um inteiro ou algo parecido, eu vou vomitar.

— Sabe que eu estou certa. Dê um tempo só para você. Recentralize sua noção de "eu". Redescubra quem *você* é.

— Em outras palavras, fique solteira. — *É fácil para ela dar conselhos quando está nos braços de seu marido amoroso*, pensou Emmy.

— Parece mesmo tão terrível assim? Você pula de um namoro para o outro desde que tem 18 anos. — O que ela não disse era óbvio: *e isso não deu muito certo.*

Emmy suspirou e olhou para o relógio.

— Eu sei, eu sei. Agradeço o conselho, Izzie, sério, mas tenho que ir. Leigh e Adriana vão me levar para o grande jantar "você-está-melhor-sem-ele" hoje à noite e preciso me arrumar. Falo com você amanhã?

— Eu ligo para você mais tarde do hospital, em algum momento depois da meia-noite, quando as coisas ficarem mais tranquilas. Tome alguns drinques esta noite, está bem? Vá dançar. Beije um estranho. Só, *por favor,* não conheça seu próximo namorado.

— Vou tentar — prometeu Emmy. Exatamente nesse momento, Otis berrou a mesma palavra quatro vezes seguidas.

— O que ele está dizendo? — perguntou Izzie.

— *Calcinha.* Ele fica repetindo *calcinha.*

— Devo perguntar?
— Não, definitivamente não deve.

Pela primeiríssima vez desde que Leigh se mudara para o prédio, Adriana chegou antes à portaria. Ela o fez por necessidade: Adriana havia voltado de um dia relaxante no salão de beleza — encontro marcado com o gostosão desconhecido para o fim de semana seguinte — e descobrira que seus pais haviam praticamente tomado seu apartamento. Tecnicamente, o apartamento *era* deles, mas considerando-se que só ficavam ali algumas semanas por ano, ela se sentia no direito de pensar nele como sendo exclusivamente seu, onde eles eram visitas. Visitas impossíveis, terríveis. Se não gostavam das peles de zebra africana autênticas que ela havia escolhido para substituir seus tediosos tapetes persas ou da forma como arrumara para que todas as luzes, cortinas e equipamentos eletrônicos funcionassem por controle remoto, bem, era problema deles. E ninguém, nem mesmo seus pais, podia alegar que realmente *preferia* seu chuveiro e hidromassagem de mármore italiano esculpido à mão e especialmente importado à sauna seca, a vapor e ao chuveiro de queda d'água ultramoderno que ela pusera em seu lugar no banheiro da suíte master. Ninguém são, pelo menos. Era exatamente este o motivo pelo qual Adriana tinha que se vestir e sair o mais rápido possível. Em quatro curtas horas, seu santuário sofisticado havia se tornado um círculo infernal de discórdia.

Não que ela não os amasse, é claro. Seu pai estava ficando velho e, a essa altura da vida, muito mais brando do que era quando Adriana estava crescendo. Parecia satisfeito em deixar sua mulher tomar as decisões e raramente insistia em algo além de seu charuto cubano noturno e da tradição de que cada um de seus filhos — três da primeira mulher, três da segunda e Adriana de sua atual, e Deus queira, última esposa — se reunissem na mansão do Rio de Janeiro para as semanas antes e depois do Natal. O oposto acontecera com sua mãe. Apesar da sra. de Souza ter sido tranquila e aceitado os anos de adolescência de Adriana e todas as suas experiências com sexo e drogas, sua atitude liberal não se estendia a filhas solteiras de 29 anos de idade — especialmente uma cuja predileção por sexo e drogas não podia mais ser chamada de "experimental". Não que não entendesse a boa vida; ela era brasileira, afinal de contas. Comer (baixa gordura, baixa caloria), beber (várias garrafas seguidas de vinho branco caro), amar (quando não se pode fingir mais uma dor de cabeça) eram a essência da vida. A serem administradas, é claro, nas circunstâncias adequadas: como uma jovem despreocupada e depois só quando tivesse achado e garantido um bom marido. Havia viajado e trabalhando como modelo e se divertira em sua adolescência — a Gisele de sua geração, as pessoas ainda diziam. Mas Camilla de Souza sempre advertira Adriana de que os homens eram (ligeiramente) menos transitórios do que a aparência. Quando tinha 23 anos, ela havia garantido um marido mais velho e (tremendamente) rico, e produzido uma menininha. Era assim que devia ser.

A ideia de ouvir sua mãe discursando por mais duas semanas deixava Adriana tonta. Esticou-se no sofá ligeiramente macio da portaria e pensou em sua estratégia. Manter-se ocupada durante o dia, voltar para casa tarde ou nem voltar, e convencê-los em todas as oportunidades possíveis que sua energia — sem falar em seu fundo fiduciário substancial — estava sendo aplicada para conseguir um marido adequado. Se fosse cuidadosa, eles nunca saberiam sobre o roqueiro inglês molambento que morava num prédio sem elevador no East Village ou sobre o cirurgião sexy com consultório em Manhattan e mulher e filhos em Greenwich. Se ela fosse meticulosa, podiam nem suspeitar do lindo israelense que dizia cuidar de papelada na embaixada de Israel mas que, Adriana tinha certeza, trabalhava para o Mossad.

A voz rouca de Leigh — uma das poucas coisas naturalmente sexy na garota, Adriana sempre lhe dizia, não que ela ouvisse — interrompeu seus pensamentos.

— Uau — Leigh respirou fundo, olhando para Adriana com os olhos arregalados. — Adorei esse vestido.

— Obrigada, *querida*. Meus pais estão na cidade, então tive que dizer a eles que ia sair com um empresário argentino. Mamãe ficou tão feliz ao saber disso que me emprestou um de seus Valentinos — Adriana passou as mãos pelo comprimento de seu vestido preto curto e deu uma pirueta. — Não é fabuloso?

O vestido era sem dúvida lindo — a seda parecia ser capaz de pensar, sabendo onde se agarrar a uma curva e onde se dobrar graciosamente sobre outra —, mas Adriana também estaria linda se estivesse com uma toalha de mesa de xadrez vermelha.

— Fabuloso — disse Leigh.

— Venha, vamos embora antes que eles desçam e vejam que eu estou com você e não com um jogador sul-americano de polo.

— Achei que ele era empresário.

— Tanto faz.

O táxi se arrastou pela Rua 13 em um ritmo glacial, atolado no trânsito de sábado à noite no Centro, o que fazia com que alguns quarteirões demorassem tanto quanto uma viagem a Nova Jersey. As meninas teriam levado apenas dez minutos para andar de seu prédio no final da 5ª Avenida até o West Village, mas nenhuma das duas pensou em encarar. Adriana, especialmente, dava a impressão de que poderia se machucar e possivelmente ficar paralítica se tivesse sequer que pensar em andar mais do que alguns metros cuidadosamente negociados em seus Christian Louboutins.

Quando finalmente pararam em frente ao Waverly Inn, Emmy já mandara mensagens de texto para as duas uma meia dúzia de vezes.

— Onde vocês estavam? — Emmy chiou baixinho enquanto as garotas se espremiam pela minúscula porta da frente. Estava apoiada na mesa da *hostess* e acenava na direção delas. — Eles nem me deixam sentar no bar sem vocês.

— Mario, que menino mau! — Adriana cantarolou, beijando nas duas bochechas um homem lindo de etnia indeterminada. — Emmy é minha amiga e minha convidada para o jantar de hoje. Emmy, este é Mario, o homem por trás da lenda.

Apresentações e beijos — no ar, na bochecha e na mão — foram trocados antes de as garotas serem acompanhadas à sala dos fundos e sentadas a uma mesa para três. O restaurante não estava tão lotado como de costume, já que muitos dos frequentadores de sempre estavam nos

Hamptons para o fim de semana do feriado de Memorial Day, mas ainda dava para ver bastante gente bonita.

— O homem por trás da lenda? — perguntou Emmy, revirando os olhos. — Está falando sério?

— Os homens precisam de bajulação, *querida*. Não sei quantas vezes tentei ensinar isso a vocês duas. Às vezes, eles precisam de um toquezinho. Aprendam quando segurar firme e quando cobrir isso com veludo e eles serão seus para sempre.

Leigh botou um Nicorette na boca.

— Não faço a menor ideia do que você está dizendo — virou-se para Emmy. — Ela está falando inglês?

Emmy encolheu os ombros. Estava acostumada com os segredos que Adriana há anos tentava transmitir. Eram como lindos contos de fadas: divertidos de ouvir, mas aparentemente inúteis na vida real.

Adriana pediu uma rodada de Vodca Gimlets para a mesa pegando a mão do garçom entre as suas e dizendo "Queremos três do meu favorito, Nicholas". Ela se recostou para observar a multidão. De acordo com Adriana, ainda era um pouco cedo — não ia começar realmente a ferver até a meia-noite, mais ou menos, quando os novatos e caçadores de celebridades tivessem ido embora e os *habitués* pudessem realmente começar a social e a bebedeira da noite —, mas até agora a multidão de profissionais de mídia e entretenimento de 30 e poucos anos parecia feliz e atraente.

— Muito bem, meninas, que tal fazermos isso logo para podermos curtir nossa comida? — perguntou Emmy assim que Nicholas trouxe seus drinques.

Adriana voltou a atenção para suas colegas de mesa.

— Fazer logo o quê?

Emmy ergueu o copo.

— O brinde que uma de vocês inevitavelmente vai fazer com a intenção de me lembrar como estou muito melhor sem o Duncan. Algo sobre como ser solteira é o máximo. Ou como eu sou jovem e linda e os homens vão bater à minha porta. Vamos lá, vamos brindar logo e ir em frente.

— Não acho que haja nada ótimo em ser solteira — disse Leigh.

— E, apesar de você certamente ser linda, *querida*, eu não diria que quase 30 é tão jovem assim — sorriu Adriana.

— Tenho certeza de que você vai acabar conhecendo alguém maravilhoso, mas os homens parecem não estar batendo à porta de ninguém hoje em dia — acrescentou Leigh.

— Pelo menos, não os solteiros — falou Adriana.

— Ainda existe algum que não casou? — perguntou Leigh.

— Os gays não casaram.

— Pelo menos por enquanto. Mas logo, provavelmente. E aí não vai sobrar ninguém.

Emmy suspirou.

— Obrigada, meninas. Vocês sempre sabem o que dizer. Seu apoio infinito significa tudo para mim.

Leigh partiu um pedaço de pão e o passou no azeite.

— O que a Izzie tem a dizer sobre tudo isso?

— Ela está tentando não demonstrar, mas eu sei que está felicíssima. Ela e o Duncan nunca foram exatamente apaixonados um pelo outro. Além disso, está obcecada pela ideia de que eu, abre aspas, "sou incapaz de me definir a não ser que esteja em um relacionamento", fecha aspas. Em outras palavras, a babaquice pseudopsicológica de sempre.

Adriana e Leigh trocaram olhares cúmplices.

— O que foi? — perguntou Emmy.

Leigh ficou olhando para o prato, e Adriana arqueou suas sobrancelhas perfeitas, mas nenhuma das duas disse nada.

— Ah, qual é! *Não* me digam que concordam com a Izzie. Ela não faz ideia do que está falando.

Leigh esticou o braço por cima da mesa e deu um tapinha na mão de Emmy.

— Sim, querida, é claro. Ela tem um marido dedicado, montes de *hobbies* ao ar livre e um diploma de medicina. Esqueci alguma coisa? Ah, sim, conseguiu sua primeira opção de residência e está concorrendo a residente-chefe um ano antes do esperado. Você está absolutamente certa... ela parece não ter a menor condição de lhe dar um pequeno conselho de irmã.

— Estamos saindo do assunto — interferiu Adriana. — Não quero ser a diplomática aqui, mas acho que a Leigh só estava tentando dizer que a Izzie pode ter razão.

— Razão?

Adriana assentiu.

— *Faz* realmente muito tempo que você não fica sozinha.

— É, tipo, desde sempre? — acrescentou Leigh. — Não que isso seja necessariamente ruim. Mas não deixa de ser verdade.

— Uau. Há mais alguma coisa que estejam loucas para me contar? — Emmy apertou o cardápio contra o peito. — Não se segurem agora.

— Bem... — Adriana olhou para Leigh.

— Diga logo — assentiu Leigh.

— Eu não estava falando sério — Emmy disse, os olhos esbugalhados. — *Tem* alguma coisa?

— Emmy, *querida*, é como o grande rinoceronte branco na sala.

— Elefante.

Adriana fez um gesto com a mão.

— Tanto faz. O grande elefante branco. Você tem quase 30 anos de idade...

— Obrigada por mencionar isso mais uma vez.

— ...e só esteve com três homens. Três! Isso é inacreditável e, ainda assim, é verdade.

As garotas ficaram em silêncio enquanto Nicholas colocava na mesa os aperitivos que iam dividir: uma porção de atum tartare com abacate e um prato cheio de ostras. Parecia pronto para anotar seus pedidos, mas Emmy colocou as duas mãos em cima do cardápio e o encarou. Derrotado, ele se afastou arrastando os pés.

— Vocês duas são inacreditáveis. Ficam sentadas aqui por 20 minutos me dizendo que eu não consigo ficar sozinha e aí vocês mudam o rumo, sem nenhum aviso prévio, e dizem que eu não namorei gente suficiente. Ouviram o que estão dizendo?

Leigh espremeu uma fatia de limão por cima das ostras e delicadamente removeu uma da concha.

— Namorou, não; dormiu com.

— Ah, qual é! Qual é a diferença?

Adriana engasgou.

— Esse, minha querida amiga, é exatamente o problema. *Qual é a diferença?* Entre namorar e fazer sexo aleatório? Meu Deus, temos muito trabalho pela frente.

Emmy olhou para Leigh procurando ajuda, mas ela assentiu concordando.

— Não acredito que estou dizendo isso, mas tenho que concordar com a Adriana. Você é uma monógama em série e, como resultado, só esteve com três pessoas de forma significativa. Acho que o que a Adi está dizendo — ela conseguiu usar o odiado apelido porque Adriana estava distraída com a comida, a bebida e a conversa sobre sexo — é que você devia ficar solteira por algum tempo. E estar solteira significa sair com pessoas diferentes, descobrir quem e o que funciona melhor para você e, acima de tudo, se divertir um pouco.

— Então, o que estão realmente dizendo, vamos ser claras aqui, é que eu devia estar sendo mais galinha — disse Emmy.

Leigh sorriu como uma mãe orgulhosa.

— É.

— E você? — Emmy virou-se para Adriana, que juntou as mãos e se inclinou para a frente.

— É *exatamente* isso que estou dizendo.

Emmy suspirou e se reclinou na cadeira.

— Eu concordo.

Ao mesmo tempo, quase no mesmo tom de incredulidade, Leigh e Adriana perguntaram:

— Você concorda?

— É claro. Tive tempo para fazer uma pequena autoanálise e cheguei à mesma conclusão. Só há uma forma lógica de proceder: vou fazer sexo com homens aleatórios. Homens aleatórios de todos os tipos, tamanhos e cores. Todos os tipos de sexo, por falar nisso — fez uma pausa e olhou para Adriana. — O nível da putaria que eu planejei vai deixá-la orgulhosa.

Adriana olhou de volta e ficou imaginando se ouvira sua amiga corretamente. Concluiu que sim, mas que devia ter perdido a ironia no meio — aquela declaração era inconcebível. Ela disse o que sempre dizia quando não tinha ideia do que mais dizer.

— Maravilhoso, *querida.* Simplesmente maravilhoso. Adorei a ideia.

Leigh usou a faca para empurrar um pouco de atum e uma fatia de pepino para a ponta de seu garfo e o levou elegantemente à boca. Uma mordida silenciosa, algumas mastigadas e ela engoliu.

— Emmy, meu amor. Estamos apenas brincando, você sabe. Acho que é ótimo que você não tenha estado com muitos caras. Quando alguém lhe pergunta com quantas pessoas você já dormiu, você nem tem que dividir por três! Isso não é ótimo? Não ter que mentir?

— Não estou brincando — falou Emmy. Ela fez contato visual com o garçom conforme ele passava pela mesa e pediu três taças de champanhe quando ele se aproximou. — Este é o começo da minha nova vida e, acreditem, já não era sem tempo. A primeira coisa que vou fazer na segunda-feira é ligar para o *chef* Massey e dizer que vou aceitar o emprego. Que emprego?, vocês podem pensar. Aquele no qual querem me pagar montanhas de dinheiro e me dar uma quantia enorme para despesas de custo para que eu possa viajar pelo mundo todo e ficar nos melhores hotéis e comer nos melhores restaurantes para ter inspiração. Inspiração! Para ideias de novos menus. Já ouviram algo tão ridículo? E quem é a porra da idiota que está dizendo não há dois meses, porque não queria deixar seu pobre e solitário namorado? Essa que vos fala. Não queria que o pobrezinho do Duncan se sentisse abandonado e mal-amado enquanto eu pegava um avião para algum lugar maravilhoso. Então, sim, desta vez eu vou ligar e aceitar aquele emprego, e aí vou trepar com todo homem solitário e atraente que conhecer. Homens estrangeiros, sexy e lindos. E eu quero dizer *cada um deles.* O que acham, meninas? Aceitável? — O garçom voltou com o champanhe. — Então, por favor, vamos brindar.

Adriana fez um barulho que, para qualquer um menos bonito, só poderia ser chamado de fungada, mas, vindo dela, soava exótico e feminino. As duas garotas se viraram para olhar e, de repente, ela ficou aborrecida. Adriana não tinha certeza se era porque sua amiga acabara de anunciar planos de uma importante mudança de vida enquanto ela própria vinha trilhando sem esforço o mesmo caminho há anos. Talvez ela se sentisse estranha porque seu papel como festeira internacional do grupo estivesse em perigo, ou talvez só tivesse bebido demais. Mas havia algo na declaração de Emmy que ela considerava muito perturbador. E, se havia algo com que Adriana não estava acostumada, era sentir-se perturbada. Ela ergueu o copo e forçou um sorriso.

Emmy sorriu de volta e ergueu a mão em um sinal de "pare".

— Só há uma condição. Eu quero companhia.

— Companhia? — perguntou Leigh. Ela mordeu o lábio inferior, prendendo um pedaço de pele com os dentes da frente. Parecia ansiosa. Adriana ficou imaginando por que ela sempre parecia estar nervosa nos últimos tempos, especialmente se as coisas estavam indo tão bem para ela.

— É. Companhia. Estou disposta a galinhar geral se *você* — Emmy apontou para Adriana — concordar em ter um relacionamento sério e monógamo. Com um homem da sua própria escolha, é claro.

Adriana respirou fundo. Fez um de seus gestos preferidos, que consistia em tocar distraidamente os lábios com a ponta de um dos dedos e então roçá-lo pelo ponto logo abaixo de sua orelha esquerda. Como sabia que aconteceria, isso induziu quatro homens na mesa ao lado a olharem, e Nicholas a vir correndo. Ela sentiu aquela sensação familiar de prazer ao ser observada.

As garotas pediram seus pratos, mais uma rodada de bebidas e uma porção de macarrão com trufas e queijo para dividir.

— Então? O que me diz? — perguntou Emmy.

— Minha mãe botou você para fazer isso?

— Sim, meu amor. Foi ideia da sua mãe eu ir para a cama com todos os homens que conhecer durante o próximo ano para que você concorde em namorar uma pessoa só. Ela é muito inteligente — disse Emmy.

— Vamos lá, garotas, vamos falar sério um minuto — disse Leigh. — Nenhuma de vocês vai em frente com isso, então podemos mudar de assunto? Emmy, você provou seu ponto de vista. Se quiser mergulhar de cabeça em mais uma relação de cinco anos, com certeza é direito seu. E, Adriana, é mais provável você virar astronauta do que namorar um homem só. Próximo tópico.

— Não é como se eu a tivesse desafiado a fazer algo muito drástico, como arrumar um emprego... — Emmy deu um sorriso largo.

Adriana forçou um sorriso de volta, apesar de achar difícil rir de si mesma, principalmente quando a piada dizia respeito a sua falta de trabalho. A voz irritante de sua mãe reverberava em sua cabeça.

— Uau, pegando pesado, não é, *querida*? Bem, adivinhe? Aceito o seu desafio.

— Você o quê? — perguntou Emmy, torcendo furiosamente uma mecha de cabelo.

O copo de Leigh parou a meio caminho de sua boca.

— Você vai aceitar?

— Já disse que aceito. Quando começamos?

Emmy mordeu a ponta de um aspargo, mastigou graciosamente e engoliu.

— Eu digo para darmos um tempo para decidirmos as regras. Vamos concordar em ter um plano até o final do fim de semana que vem?

Adriana assentiu.

— Fechado. E isso dará a você — ela apontou na direção de Leigh com a taça de champanhe — uma chance para descobrir qual vai ser sua resolução.

— Eu? — as sobrancelhas recém-feitas de Leigh se enrugaram. — Uma resolução? Por quê? Nem é Ano-novo. Só porque vocês duas são malucas, não significa que eu seja.

Emmy revirou os olhos.

— Leigh? Por favor. O que ela precisa mudar? Emprego perfeito, namorado perfeito, apartamento perfeito, núcleo familiar perfeito... — a voz de Emmy ficou nasal e melódica. — Marcia, Marcia, Marcia — ela cantarolou, ignorando o olhar de desagrado de Leigh como rabugice momentânea.

— É, pode ser — disse Adriana, olhando apenas para Leigh. — Mas ela vai ter que inventar alguma coisa. Pode fazer isso, não pode, Leigh? Pensar em um único aspecto da sua vida que queira mudar? Melhorar?

— É claro que posso — disse Leigh, mais ríspida do que gostaria. — Tenho certeza de que deve haver um milhão de coisas.

Adriana e Emmy trocaram olhares, e cada uma sabia o que a outra estava pensando. Leigh podia ter as coisas todas em ordem, mas não morreria se relaxasse um pouco e se divertisse.

— Bem, você tem duas semanas para escolher uma, *querida* — Adriana anunciou em sua voz autoritariamente rouca. — Enquanto isso, vamos brindar.

Emmy ergueu sua taça como se fosse um peso de papel feito de chumbo.

— A nós — anunciou. — No próximo verão, eu terei me prostituído para metade de Manhattan e a Adriana terá descoberto as alegrias da monogamia. E a Leigh vai ter... feito alguma coisa.

— Saúde! — gritou Adriana, mais uma vez atraindo a atenção de metade do restaurante. — A nós.

Leigh brindou indiferentemente.

— A nós.

— Estamos totalmente, completamente, lindamente *ferradas* — Emmy se inclinou para a frente e fingiu cochichar.

Adriana jogou a cabeça para trás, metade com prazer, metade por hábito, pelo efeito.

— Cem por cento fodidas — ela riu. — Com trocadilho, é claro.

— Podemos sair daqui antes de começarmos a passar vergonha como nenhuma de nós jamais passou? Por favor? — implorou Leigh. O vinho tinto que Nicholas lhes trouxera de cortesia estava começando a lhe dar dor de cabeça e ela sabia que era apenas questão de tempo — minutos, provavelmente — antes que suas amigas passassem de encantadoramente altas para inconvenientemente bêbadas.

Adriana e Emmy trocaram olhares de novo e riram.

— Vamos, Marcia — Adriana falou, rebolando até ficar de pé enquanto puxava o braço de Leigh. — Nós ainda vamos ensiná-la a se divertir.

se você acha que é grande demais, você não merece

— Venha para a cama, amor. É quase uma hora. Não acha que está na hora de encerrar a noite? — Russell tirou a camiseta e virou de lado para ficar de frente para Leigh, descansando a cabeça cheia de cachos negros na mão direita. Ele esfregou os lençóis com a mão esquerda e deu uns tapinhas, um gesto que pretendia ser tentador, atraente, mas que Leigh sempre achara um pouco ameaçador.

— Faltam apenas algumas páginas. A luz o está incomodando? Posso ir para a sala.

Ele suspirou e pegou seu livro *Anatomia do treinamento de força.*

— Não é a luz, querida, e você sabe disso. É o fato de que não dormimos na mesma hora há semanas. Sinto sua falta.

A primeira coisa em que ela pensou era que ele parecia uma criança reclamona e petulante; este era, afinal de contas, um dos originais mais cobiçados do ano, e era crucial que ela o tivesse lido até a reunião de compras na manhã seguinte. Levara oito anos enlouquecedoramente longos de trabalho duro para finalmente — finalmente! — estar a pouca distância do cargo de editora sênior (estava, afinal, há apenas seis na Brook Harris, e ela podia potencialmente ser a mais nova), e Russel parecia achar que, depois de um ano de namoro, ele tinha o direito de comandar sua vida toda. Não fora *ela* quem pedira para ele passar a noite hoje, quem aparecera na porta *dele* a caminho de *seu* jogo semanal de pôquer, batendo os longos cílios e falando *Amor, eu simplesmente tinha que ver você.*

Pensamento seguinte: ela era a bruxa mais medonha, incompreensiva e ingrata só por pensar essas coisas de Russell. Com certeza não estava tão irritada assim há um ano. Quando ele se aproximou dela na festa literária que a Brook Harris estava dando em homenagem a Bill Parcells (que acabara de escrever um livro de memórias sobre seus anos como treinador dos Cowboys), ela o reconheceu imediatamente. Não que assistisse à ESPN — ela não assistia —, mas, com seu sorriso de menino e covinhas e reputação de um dos solteiros mais cobiçados de Manhattan, ela sabia que devia ser extracharmosa quando ele se apresentou. Conversaram durante horas naquela noite, primeiro na festa e depois tomando Amstels no Pete's Tavern. Ele fora quase surpreendentemente direto sobre estar cansado da cena de namoricos em Nova York, como estava farto de sair com modelos e atrizes, e estava pronto para conhecer, em suas palavras, uma "garota de verdade", sugerindo, é claro, que Leigh era a candidata perfeita. Naturalmente, ela se sentiu honrada com a atenção: quem não iria querer Russell Perrin correndo atrás de si? Ele preenchia todos os quadradinhos em cada uma das listas que ela esboçara nos últimos dez anos. Era, em todos os sentidos, exatamente o tipo de homem que ela esperara encontrar, mas que nunca realmente pensou que conheceria.

Agora, ali estava ela, um ano de namoro com esse homem lindo que por acaso também era sensível, gentil, carinhoso e estava loucamente apaixonado por ela, e ela só conseguia se sentir sufocada. Era bastante óbvio para todas as outras pessoas na vida de Leigh que ela finalmente havia encontrado O Tal; por que não era mais claro para ela? Como se para esclarecer essa questão, Russel virou seu rosto de frente para o dele, olhou em seus olhos e disse:

— Leigh, querida, eu te amo tanto.

— Eu também te amo — Leigh respondeu automaticamente, sem um segundo de hesitação, apesar de um observador distante, até mesmo um completo estranho, poder questionar a sinceridade por trás de sua declaração. O que você devia fazer quando alguém de quem você gostava e respeitava muito, alguém que você queria conhecer melhor, anunciava, depois de dois meses de um namoro aparentemente casual, que estava completamente apaixonado por você? Você fazia o que qualquer pessoa avessa a confrontos faria, e diria "Eu também te amo" de volta. Leigh achou que acabaria se convencendo dessas palavras, seria capaz de dizê-las com mais convicção quando eles se conhecessem melhor. Incomodava-a o fato de, um ano depois, ainda estar esperando.

Ela se forçou a levantar o olhar da página e assumiu uma voz melosa e açucarada.

— Sei que tem estado uma loucura ultimamente, mas é como um relógio, todos os anos. Assim que o calendário chega a junho, tudo vira um caos. Eu prometo que não vai durar para sempre.

Leigh prendeu a respiração e esperou que ele explodisse (o que até agora jamais havia acontecido), esperou que Russell lhe dissesse que não ia tolerar ser paternalizado e que não gostava que ela falasse com ele como se fosse a mãe e ele o menininho que acabara de derrubar manteiga de amendoim no tapete.

Em vez disso, ele sorriu. E não um sorriso cheio de ressentimento ou resignação; era genuíno, cheio de compreensão e inacreditavelmente sincero.

— Não quero pressioná-la, amor. Sei o quanto você ama seu trabalho e quero que aproveite enquanto pode. Não se apresse e venha para a cama quando quiser.

— Enquanto eu posso? — A cabeça de Leigh saltou. — Está realmente tocando nesse assunto de novo à uma da manhã?

— Não, querida, não estou tocando nesse assunto de novo. Você já deixou perfeitamente claro que São Francisco não está nos seus planos no momento, mas eu realmente gostaria que não fosse tão resistente à ideia. Seria uma oportunidade incrível, sabe.

— Para você — disse Leigh, amuada como uma criança.

— Para nós dois.

— Russell, não estamos juntos nem há um ano. Acho que é um pouco cedo para começar a falar sobre nos mudarmos para o outro lado do país juntos. — O nível de irritação na voz dela surpreendeu a ambos.

— Nunca é cedo demais quando você ama alguém, Leigh — ele falou, a voz neutra e firme. Essa mesma firmeza, que a atraíra tanto no começo, agora podia enfurecê-la; a recusa dele em ficar zangado, seu domínio completo de suas emoções a faziam imaginar se ele chegava a ouvir o que ela estava dizendo.

— Não vamos falar sobre isso agora, está bem? — pediu ela.

Ele sentou-se ereto e escorregou para a beira da cama, mais perto do canto onde Leigh colocara sua confortável cadeira de leitura e a luminária de luz branca suave. O edredom extragrande — o que ela procurara durante semanas, testando todas as marcas do mercado para ver a maciez e a fofura — escorregou para o chão e quase derrubou o bonsai da mesinha de cabeceira. Russell não pareceu perceber.

— Por que eu não faço um chá para você? — perguntou.

Mais uma vez Leigh sentiu que precisava reunir cada grama de autocontrole para não gritar. Ela não queria ir para a cama. Não queria chá. Ela só queria que ele *parasse de falar.*

Ela respirou fundo, lentamente, sem querer demonstrar irritação.

— Obrigada, mas estou bem. Apenas me dê mais alguns minutos, está bem?

Ele olhou para ela com um sorriso compreensivo antes de pular da cama e a envolver num abraço de urso. Ela sentiu seu corpo enrijecer; não podia evitar. Russell só a abraçou mais forte e enfiou o rosto na dobra do pescoço dela, encaixando-o bem acima de seu ombro e debaixo de seu queixo. A barba por fazer arranhou sua pele e ela se contorceu.

— Isso faz cócegas? — riu ele. — Meu pai sempre disse que em algum momento eu ia precisar me barbear duas vezes por dia, mas nunca quis acreditar.

— Hum.

— Vou pegar uma água. Você quer?

— Claro — disse ela, apesar de não querer. Voltou a atenção para o livro novamente e havia lido meia página quando Russell gritou da cozinha.

— Onde você guarda o mel?

— O quê? — ela berrou de volta.

— O mel. Estou fazendo chá para nós e queria fazer com leite morno e mel. Você tem?

Ela respirou fundo.

— Está no armário em cima do micro-ondas.

Ele voltou momentos depois com uma caneca em cada mão e um pacote de biscoitos com gotas de chocolate Newman's Own entre os dentes.

— Tire uma folga, amor. Prometo deixá-la em paz depois de um lanchinho da meia-noite.

Meia-noite?, Leigh pensou. *É uma e meia da manhã e eu tenho que estar de pé daqui a cinco horas e meia. Sem falar que nem todo mundo tem um corpo naturalmente tonificado de um atleta universitário de elite e pode se dar ao luxo de comer biscoitos a qualquer hora.*

Ela deu uma mordida em um biscoito e lembrou-se do tempo, quando tinha vinte e poucos anos e quisera tanto essa cena: o namorado dedicado, os piqueniques românticos tarde da noite, o apartamento confortável cheio com todas as coisas que ela amava. Naquela época parecera quase impossível ou, pelo menos, muito distante; agora ela tinha tudo, mas a realidade não se parecia em nada com a fantasia.

Mal tendo engolido os biscoitos e sem terminar o chá, Russell abraçou um travesseiro e caiu rapidamente em um sono profundo e tranquilo. Quem dormia assim? Leigh nunca deixava de se surpreender. Ele alegava que isso vinha de uma infância cercada pelo caos, por ter que aprender a dormir com o barulho de um pai, uma mãe, duas irmãs, uma babá que morava em casa e três *beagles* barulhentos. Talvez. Mas Leigh achava que tinha mais a ver com sua consciência limpa e sua vida honesta e, se fosse ser realmente sincera, com o fato de que a vida dele não era tão estressante assim. O quanto seria difícil dormir feito um bebê se sua rotina diária incluísse duas horas de exercício (uma hora de musculação e uma hora de aeróbica) e não tivesse cafeína, açúcar, conservantes, farinha de trigo e gordura trans? Se gravasse um programa semanal de 30 minutos sobre um assunto (esporte) que você amava naturalmente só pelo fato de ser homem e tivesse uma equipe de redatores e produtores que preparasse tudo para você ler? Se tivesse relacionamentos saudáveis e produtivos tanto com a família quanto com os amigos, todos os quais o amavam e admiravam só por você ser você mesmo? Era o bastante para deixar alguém enjoado ou, no mínimo, irritado, o que, se fosse perfeitamente franca, era como Leigh frequentemente se sentia.

Esta noite, isso só fez Leigh se sentir desesperada por um cigarro. Independente de ter parado há quase um ano, logo que ela e Russell haviam começado a namorar, não se passava um dia sem que ela ansiasse desesperadamente por um bom e longo trago. Os fumantes sempre eram poéticos em relação ao ritual, sobre como uma grande parte da satisfação era abrir o maço e retirar o papel laminado e puxar um bastonete aromático. Alegavam que adoravam acender, bater as cinzas, a sensação de poderem segurar algo entre os dedos. Estava tudo muito bem, mas não havia nada igual a realmente fumar: Leigh amava *tragar*. Puxar com os lábios pelo filtro e sentir a fumaça passar pela língua, descer pela garganta e ir direto para os pulmões era ser transportado momentaneamente para o Nirvana. Ela se lembrava — todos os dias — da sensação depois do primeiro trago, no momento em que a nicotina chegava a sua corrente sanguínea. Alguns segundos tanto de tranquilidade quanto de vigilância, juntos, exatamente na mesma proporção. Então, a expiração lenta — com força suficiente para que a fumaça não saísse simplesmente da boca, mas não tão energético que perturbasse o momento — completava a deliciosa experiência.

Leigh não era uma idiota, porém, e certamente conhecia todas as desvantagens de seu amado hábito. Enfisema. Câncer de pulmão. Doenças cardíacas. Pressão alta. Ter que aguentar as fotos explícitas de pulmões enegrecidos nas revistas e comerciais aterrorizantes de pessoas com voz grave que passaram por traqueotomias. Os dentes amarelados e o cabelo enfumaçado e a falange manchada do seu dedo médio direito. As reclamações constantes de sua mãe. As previsões sinistras de seu médico. A voz enlouquecedora ensandecedora caso-você-não-saiba que completos desconhecidos usavam quando se aproximavam dela do lado de fora do prédio do escritório para enumerar os vários perigos do fumo. E então, Russell!

O sr. Meu-Corpo-É-Um-Templo, nunca, *jamais* namoraria uma fumante, e deixou isso perfeitamente claro desde o primeiro dia. Era o suficiente para fazer até o fumante mais inveterado pedir penico e, depois de oito anos de um maço por dia de prazer, Leigh finalmente desistiu. Foi preciso um esforço sobre-humano e a habilidade de aguentar crises de abstinência durante várias semanas, mas ela perseverara. Até agora, não conseguira se livrar inteiramente da nicotina —, alguns poderiam dizer que só conseguira transferir seu vício persistente em cigarros para chicletes de nicotina — mas isso não estava nem lá nem cá. O chiclete não a mataria tão cedo, ela esperava e, se matasse, bem, que fosse.

Jogou mais um na boca para garantir e colocou o livro de lado. Normalmente não era muito difícil se concentrar em um original ótimo que estava sendo comentado por diversas editoras, mas esse parecia chato. Será que o público americano realmente queria ler mais um volume de 800 páginas de ficção histórica sobre um ex-presidente do século passado? Já era o suficiente. Ela só queria se enrolar com um bom livro de leitura fácil e se perder em algo que não fosse tão mortalmente entediante. Daria qualquer coisa para que fosse uma noite de segunda-feira Sem Contato Humano. Sem energia nem disposição para ler mais nenhuma palavra sobre uma campanha que ocorrera havia mais de cem anos, Leigh botou o livro de lado e puxou seu MacBook para o colo.

Era comum que uma de suas amigas estivesse no MSN às duas da manhã, mas hoje estava tudo quieto. Leigh clicou em seus websites favoritos rápida e eficientemente, os olhos varrendo as páginas atrás de informações. No cnn.

com, havia um ataque de jacaré no Sul da Flórida. No Yahoo!, um vídeo demonstrando como fazer uma cesta de melancia usando apenas uma faca de cozinha e um marcador não tóxico. Em gofugyourself.com, uma notinha engraçada sobre a franja do Tom Cruise e o Flowbee. No neimanmarcus.com, um anúncio relativo a envio expresso para todos os artigos de couro. *Clique, clique, clique, clique.* Ela deu uma olhada na lista mais recente de best sellers na *Publishers Weekly*, clicou para apoiar mamografias gratuitas no site do câncer de mama e verificou que seu depósito direto fora recebido no chase.com. Pensou por um instante em olhar os sintomas para distúrbio obsessivo-compulsivo no WebMD, mas resistiu. Sentindo-se finalmente cansada, se não inteiramente exausta, Leigh lavou cuidadosamente o rosto usando os movimentos circulares corretos e trocou seu moletom por um par de shorts de malha de algodão. Olhou para o rosto de Russell enquanto entrava na cama junto dele, enfiando o corpo lentamente por debaixo do edredom, determinada a não acordá-lo. Ele permaneceu imóvel. Ela apagou a luz e conseguiu virar-se de lado sem perturbá-lo mas, assim que sua mente começou a diminuir de ritmo e seus membros começaram a relaxar entre os lençóis frios, ela sentiu o corpo dele pressionando contra o seu. O corpo excitado dele. Ele a envolveu em seus braços e empurrou a pelve contra seu cóccix.

— Oi, você — ele sussurrou em sua orelha, o hálito ainda cheirando a biscoito.

Ela ficou deitada ali inerte, rezando simultaneamente para que ele caísse no sono de novo e se odiando por desejar isso.

— Leigh, querida, você está acordada? Eu sei que eu estou. — Ele deu mais uma empurrada para o caso de ela não ter certeza do que ele estava querendo dizer.

— Estou exausta, Russ. Já está tão tarde e eu tenho que acordar cedo para a reunião amanhã. — *Quando foi que comecei a falar como minha mãe?*, ela pensou.

— Prometo que você não vai precisar fazer nada.

Ele a puxou mais para perto e beijou seu pescoço. Ela estremeceu, o que ele interpretou como prazer, e passou os dedos por cima do arrepio, o que considerou bom sinal. Quando começaram a namorar, ela achava que ele beijava melhor do que qualquer um no mundo. Ainda se lembrava de seu primeiro beijo — fora absolutamente transcendente. Ele a levara de táxi para casa depois da festa literária e do bar e, logo antes de chegarem ao prédio dela, ele a puxara em direção a si para lhe dar um dos beijos mais macios e incríveis que ela já havia experimentado. Ele usou a combinação perfeita de lábios e língua, a pressão ideal, a quantidade exata de paixão. E não havia dúvida de que tinha bastante experiência, tendo sido um dos homens mais conhecidos e requisitados que ela conhecera. Ainda assim, nos últimos meses, ela começara a sentir que estava beijando um desconhecido — e não de uma maneira excitante. Em vez de macia e quente, sua boca agora frequentemente parecia fria e úmida e dava um ligeiro choque na pele dela. A língua sondava com voracidade demais; seus lábios sempre pareciam ou rígidos ou molengos. Esta noite, contra sua nuca, eles pareciam feitos de *papier-maché* antes de endurecer direito. *Papier-maché* mole. *Papier-maché* mole e frio!

— Russ — ela suspirou e fechou os olhos.

Ele acariciou seu cabelo e esfregou seus ombros, tentando relaxá-la.

— O que foi, amor? É tão horrível?

Ela não lhe disse que cada toque parecia uma violação. O sexo não era fantástico antes? Quando Russell era um pouco esquivo, galanteador e sedutor, e não tão carente ou tão determinado a sossegar com uma garota mais séria do que todas as frívolas de quando tinha 20 anos? Tudo parecia ter sido há tanto tempo.

Antes que ela percebesse o que estava acontecendo, ele havia abaixado os shorts dela até os joelhos e a puxado ainda mais para perto. Os bíceps dele eram enormes, literalmente inchados debaixo do queixo dela e estavam pressionando sua garganta sem querer. O peito dele emanava calor como uma fornalha e o pelo de suas pernas parecia uma lixa. E, pela primeira vez enquanto estava na cama com Russell, ela começou a sentir os sintomas familiares de ataque cardíaco começarem.

— Pare! — ela ofegou, seu sussurro mais alto do que havia planejado. — Não posso fazer isso agora.

O abraço dele afrouxou instantaneamente e instantaneamente Leigh sentiu-se grata por estar escuro demais para ver seu rosto.

— Russ, eu sinto muito. É só que...

— Não se preocupe, Leigh. Sério, eu entendo — sua voz soava calma, mas distante. Rolou para longe dela e em minutos sua respiração entrou em um ritmo constante e profundo.

Leigh finalmente adormeceu logo antes das 6 horas, assim que a senhora no andar de cima colocou seus acessórios para pés e começou a barulheira do dia, mas foi só na reunião da manhã seguinte, na qual sentiu-se desarticulada e lenta por causa da exaustão, que ela se lembrou de seu último pensamento antes de adormecer. Sobre o jantar com as meninas algumas semanas antes e suas declarações de mudança. Emmy ia ampliar sua experiência tendo vários casos e Adriana tomara a resolução de experimentar a monogamia. Nos dez dias desde então, Leigh não conseguira pensar em nada que estivesse disposta a mudar. Até agora. Não seria engraçado anunciar que ela ia tomar coragem de terminar seu relacionamento imperfeito, apesar de morrer de medo de ficar sozinha e estar convencida de que não encontraria ninguém que a amasse metade do que o Russell tão obviamente amava? Que ela ficava esperando e esperando para sentir por ele o que todo mundo achava que devia sentir, mas que até agora não acontecera? Ha-ha. *Hilário*, pensou consigo mesma. *Elas não acreditariam nem por um segundo.*

Ela estava tentando pensar em alguma outra coisa — no clima, em sua viagem que se aproximava, no fato de seus pais estarem discutindo a possibilidade de voltar a morar nos Estados Unidos —, mas a mente de Adriana recusava-se a se concentrar em qualquer coisa além do deslumbrante contraste dos *dreads* ásperos, parecidos com cordas e a textura leitosa da pele de Yani. Cada vez que ele esticava ou endireitava aquele abdômen lindo, o pulso dela acelerava. Ela ficou olhando dissimuladamente enquanto uma gotinha de suor viajava da testa dele para seu pescoço e tentou imaginar como seria o gosto. Quando ele colocou suas mãos enormes sobre seus quadris, ela mal conseguiu não gemer. Um *dread* grosso roçou contra o ombro dela; ele tinha cheiro de musgo, poderosamente verde, mas era agradável, masculino. Ele colocou dois dedos no cóccix dela e pressionou sua pelve para a frente.

— Bem aqui — falou baixinho. — Assim.

Sua voz ficou mais alta, mas apenas ligeiramente.

— Coloquem suavemente a palma esquerda no chão e girem seus corpos para a posição de ponte. Sintam a energia fluir de suas mãos para a Terra, da Terra para suas mãos. Não se esqueçam de respirar. Aí, mantenham bem aí.

Adriana tentou bloquear o som da voz dele e, quando isso não foi possível, reconfigurar suas palavras para que soassem ligeiramente mais sãs. A turma se movia como um grupo de dança coreografado, um conjunto de membros fortes e torsos duros que faziam os movimentos parecerem não exigir praticamente nenhum esforço. Ela adorava ioga e sentia tesão por Yani, mas tinha tolerância mínima para esse negócio de tocar os sentimentos. Correção: o negócio de tocar era ótimo, desde que fosse Yani tocando *nela*. Todo aquele sermão sobre energia e karma e espírito o tornava um pouquinho menos atraente e isso era realmente uma pena — mas nada que ela não pudesse ignorar. Botou o corpo na posição de ponte, seus tríceps tremendo com o esforço, e olhou em volta para localizar Yani. Ele estava de pé em cima de Leigh, com um pé de cada lado de suas pernas esticadas, pressionando o ponto entre suas omoplatas mais para perto do chão. Leigh respondeu ao olhar de Adriana e revirou os olhos.

Como sempre, a turma era formada só por mulheres. Adriana varrera habilmente a sala com o olhar quando entrou e, depois de estabelecer que era a mulher mais em forma e atraente do grupo, colocou o colchonete no chão e guardou um lugar para Leigh. Sentiu-se orgulhosa por, nessa sala cheia de mulheres lindas — todas na faixa dos 20 ou 30 e poucos anos, todas menos uma abaixo do seu peso corporal ideal, todas arrumadas ao extremo apesar de ser domingo de manhã cedo e da natureza física da atividade —, ser a mais bonita. Essa percepção não a surpreendia ou encantava mais como acontecia quando era mais jovem; em vez disso, lhe dava uma dosezinha extra de confiança que ajudava a melhorar o resto do dia. O fato de Yani não dormir com ela muito provavelmente indicava que o problema era dele e não dela, uma teoria que queria que suas amigas confirmassem no café da manhã pós-ioga.

— Simplesmente não faz sentido — Adriana disse, colocando a boca delicadamente em volta de uma colherada de granola. — O que vocês acham que há de errado com ele?

Leigh bebericou seu café e sorriu para o garçom trazer mais. A lanchonete na esquina da Rua 10 com University não era o melhor lugar de *brunch* por ali — os atendentes estavam sempre de mau humor, os ovos às vezes estavam frios e o café passava por uma gama que ia de aguado a amargo —, mas era perto do estúdio e as garotas podiam estar certas de que nunca veriam ninguém que conhecessem. Não havia muitos lugares no Centro de Manhattan em que você pudesse comer usando calças de ioga e rabos de cavalo suados sem que alguém erguesse as sobrancelhas; então elas persistiam.

— Sei lá. Você não acha que ele é gay?

— É claro que não — retrucou Adriana.

— E não há possibilidade de ele simplesmente não estar tão a fim de você...

Adriana deu uma de suas minifungadas charmosas.

— Por favor.

— Bem, então só pode ser uma das coisas de sempre. Disfunção erétil, crise de herpes, membro assustadoramente pequeno. O que mais pode ser?

Adriana avaliou as opções, mas nenhuma delas parecia exatamente correta. Yani parecia tranquilo, aberto e completamente autoconfiante daquela maneira forte e silenciosa. Nenhum homem jamais havia *não* reagido a ela. E não é que ela não estivesse tentando — fazia anos que não precisava se esforçar e, naquela época, a relutância do garoto estava atrelada a seu casamento próximo —, mas às vezes parecia que Yani nem a via. Quanto mais ela jogava o cabelo ou empinava seus seios perfeitos, menos ele notava.

— O que mais? Bem, não é óbvio? Ele faz xixi na cama e tem pavor que descubram — Emmy pareceu se materializar do nada e, por um segundo, Adriana ficou irritada por ter a atenção desviada de si.

— Ei, não sabíamos se ia conseguir vir. Aqui, me dê suas coisas — disse Leigh, esticando os braços.

— O que foi, não quer que eu me sente ao seu lado? Prometo que vou me sentar bem perto, talvez ficar roçando meu ombro no seu. Vai ser divertido.

Leigh suspirou.

Adriana deu tapinhas no assento ao seu lado; ela sabia que Leigh tinha "problemas de espaço" e tentava ser compreensiva, mas era irritante ser sempre a que ficava espremida em reservados e apertada em banquinhos.

— Como o Russel lida com o fato de você não suportar ficar perto de ninguém?

— Não é que eu não aguente ficar perto de ninguém. Só gosto de um certo espaço no meio. O que há de errado com um pouco de espaço particular? —perguntou Leigh.

— É, mas sério: ele entende? Aceita? Ou ele odeia?

Leigh suspirou novamente.

— Ele odeia. Eu me sinto mal. Ele vem de uma família enorme e feliz que se cumprimenta com beijo na boca! Eu sou filha única de pais tão afetuosos quanto estátuas de cerâmica. Estou trabalhando nisso, mas não posso fazer nada se toda essa proximidade e esses toques realmente me apavoram.

Adriana ergueu a mão em derrota.

— É justo. Desde que você assuma o problema.

Leigh assentiu.

— Totalmente consciente. Constante, neurótica e miseravelmente consciente. E trabalhando nisso, prometo.

Emmy caiu no banco ao lado de Adriana; o estofamento de vinil inflou um pouco com os 43 quilos extras e então se acomodou.

— Como foi a ioga? Nenhum amor ainda da parte do Y?

— Ainda não, mas ele vai sucumbir — falou Adriana.

Leigh assentiu.

— Eles sempre sucumbem. Pelo menos a você.

Emmy bateu com a mão na mesa.

— Meninas, meninas! Nós já nos esquecemos? Adriana não está mais atrás de encontros casuais. É claro que ela pode se tornar a namorada do Yani mas, de acordo com as regras, não pode mais passar só uma noite com ele.

— Ah, sim. As regras. Aprovadas depois de uns drinques a mais e, pelo menos até hoje, ainda não estabelecidas. Acho que isso faz com que Yani ainda esteja valendo — Adriana fez questão de sorrir de uma forma meiga, não sexy, concentrando-se em aprofundar as covinhas que apareciam quando ela estava agindo da maneira mais menininha.

Emmy lhe soprou um beijo.

— Querida, guarde essas covinhas para seu futuro namorado. Elas não valem nada nesta mesa. E, além do mais, eu tenho novidades.

— Notícias do Duncan? — perguntou Leigh automaticamente, esquecendo por um segundo que eles tinham terminado havia quase três semanas.

— Não, não novidades sobre o Duncan, apesar de eu ter encontrado por acaso com sua irmã, que me contou que ele e a líder de torcida virgem vão alugar uma casa nos Hamptons com mais três casais em julho e agosto.

— Hum, parece ótimo. Podem pagar 20 mil dólares por um quarto pequeno e um banheiro compartilhado e um trânsito engarrafado, tudo para poderem passar o verão *sem* transar. Parece divino. Preciso falar no verão de 2003 de novo?

Adriana estremeceu. Só a ideia daquele verão era o bastante para deixá-la nervosa. Tinha sido ideia dela — o que podia ser tão ruim em uma mansão nos Hamptons com piscina, quadra de tênis e 40 a 50 jovens solteiros de 20 e poucos anos? —, e ela fizera uma campanha insistente para Emmy e Leigh durante semanas, até que elas finalmente concordaram. As três andavam tão infelizes com o barulho 24 horas por dia, as festas e o esquema de beber-até-vomitar que passaram todos os fins de semana de seu aluguel rachado encolhidas juntas, do lado mais distante da piscina, agarrando-se umas às outras em nome da sanidade.

— Por favor, não! Não toque nesse assunto. Mesmo todos esses anos depois, ainda é traumático.

— É, bem, Duncan e a professora de ginástica podem ir se enforcar se quiserem, não estou nem aí. Tive uma longa conversa com o *chef* Massey esta semana, e ele ainda quer que eu faça alguns trabalhos no exterior. Está planejando abrir mais dois restaurantes só este ano e precisa de gente no local para supervisionar o progresso, ajudar na contratação, coisas desse tipo. Começo daqui a uma semana, contando a partir de segunda.

— Parabéns! — falou Leigh.

Adriana apertou a mão de Leigh e tentou ao máximo parecer feliz. Ela não estava triste por Emmy — afinal de contas, a garota *tinha* passado por poucas e boas ultimamente —, mas, falando egoistamente, às vezes era difícil ouvir sobre os sucessos nas carreiras de suas amigas. Ela sabia que invejavam seu tempo livre e matariam para ter o dinheiro e o tempo para curtir um pouco mais a vida, mas ouvir isso já não a fazia sentir-se bem. E claro que não era como se ela quisesse o emprego de nenhuma das duas; isso era garantido. As tiradas de Emmy sobre *chefs* egocêntricos e personalidades impossíveis nos restaurantes eram assustadoras o bastante para desestimular qualquer um a seguir carreira na indústria alimentícia, e os horários de Leigh eram absurdos. Ela reclamava constantemente de autores malucos e cronogramas opressivos de leitura, e Adriana ficava imaginando se ela não tinha só um pouquinho de inveja daqueles que realmente escreviam os livros em vez de editá-los. Porém, se fosse completamente honesta consigo mesma, Adriana sabia que ambas as garotas sentiam uma certa satisfação em seus empregos que ela nunca sentiria em sua rotina diária, ainda que rígida, de embelezamento, almoços, malhação e socialização. Não é que ela não tenha *tentado* trabalhar — ela dera ao trabalho uma chance justa. Logo depois da formatura, inscreveu-se no programa de treinamento para compradora da Saks, mas pediu demissão assim que percebeu que teria que começar com cosméticos e acessórios e que levaria anos até chegar à alta costura. Houve um breve período em uma agência publicitária do qual ela quase gostara, pelo menos até seu chefe pedir para ela sair *na neve* para comprar um café para ele. Ela até trabalhara algumas semanas em uma das famosas galerias de Chelsea, antes de perceber como fora ingênua em pensar que poderia encontrar homens solteiros e heterossexuais no mundo da arte. Logo depois desse emprego, Adriana percebeu que não fazia muito sentido trabalhar 40 horas por semana e negligenciar tantos outros aspectos de sua vida por alguns milhares de dólares aqui e ali. Portanto, ainda que soubesse por experiência própria que jamais trocaria a liberdade de sua situação pelo enfado de um emprego das 9 às 17 horas, é claro, havia momentos em que ela desejava ser boa em algo além de levar homens para a cama. A exceção sendo o caso atual com Yani.

— ...então viajarei uma ou duas semanas de cada quatro. E ele vai começar a procurar um novo gerente-geral para o Willow, para que eu possa me concentrar ainda mais nos novos restaurantes. Vou poder fazer um pouco de tudo: procurar, contratar, dar consultoria para os menus e aí, depois que abrirem, ficarei algumas semanas para garantir que tudo corra bem. Não é o máximo? — Emmy cintilava.

Adriana não ouvira uma palavra.

— O que está acontecendo? — perguntou.

Leigh olhou para ela.

— Emmy estava dizendo que a oferta do *chef* Massey ainda está de pé. E vai aceitá-la.

— O salário não é bem o que eu esperava, mas vou viajar tanto que mal vou ter despesas fixas, e — estão prontas para isso? — minha primeira viagem é para Paris. Para "treinamento". Não é sensacional?

Adriana tentou não se ressentir com a alegria de Emmy. *É só Paris*, pensou consigo mesma. *Não é como se todo mundo já não tivesse estado lá* milhares *de vezes.* Precisou reunir todas as suas forças para não revirar os olhos quando Leigh murmurou:

— Muito sensacional.

Emmy acidentalmente deu um gole do copo de Adriana e Adriana teve que se conter para não golpear sua mão com o garfo. Por que raios ela estava tão chateada? Será que era uma pessoa tão invejosa e mesquinha que não conseguia ficar feliz com o sucesso de sua melhor amiga? Forçou-se a sorrir e pronunciar algum tipo de parabéns da única forma que sabia.

— Bem, sabe o que isso significa, não é, *querida*? Parece que seu primeiro caso vai ser com um francês.

— É, eu andei pensando um pouco sobre isso.

— Já está desistindo? — perguntou Adriana recatadamente. Aninhou seu copo de café nas mãos e pressionou os lábios sobre a borda.

Emmy limpou a garganta e fingiu pentear a sobrancelha com o dedo médio esticado.

— Desistindo? Nem pensar. Eu só ia esclarecer algumas regras, só isso.

— Você está toda cheia de regras hoje, não é? — cortou Adriana.

— Ei, não desconte em mim o fato de estar perdendo seu encanto. Não é culpa minha se o Yani não está nada interessado — disse Emmy.

— Qual é, gente — Leigh suspirou. Independente de quantos anos se passassem ou quanta responsabilidade cada uma assumisse, elas ainda conseguiam se estranhar como adolescentes de tempos em tempos. De certa forma, porém, todas achavam reconfortante; fazia com que se lembrassem de como realmente eram íntimas: conhecidos sempre se comportavam bem, mas irmãs se amavam o suficiente para poder falar livremente.

— O que posso fazer se estou ansiosa para começar? Como nenhuma das duas teve vergonha de observar, eu estou muito, muito atrasada — disse Emmy.

Adriana lembrou a si mesma de ser boazinha. Entrelaçou as mãos e disse:

— Está bem, vamos lá. Em quantos homens você está pensando este ano?

Leigh, desesperada para não lembrar às garotas que ela não concordara em fazer mudança alguma, interrompeu ansiosamente.

— Acho que três parece justo, não acham, meninas?

Adriana fez um barulho como se estivesse engasgando com o café.

— Três? Por favor! Isso é um mês bom, não um ano bom.

— Para variar, vou concordar — falou Emmy. — Com todas as viagens que vou fazer, acho que três não é um número realista.

— Então o quê, você vai dar para um cara em cada país que visitar? — riu Leigh. — Tipo, "Aqui está meu passaporte e aqui está a chave do meu quarto, pode entrar"?

— Na verdade, eu estava pensando mais em um cara por continente.

— Fala sério! — Leigh e Adriana falaram em uníssono.

— O que foi? Isso é tão difícil de imaginar?

— É — assentiu Leigh.

— Ridículo — concordou Adriana.

— Bem, eu decidi. Um homem para cada continente que eu visitar. Homens sensuais e estrangeiros. Quanto menos americano, melhor. E sem compromisso. Nada de relacionamento, nada de envolvimento emocional — só sexo, puro e simples.

Adriana assoviou.

— *Querida*! Você está me fazendo corar!

— E a Antártica? — perguntou Leigh. — Acho que a Adi nunca dormiu com um cara da Antártica.

— Eu pensei nisso. A Antártica parece meio irreal. Por isso eu acho que o Alaska pode contar como Antártica. — Emmy puxou um papel amarrotado de sua bolsa de carteiro e o alisou em cima da mesa.

— Isso é um gráfico? Por favor, não me diga que você fez um gráfico — riu Adriana.

— Eu fiz um gráfico.

Leigh olhou para o teto.

— Ela fez um gráfico.

— Já resolvi tudo. Obviamente, já tenho a América do Norte, então sobram seis. E, falando tecnicamente, Mark — o pai do Otis — nasceu em Moscou, então ele conta como Europa.

— Eu chamo isso de trapaça — disse Leigh. — Tem que ser *este* ano. — A garçonete franziu o cenho quando botou a conta na mesa.

— Apoiada — falou Adriana. — Nós lhe daremos a América — do Norte, apenas —, mas o Mark não vale. E por que iria querer que ele contasse como Europa? Você vai para Paris daqui a algumas semanas!

Emmy concordou.

— É justo. Um a menos, faltam seis.

— E se você conhecer um cara japonês na Grécia ou um australiano na Tailândia? — perguntou Adriana, parecendo perplexa. — Eles contam como Ásia e Austrália ou o sexo tem que acontecer *no* continente certo?

Emmy franziu a testa.

— Não sei. Eu não tinha pensado nisso.

— Vamos dar uma folga para a garota — disse Leigh, olhando para Adriana. — Acho que a nacionalidade ou a localização devem contar. Meu Deus, já é surpreendente que ela vá experimentar isso.

— Por mim, tudo bem — concordou Adriana. — E, numa demonstração de boa vontade, acho que você também devia ganhar passe livre.

— Significando?

— Significando que você também deve poder deixar um continente de fora. De outra forma, acho que vai estar pedindo para não se sair bem.

— Qual? — perguntou Emmy, parecendo aliviada.

— E se os suíços valessem como coringa? — perguntou Leigh. — É um país neutro. Acho que se você dormir com um cara suíço, ele pode contar como se fosse qualquer lugar.

As garotas riram e riram, o tipo de riso que acontece muito raramente depois da faculdade.

Adriana puxou uma latinha azul do bolso da frente de sua bolsa de ioga e esfregou um pouco de pomada transparente nos lábios, consciente de que suas duas amigas e praticamente todos os clientes em todas as mesas em volta pareciam transfixados por seu pequeno ritual. Isso a fazia sentir-se um pouco melhor. Tivera dificuldade para se livrar dos pensamentos que a andavam assolando ultimamente, mais precisamente de que sua beleza não duraria para sempre. Ela sempre soubera disso racionalmente, é claro — do jeito que um adolescente sabe que a morte é inevitável —, mas era completamente incapaz de absorver a realidade. Sua mãe a vinha lembrando desse fato desde o dia em que Adriana tinha, com a idade de 14 anos, aceitado dois convites de dois garotos diferentes na mesma noite. Quando questionada sobre qual dos dois ia escolher para ver naquela noite, Adriana olhou sem entender para sua mãe ainda linda.

— Por que eu cancelaria meus planos com qualquer um dos dois, mamãe? — perguntara ela. — Há tempo suficiente para ambos.

Sua mãe sorrira e pegara a bochecha de Adriana com a palma aberta e fria.

— Aproveite agora, querida. Não vai ser sempre assim.

É claro que ela estava certa, mas Adriana não achara que "sempre" chegaria tão cedo. Estava na hora de utilizar sua beleza para algo mais importante do que atrair um fluxo constante de amantes. Sua promessa de encontrar um namorado era um passo na direção certa, mas não era o suficiente.

Com um grande floreio, Adriana ergueu a mão esquerda e suspirou dramaticamente.

— Estão vendo esta mão, meninas? — As duas assentiram. — A esta hora, no ano que vem, haverá um diamante nela. Um diamante extraordinariamente grande. Eu declaro aqui e agora que estarei noiva *do* homem perfeito dentro de 12 meses.

— Adriana! — gritou Emmy. — Você só está tentando me deixar para trás.

Leigh engasgou com um pedaço de melão.

— Noiva? De quem? Você está saindo com alguém?

— Não, no momento não. Mas o comprometimento de Emmy em fazer uma mudança me inspirou. Além do mais, é hora de encarar os fatos, meninas. Não estamos ficando mais jovens, e eu acho que todas nós reconhecemos que há apenas um número limitado de homens ricos, lindos e bem-sucedidos com idade entre 30 e 40 anos. Se não pegarmos os nossos agora — ela pegou os seios firmes com as duas mãos e os puxou para cima — é melhor esquecermos.

— Bem, graças a Deus você percebeu isso — disse Emmy, achando graça. — Eu vou só apontar para um das dúzias — não, centenas — de homens bem-sucedidos, lindos e solteiros na casa dos 30 que conheço e pegá-lo para mim. É, é esse o plano.

Adriana sorriu e deu tapinhas paternalistas na mão de Emmy.

— Não se esqueça de rico, *querida*. Agora, não estou dizendo o que *todas* nós deveríamos estar fazendo. É óbvio que você precisa brincar um pouco antes, e acho que sua futura incursão na promiscuidade vai lhe fazer muito bem. Mas já que eu, bem, já *incursionei* nisso...

— Se por "incursionei" você quer dizer "dominei completamente", então acho que eu concordo — acrescentou Leigh.

— Pode rir — disse Adriana, sentido-se ligeiramente irritada por, como sempre, não estar sendo levada a sério —, mas não há nada engraçado em uma pedra de cinco-quilates-ou-mais em uma armação micropavê da Harry Winston. Nada engraçado mesmo.

— É, mas é bem engraçado agora — falou Emmy enquanto Leigh caía na gargalhada. — Adriana, noiva? É impossível imaginar.

— Não mais impossível de imaginar do que a monógama em série dando para todos os estrangeiros que cruzarem seu caminho — devolveu Adriana.

Leigh enxugou uma lágrima, tomando cuidado para não puxar a pele delicada debaixo do olho, pele que provavelmente já estava condenada por seus dias de fumante. Ela não tinha certeza se eram as endorfinas de uma aula de ioga especialmente pesada ou a semiapreensão por jantar com os pais de Russell naquela noite ou só o desejo de partilhar da diversão de suas amigas, mas, antes que pudesse parar — quase antes que ela até mesmo soubesse o que estava acontecendo —, Leigh começou a falar sem nenhuma premeditação ou consciência.

— Em homenagem a seus atos de bravura — ela estava dizendo, as palavras parecendo emergir inteiramente por vontade própria —, eu também gostaria de propor uma meta. Até o final do ano, eu vou... — suas palavras sumiram. Começara a falar sem saber o que dizer, presumindo que pensaria em algo, mas não tinha nada a oferecer. Ela achava seu emprego muito gratificante, mesmo que um pouco tedioso às vezes; sentia-se perfeitamente confortável com o número de homens com quem dormira até agora; já arrumara um namorado que preenchia todos os critérios de Adriana — não um homem qualquer, mas um famoso, um homem que metade do país e toda a população feminina de Manhattan queria namorar; e finalmente havia economizado o suficiente para comprar seu próprio apartamento. Estava fazendo exatamente o que era esperado dela. O que ela deveria mudar?

— Engravidar? — ofereceu Emmy como ajuda.

— Fazer uma cirurgia plástica? — contra-atacou Adriana.

— Ganhar seu primeiro milhão?

— Fazer um *ménage à trois*?

— Ficar viciada em álcool ou drogas?

— Aprender a adorar o metrô? — perguntou Adriana com um sorriso malicioso.

Leigh estremeceu.

— Deus, não. *Isso* não — ela sorriu.

Emmy deu um tapinha em sua mão.

— Nós sabemos, querida. A sujeira, o barulho, os horários imprevisíveis...

— Todas aquelas pessoas! — Adriana acrescentou. Depois de 12 anos de amizade, ela sentia como se conhecesse Leigh melhor do que conhecia a si mesma. Se havia uma coisa que deixava a pobre garota maluca — ainda mais do que bagunça ou sons altos e repetitivos ou surpresas — era multidão. Ela andava uma pilha de nervos ultimamente, e Adriana e Emmy discutiam isso em toda oportunidade que tinham.

Emmy quebrou o momento de silêncio.

— Encare como um bom sinal você não ter uma área da sua vida que exija uma reestruturação gigantesca. Quer dizer, quantas pessoas podem realmente dizer isso?

Adriana mordiscou um pedaço de torrada que havia sobrado.

— Sério, *querida*, você só precisa curtir sua vida perfeita. — Ela ergueu a caneca de café. — Às mudanças.

Emmy pegou seu copo quase vazio de suco de toranja e virou-se para Leigh.

— E a reconhecer a perfeição quando ela existe.

Leigh revirou os olhos e forçou um sorriso.

— A estrangeiros lindos e diamantes do tamanho de rochas — falou.

Dois copos encontraram o seu e fizeram um som maravilhoso.

— Saúde! — todas falaram em uníssono. — A isso!

Se todos os seus colegas irritantemente verborrágicos não calassem a boca nos próximos sete minutos, Leigh não conseguira ir do East Midtown e chegar ao Upper East Side às 13h de jeito nenhum. Essas pessoas nunca se cansavam de ouvir a própria voz? Elas não sentiam *fome*? O estômago dela roncava audivelmente, como se para lembrar à sala que estava na hora do almoço, mas ninguém parecia perceber. Estavam discutindo a publicação próxima de *A vida e a liderança do Papa João Paulo II* com uma intensidade digna de um debate presidencial.

— O verão é uma época difícil para biografias religiosas, sabíamos disso quando começamos — um dos editores associados comentou com um pouco de nervosismo, ainda não acostumado a falar em reuniões.

Alguém da equipe de vendas, uma mulher de rosto gentil que parecia muito mais jovem do que seus trinta e poucos anos e de cujo nome Leigh nunca conseguia se lembrar, se dirigiu à mesa.

— É claro que o verão não é ideal para nada além de livros de leitura fácil, mas a estação por si só não é responsável por esses números decepcionantes. Os pedidos de todos — B&N, Borders, as livrarias independentes — são significativamente mais baixos do que o previsto. Talvez, se conseguíssemos gerar um pouco mais de buchicho...

— *Buchicho?* — Patrick, a bichinha chefe do departamento de publicidade, desdenhou. — Como você sugere gerar "buchicho" em torno de um livro sobre o *papa*? Se nos der algo remotamente atraente, talvez possamos inventar alguma coisa. Mas Britney Spears poderia tatuar o conteúdo inteiro desse livro em seus seios nus e as pessoas *ainda* não iam comentar.

Jason, o único outro editor que fora promovido tão rápido quanto Leigh, e cuja existência na Brook Harris era a única coisa que a mantinha sã, suspirou e olhou para o relógio. Leigh olhou para ele e assentiu. Ela não podia esperar mais.

— Por favor, me deem licença — interrompeu Leigh. — Mas eu tenho um almoço marcado ao qual não posso faltar. Um almoço de trabalho, é claro — acrescentou rapidamente, apesar de ser óbvio que ninguém estava interessado. Ela juntou silenciosamente seus papéis, enfiou tudo na pasta de couro monogramada que a acompanhava para todo canto e saiu na ponta dos pés da sala de reuniões.

Acabara de entrar em sua sala para pegar a bolsa quando o telefone tocou e ela viu o ramal de seu chefe no identificador de chamadas. Leigh acabara de decidir ignorá-lo quando ouviu a voz de sua assistente gritar:

— Henry, linha 1. Ele disse que é urgente.

— Ele sempre diz que é urgente — Leigh resmungou para si mesma. Respirou fundo para se acalmar e pegou o fone.

— Henry! Está ligando para pedir desculpas por ter perdido a reunião de vendas? — ela brincou. — Estou disposta a deixar passar desta vez, mas que isso não se repita.

— Ha-ha, estou me torcendo de rir por dentro, prometo — disse ele. — Não a estou atrasando para uma manicure na hora do almoço ou uma passada rápida pela Barney's, estou?

Leigh forçou uma risada. Era absolutamente assustador como ele a conhecia bem. Apesar de ser tecnicamente uma *escova* e uma passada rápida pela Barney's. Ela não podia se dar ao luxo de nenhum dos dois no momento, mas sua neurose tanto no quesito de higiene pessoal quanto no de presentes, hoje a obrigavam a gastar.

— É claro que não. Em que posso ajudá-lo?

— Há alguém na minha sala que eu gostaria que conhecesse. Venha cá um minuto.

Droga! O homem tinha o dom de sentir intuitivamente os momentos mais inconvenientes do dia dela e então pedir alguma coisa. Era sinistro e ela ficou pensando, pela enésima vez, se ele grampeara sua sala.

Mais uma vez ela respirou fundo para se acalmar e olhou para o relógio. Sua hora marcada era em 15 minutos e o salão ficava a dez minutos de distância a pé.

— Estou indo já — disse com animação suficiente para derrubar uma sequoia.

Andou rápido pelos cubículos e corredores sinuosos que separavam sua sala da de Henry. Era óbvio que ele queria que ela conhecesse um autor em potencial ou alguém novo que havia acabado de assinar contrato, já que acreditava piamente em demonstrar que a Brook Harris era gerenciada como uma família e insistia em apresentar pessoalmente todos os editores aos autores novos. Era uma das qualidades que mais a haviam impressionado quando ela começara a trabalhar lá — e um dos principais motivos pelos quais tantos autores fechavam com a Brook Harris e permaneciam durante toda a sua carreira —, mas hoje era realmente irritante. Qualquer um abaixo de Tom Wolfe e ela não estava interessada. Fez os cálculos enquanto dobrava uma esquina e passava pelos elevadores. Seu parabéns-por-se-juntar-à-família-estamos-tão-felizes-em-tê-lo-conosco ou algum discurso similar de ficaríamos-felizes-e-honrados-em-tê-lo-em-nossa-família levaria apenas alguns minutos. Mais um minuto ou dois fingindo interesse no novo/potencial trabalho atual do autor, outro para parabenizá-lo pelo sucesso da publicação anterior e havia uma chance de ela conseguir sair em menos de cinco minutos. Pelo menos era melhor que conseguisse.

Ela fora dormir tão tarde na noite anterior tentando terminar suas observações sobre o último capítulo da mais nova biografia que adquirira, que continuara dormindo com o despertador tocando e tivera que correr, sem tomar banho, para chegar à reunião de vendas na hora. Só quando encontrou uma orquídea violeta enorme em sua mesa com um bilhete que dizia "Eu te amo e mal posso esperar para vê-la hoje à noite. Feliz primeiro ano!" ela se lembrou que Russel fizera reservas no Daniel para comemorar seu aniversário de um ano de namoro. Típico. Era o único dia em toda sua carreira — possivelmente em sua vida inteira — que ela havia dormido demais e saído de casa como uma mendiga, e era o único momento que importava. Felizmente Gilles concordara em encaixá-la para um penteado de último minuto ("Pode ficar com a hora da Adriana às 13h, se ela não se importar", ele oferecera. "Ela não se importa!", Leigh gritara ao telefone. "Eu assumo toda a responsabilidade!") e ela planejara dar um passada na Barney's e comprar um vidro de perfume ou uma gravata ou um nécessaire masculino — sério, o que estivesse mais perto do caixa e já viesse embrulhado — no caminho de volta para o escritório. Não havia tempo a perder.

— Pode entrar direto — a nova e petulante assistente de Henry falou com a voz arrastada. Seu cabelo espetado, com mechas cor-de-rosa, não combinava com o sotaque sulista ou com a conservadora cultura corporativa, mas ela parecia ser capaz de ler e escrever, e não demonstrava hostilidade abertamente, então isso era relevado.

Leigh agradeceu acenando com a cabeça e entrou como um trator pela porta aberta.

— Olá! — cantarolou para Henry. Ela arriscou que o homem sentado de frente para ele, de costas para ela, devia ter quarenta e poucos anos. Apesar do clima antecipado de verão, ele usava uma camisa azul-clara e um blazer de veludo cotelê verde-oliva com apliques nos cotovelos. Seu cabelo louro-sujo — castanho-claro, na verdade, agora que ela olhava mais atentamente — estava despenteado na medida certa, roçando no alto do colarinho e caindo ligeiramente por cima do topo de suas orelhas. Antes mesmo que ele se virasse para olhar para ela, ela sabia, intuía, que ele seria atraente. Talvez até lindo. O que em parte foi o motivo de ela ficar tão perplexa quando seus olhos finalmente se encontraram.

A surpresa foi de ambas as partes. O primeiro pensamento dela foi que ele não era nem de perto tão bonito quanto ela previra. Seus olhos não eram do tom penetrante de verde ou azul que ela havia esperado, mas de um medíocre cor de mel acinzentado, e seu nariz parecia achatado e protuberante ao mesmo tempo. Mas ele tinha dentes perfeitos, dentes retos, brancos e lindos, dentes que podiam estrelar seu próprio comercial de Crest, e foram esses dentes que prenderam sua atenção. Só depois que o homem sorriu, revelando rugas de expressão profundas mas ainda assim muito atraentes, ela percebeu que o reconhecia. Sentado ali, olhando para ela com um sorriso fácil e uma expressão receptiva estava Jesse Chapman, um homem cujos talentos haviam sido comparados a Updike, Roth e Bellow; McInerny, Ford e Frazen. *Desencanto*, o primeiro romance que ele publicara, aos 23 anos de idade, fora um daqueles livros inacreditavelmente raros que eram tanto um sucesso comercial quanto literário, e a reputação de Jesse como um gênio com atitude de *bad boy* só crescera com cada festa a que comparecia, modelo com quem saía e livro que escrevia. Ele desaparecera há nove ou dez anos, depois de uma comentada passagem por uma clínica de reabilitação e uma série de críticas brutais, mas ninguém esperava que ficasse escondido para sempre. O fato de estar ali, no escritório deles, só podia significar uma coisa.

— Leigh, posso apresentá-la a Jesse Chapman? Você conhece o trabalho dele, é claro. E, Jesse, esta é Leigh Eisner, minha editora mais promissora e minha favorita, se eu fosse forçado a escolher.

Jesse levantou-se para encarar Leigh e, ainda que seus olhos permanecessem fixos nos dela, ela podia senti-lo avaliando-a. Imaginou se ele gostaria de garotas com rabos de cavalo oleosos e sem maquiagem. Ela esperava que sim.

— Ele diz isso de todo mundo — Leigh falou graciosamente, esticando a mão para apertar a de Jesse.

— É claro que diz — Jesse disse suavemente, levantando-se para envolver a mão dela com as duas mãos. — E é por isso que todos nós o adoramos. Por favor, quer se juntar a nós? — ele fez um gesto com a mão na direção do lugar vazio a seu lado no sofá e olhou para ela.

— Ah, bem, na verdade, eu estava...

— Ela adoraria — disse Henry.

Leigh resistiu ao impulso de ficar olhando para ele enquanto se acomodava no sofá antigo. *Tchauzinho, penteado*, pensou. *Tchauzinho, Barney's*. Seria um milagre se Russell algum dia voltasse a falar com ela, depois do desastre que esta noite certamente seria.

Henry limpou a garganta.

— Jesse e eu estávamos discutindo seu último romance. Eu estava dizendo como todos nós — na verdade, toda a industria editorial — achamos que o ataque do *Times* foi imperdoável. Constrangedor para eles, realmente, com seus interesses óbvios. Absolutamente ninguém levou a sério. Foi um completo...

Sorrindo de novo, desta vez com uma ligeira expressão de divertimento, Jesse virou-se para Leigh.

— E o que você acha, querida? Acha que a crítica foi fundamentada?

Leigh ficou chocada com a segurança dele de que ela não só havia lido como se lembrava tanto do livro quanto dessa crítica em particular. O que, irritantemente, ela lembrava. Havia sido a capa da *Resenha Literária* de domingo seis anos antes, e sua violência ainda repercutia. Ela chegava a se lembrar de ter imaginado como devia ser para o autor ler algo assim sobre seu trabalho, imaginara onde Jesse Chapman estava quando seus olhos viram aqueles dez parágrafos brutais pela primeira vez. Ela teria lido o livro de qualquer maneira — havia estudado os romances anteriores de Jesse em inúmeras aulas de literatura na faculdade —, mas a absoluta torpeza da crítica a havia impulsionado a comprar a edição de capa dura e devorá-la na mesma semana.

Leigh falou, como fazia frequentemente, sem pensar. Era um hábito que ia diretamente contra sua personalidade metódica, mas ela não conseguia se conter. Podia organizar meticulosamente um apartamento ou estabelecer o cronograma de um dia ou criar um plano de trabalho, mas não parecia ser capaz de dominar o conceito de que nem todos os pensamentos precisam ser verbalizados. As garotas e Russell diziam achar charmoso, mas podia ser absolutamente mortificante às vezes. Como em uma reunião com seu chefe presente, por exemplo. Algo no olhar de Jesse — interessado, porém ainda indiferente — fez com que se esquecesse de que estava na sala de Henry, conversando com um dos maiores talentos literários do século XXI, e ela foi em frente com força total.

— A crítica foi mesquinha, com certeza. Foi vingativa e nada profissional, um verdadeiro crime, na minha opinião. Dito isso, acho que *Rancor* é seu trabalho mais fraco. Não merecia uma crítica como aquela, mas não chega nem perto de *A derrota da Lua* ou, é claro, *Desencanto*.

Henry inspirou e instintivamente colocou a mão por cima da boca.

Leigh ficou tonta; seu coração começou a bater na velocidade máxima e ela podia sentir o suor umedecer suas mãos e seus pés.

Jesse sorriu.

— Direto ao ponto. Sem conversa mole. Isso é raro hoje em dia, você não concorda?

Sem saber ao certo se isso era uma pergunta, Leigh ficou olhando para suas mãos, as quais estava retorcendo com uma ferocidade assustadora.

— Uma perfeita aluna de aulas de etiqueta, não é? — Henry riu. Sua voz soava oca e mais do que um pouco nervosa. — Bem, obrigado por dividir sua opinião com o sr. Chapman, Leigh. Sua opinião *individual*, é claro. — Ele sorriu palidamente para Jesse.

Leigh tomou isso como sua deixa para sair e ficou absolutamente feliz em poder obedecer.

— Eu, hum, eu sinto... Eu não pretendia ofender, é claro. Sou uma grande fã e é só...

— Por favor, não peça desculpas. Foi um prazer conhecê-la.

Com um esforço tremendo, Leigh resistiu ao impulso de se desculpar mais uma vez e conseguiu se levantar do sofá, passar por Jesse e sair da sala de Henry sem mais humilhações, mas só uma olhada para o rosto da assistente de Henry e ela soube que estava ferrada.

— Foi tão ruim assim? — perguntou ela, agarrando a mesa da garota.

— Uau. Aquilo foi corajoso.

— Corajoso? Eu não pretendia ser corajosa. Normalmente consigo pelo menos tentar a diplomacia, mas as palavras simplesmente saíram desta vez. Aquilo não foi corajoso; foi pura burrice! Eu sou uma idiota. Você acha que ele vai me demitir? Não acredito que falei aquilo. Aimeudeus, oito anos de trabalho e vai tudo pelo ralo porque não consigo ficar de boca fechada. Foi tão ruim assim? — perguntou Leigh novamente.

Houve uma pausa. A assistente abriu a boca como se fosse falar algo e então fechou-a de novo.

— Não foi bom.

Leigh olhou para seu relógio e admitiu de má vontade para si mesma que não havia chance de conseguir chegar no salão na hora marcada ou estar de volta para as ligações que agendara para a tarde toda com vários agentes. De volta à sua sala, começou a dar telefonemas. A primeira ligação foi para cancelar com Gilles e a segunda foi para a Barney's. Um vendedor de voz agradável no departamento masculino concordou em enviar um presente para seu escritório antes das 18h. Leigh ficou confusa quando ele perguntou o que ela gostaria; sem conseguir pensar com clareza e sem realmente se importar, ela o instruiu a escolher algo na faixa dos 200 dólares e cobrar em seu American Express.

Quando a caixa embrulhada para presente chegou, às 17h30, Leigh estava à beira das lágrimas. Não tivera mais notícias de Henry, que normalmente não conseguia ficar uma hora sem dar múltiplos telefonemas ou passadas pela sala. Ela conseguira ir rapidamente à academia — não para malhar, só para um chuveiro rápido —, mas só depois de estar debaixo da abençoada água quente, percebeu que havia deixado a bolsa de ginástica no escritório, a que tinha seus cosméticos, roupa de baixo limpa e, mais importante, seu secador de cabelo. Apesar de pensar ser impossível, o minissecador preso à parede da academia com o que parecia ser um fio de 5 centímetros conseguiu deixar seu cabelo com uma aparência muito pior do que antes da ducha. Sua mãe e Russell ligaram para seu celular durante a caminhada de volta para o escritório, mas ela ignorou os dois.

Sou um ser humano desprezível, pensou Leigh enquanto se examinava no banheiro feminino mais perto da sua sala. Já eram quase 19h e ela acabara de encerrar seu último telefonema, com um de seus agentes menos preferidos. Seu cabelo caía em mechas escorridas e encrespadas, a falta de volume acentuada pelas bolsas escuras debaixo dos olhos e pela vermelhidão de uma espinha na testa que não tinha nem cabelo nem corretor para esconder. Ela havia esquecido que Russell uma vez brincara dizendo que ela parecia uma *lesbian chic* com o blazer que estava usando e, apesar de sempre ter adorado seu caimento apertado, suas correntes douradas grossas e o fato de ser Chanel — o único artigo de alta costura que possuía —, nunca havia notado até aquele exato momento que ele a fazia parecer um jogador de futebol americano.

— Não se preocupe — resmungou, sem se dar conta de que estava falando sozinha. — Russell é comentarista esportivo. Ele trabalha para a ESPN. Dedica sua vida aos esportes profissionais. Russell adora jogadores de futebol! — E, dito isso, agarrou a caixa de presente lindamente embrulhada da Barney's, tentando não se preocupar com o fato de o conteúdo ser um total mistério, pegou sua pessoa desgrenhada e desceu apressadamente para chamar um táxi.

Russell estava de pé do lado de fora do Daniel, parecendo relaxado e arrumado e feliz. Como se tivesse acabado de voltar de um mês no Caribe, onde não fizera nada além de tratar seu corpo como um templo. Seu terno cinza-carvão envolvia cada músculo tonificado. Sua pele brilhava com a saúde de alguém que corre dez quilômetros todos os dias; tinha acabado de tomar banho e se barbear. Até seus sapatos — um par de sapatos pretos com cadarço que ele havia comprado na última viagem dos dois a Milão — literalmente brilhavam. Estava arrumado à perfeição, e Leigh se ressentia por isso. Quem no mundo conseguia trabalhar um dia inteiro e manter a gravata tão limpa ou a camisa tão passada? Como era sempre possível combinar as coisas tão bem, usar abotoaduras coordenadas com as meias, sapatos com pastas?

— Oi, linda. Eu estava começando a ficar preocupado.

Ela lhe deu um beijinho nos lábios mas se afastou antes que ele pudesse abrir a boca.

— Preocupado? Por quê? Cheguei na hora certa.

— Bem, você sabe, não tive notícias suas o dia inteiro. Você recebeu a orquídea, certo? Sei que as roxas são suas favoritas.

— Recebi. É linda. Muito obrigada. — Sua voz soava estranha até para seus próprios ouvidos; era o tom mais agudo e educado que ela usava com seu porteiro ou com o tintureiro.

Russell colocou a mão na parte de baixo das costas dela e a guiou pela porta da frente. Foram imediatamente recebidos por um homem de smoking aproximando-se do fim da meia-idade que pareceu reconhecer Russell. Conversaram momentaneamente aos sussurros, o *maître* inclinando-se na direção dele, os dois homens segurando-se pelos ombros. Um momento depois, ele fez sinal para uma moça com um terninho justo mas conservador, para levá-los até sua mesa.

— Fã de futebol americano? — perguntou Leigh, mais para parecer interessada do que por realmente estar.

— O quê? Ah, o *maître*? É, ele deve ter me reconhecido do programa. O que mais poderia explicar esta mesa, certo?

Só então Leigh percebeu que eles tinham, fácil, a melhor mesa de todo o restaurante. Estavam debaixo de uma das dramáticas arcadas, de frente para o maravilhoso aposento. A iluminação era tão suave e perfeita que Leigh pensou que até poderia parecer bonita sob ela, e o brocado pesado e os acres de veludo vermelho-escuro passavam uma sensação de tranquilidade depois de um dia tão infernal. As mesas eram adequadamente espaçadas para impedir que as pessoas sentassem umas em cima das outras, a música de fundo era discreta e não parecia haver uma única pessoa falando ao celular. Estritamente do ponto de vista da ansiedade, esse lugar era o paraíso na Terra — algo especialmente bom esta noite, considerando-se que Russell ficaria ainda menos feliz do que o normal se ela fizesse um rebuliço por causa da escolha da mesa.

Ela relaxou ainda mais depois de uma taça de *pinot grigio* e algumas vieiras delicadamente caramelizadas, mas ainda não conseguira mudar completamente do ritmo do trabalho para um jantar romântico *à deux*. Ela assentiu com a cabeça durante a descrição de Russell sobre um memorando para toda a companhia que ele estava pensando em escrever, sua sugestão para que tentassem ir para a casa de seu amigo de faculdade em Martha's Vineyard em algum momento naquele verão e sua repetição de uma piada que um dos maquiadores do programa havia lhe contado naquela manhã. Só quando o garçom trouxe duas taças de champanhe e algo chamado *dacquoise* de coco, Leigh despertou. Ali, descansando casualmente ao lado do prato de abacaxis escaldados e cercada de frutas silvestres, estava uma caixa de veludo preto. Ela ficou surpresa e um pouco desconcertada por seu primeiro sentimento ao espiar a caixa de joias ter sido de alívio: seu formato longo e retangular indicava que não era — graças a Deus — um anel. É claro que ela provavelmente iria querer se casar com o Russell algum dia — não havia nenhum amigo ou parente que o tivesse conhecido que não se referisse imediatamente a seu grande potencial como marido, sua gentileza, belíssima aparência, carreira de sucesso, carisma encantador e óbvia adoração por Leigh —, mas ela definitivamente não estava pronta para se casar com ele *agora*. Não parecia haver nenhum mal em esperar mais um ano ou talvez dois. Casamento era, bem, *casamento*, e ela queria ter certeza absoluta.

— O que é isso? — ela perguntou com genuína animação, já antevendo algum tipo de pingente com iniciais ou talvez uma bela pulseira de ouro.

— Abra e veja — ele disse baixinho.

Leigh passou os dedos pelo veludo macio e sorriu.

— Você não devia!

— Abra!

— Eu sei que vou adorar.

— Leigh, abra a caixa. Talvez você se surpreenda.

O olhar dele a fez parar, assim como a forma como sua mão se tensionou em torno da taça de champanhe. Ela abriu a tampa e, como em todas as comédias românticas ruins que já havia visto, prendeu a respiração. Ali, aninhado no centro da caixa de colar, havia um anel. Um anel de noivado. Um anel de noivado muito grande e muito lindo.

— Leigh? — a voz dele tremeu. Gentilmente, ele tomou a caixa dela e retirou o anel. Em um movimento rápido, pegou sua mão esquerda na dele e escorregou o anel no dedo certo. Coube perfeitamente. — Leigh, querida? Eu a amei desde o momento em que a conheci, há exatamente um ano. Acho que nós dois soubemos desde a primeira noite que isso era algo especial — algo para sempre. Quer se casar comigo?

A primeira reunião de Emmy, no dia seguinte, com uma empresa local de recursos humanos só seria às 14 horas — um dos muitos benefícios da indústria gastronômica —, mas ela estava realmente começando a sentir o *jet lag*.

Quando chegara ao hotel naquela manhã, às 10h, pedira um café da manhã leve no quarto, com café, *croissant* e frutas silvestres (depois de uma rápida conversão de euros para dólares, ela percebeu que o custo era 31 dólares, sem incluir a gorjeta) e então tomou um banho de banheira usando a espuma para banho de 90g que encontrara no frigobar (50 dólares). Depois de um cochilo rápido e de passar algumas horas confirmando os compromissos do dia seguinte, ela comeu uma salada *niçoise* e tomou uma Coca no jardim externo do restaurante (38 dólares). Nada disso pareceu especialmente extravagante, porém, quando comparado ao jantar, um simples filé com fritas que ela comera sozinha no *lounge* do saguão do hotel duas horas antes. Filé, fritas e uma única taça de vinho tinto ("Vinho da casa? Como assim, 'vinho da casa'?", o garçom perguntara com um desdém maldisfarçado. "Ah", ele dissera após um momento pensando intensamente. "Quer dizer 'barato', não? Vou trazê-lo para a senhora."). A conta chegara a colossais 96 dólares e o vinho tinha gosto de Manischewitz.* E ele nem a chamara de *mademoiselle*!

Ocupando um terreno excelente na chique Rue du Faubourg no *1er arrondissement* — a apenas alguns passos do Ritz e da Hermès —, o Hotel Costes era lendário por sua clientela cheia de celebridades e pela agitação ultrachique da madrugada. Quando o departamento de viagens perguntou se ela tinha alguma preferência por hotéis, Emmy não teve nem coragem para sugerir o Costes. Só quando o agente lhe deu a opção entre ele e um lindo hotel de frente para o rio na Rive Gauche é que ela quase

* Marca de produtos *kosher*. (*N. da T.*)

gritou de entusiasmo. Que lugar melhor para começar o Tour de Puta 2008?

Emmy passara uma semana inteira antecipando sua estadia no Costes. Uma hora depois de sua chegada, ela estava impressionada com como era descolado; duas horas depois, estava intimidada; três horas depois, estava pronta para fazer o *checkout*. O Costes podia ser o melhor lugar da cidade para ser visto, mas parecia impossível que alguém realmente *se hospedasse* lá. Ou ela ficara muito, muito velha, ou o Costes tinha um sério problema funcional. Os corredores eram tão escuros que ela começara a passar as mãos pelas paredes para não dar de cara numa delas. A música do saguão reverberava pelos quartos, e a barulheira de modelos tomando café com leite desnatado e várias nacionalidades de fashionistas enchendo a cara de Bordeaux no pátio interno ricocheteava em todas as janelas. Sua charmosa banheira vitoriana não tinha cortina, portanto o chão inundava quando ela abria o chuveirinho de mão. Não havia tomada no banheiro (provavelmente porque todo mundo trazia seu próprio cabeleireiro), então Emmy fora forçada a secar seu cabelo, *sans* espelho, na escrivaninha. Até agora ela fora paternalizada, ignorada e zombada pela equipe do hotel. E, ainda assim, de forma bastante irritante, não conseguia se livrar da sensação de que deveria se sentir honrada por se hospedar ali.

Então ela ficou sentada o mais discretamente que conseguia no saguão, lendo e-mails em seu laptop e saboreando um expresso (um expresso perfeito, admitiu de má vontade). Sua irmã escreveu dizendo que ela e Kevin estavam planejando ir a Nova York para o feriado de 4 de julho e perguntavam se ela estaria na cidade. Acabara de escrever de volta dizendo que podiam ficar em seu estúdio e que ela ficaria na casa de Adriana, quando seu novo celular internacional, fornecido pela empresa, tocou.

— Aqui é Emmy Solomon — falou o mais profissionalmente possível.

— Emmy? É você?

— Leigh? Como conseguiu esse número?

— Liguei para seu escritório aqui e disse que era uma emergência. Espero que você não se incomode.

— Querida, está tudo bem? São duas da manhã aí.

— Sim, está tudo bem. Eu só queria que você soubesse por mim antes que a história se espalhe por e-mail. Eu estou noiva!

— Noiva? Ah, meu Deus! Leigh, parabéns! Eu não fazia ideia de que vocês dois estavam pensando nisso. É tão emocionante! Conte-me tudo — Emmy viu um empregado uniformizado lhe lançar um olhar feio, mas ela só olhou de volta.

— Eu, hum, acho que também não estava esperando isso — disse Leigh. — Meio que surgiu do nada.

— Bem, como ele pediu?

Leigh descreveu, em detalhes precisos e vívidos, o que deveria ter sido um simples jantar de aniversário de namoro, como ela parecia e se sentia uma bruxa e o que cada um deles havia pedido no Daniel. Quando finalmente chegou ao pedido de casamento durante a sobremesa, Emmy havia começado a interromper, numa tentativa desesperada de chegar à parte boa.

— Não me interessa qual era a *sua* aparência. Como é o anel? E deixe-me lembrá-la de que agora não é hora de modéstia.

— É enorme.

— Quão enorme?

— Muito enorme.

— Leigh!

— Um pouco menos de quatro.

— Um pouco abaixo de quatro! Quilates? Quatro *quilates*?

— Tenho medo de que seja grande demais. Como posso usar algo assim no trabalho? Eu trabalho com edição de *livros* — suspirou Leigh.

Emmy queria gritar.

— Nem vou me dignar a responder. Disse para Adriana que você acha que é... Nem consigo dizer isso.

— Disse. Ela falou que eu devia devolvê-lo a ele porque, se acho que é grande demais, eu não o mereço.

— Eu assino embaixo. Agora pare de ser uma completa idiota e conte-me mais. Já marcaram uma data? Quando você acha que vai se mudar para a casa dele?

O silêncio na linha foi tão completo que Emmy achou que a ligação tinha caído.

— Leigh? Está me ouvindo?

— Estou, desculpe. Ainda não estamos nem perto de escolher uma data. Não sei, no próximo verão, eu acho? No verão seguinte?

— Leigh! Você tem 30 anos de idade e não está ficando mais jovem. Acha que vamos deixar você ficar noiva durante dois *anos*? Se eu fosse você, levava aquele homem para o altar em cinco meses. O que está esperando?

— Não estou *esperando* nada — Leigh falou, parecendo irritada. — Só não sei para que a pressa. Nós acabamos de nos conhecer, pelo amor de Deus.

— Vocês se conheceram há um ano, Leigh, e como você mesma observou em inúmeras ocasiões, ele preenche cada quesito de tudo o que você procurava em um homem. E mais. Você é louca de não fechar isso na data mais próxima possível. No mínimo, tem que ir para o apartamento dele. Marque seu território.

— Emmy, você está sendo ridícula. "Marcar meu território"? Está brincando? E, além do mais, você sabe o que eu acho de morar junto antes de casar.

Emmy gritou um pouco e então, lembrando-se de onde estava, bateu com a mão na boca.

— Não me diga que vai realmente persistir nessa ideia absurda? Meu Deus, Leigh, você parece uma fanática religiosa!

— Ah, Emmy, me poupe. Você sabe que não tem nada a ver com nenhum motivo religioso ou moral. É só o jeito que eu quero. É um pouco antiquado. E daí?

— Russell sabe disso?

— Com certeza sabe como eu me sinto em geral.

— Mas não sabe que agora, apesar de estarem noivos, você não vai se mudar para a casa dele?

— Ainda não chegamos lá. Mas tenho certeza de que ele vai ser totalmente compreensivo.

— Deus do Céu, Leigh. Você sabe que vai ter que morar com ele em algum momento, não sabe? Mesmo ele sendo um menino e sendo nojento no banheiro e querendo a TV ligada às vezes, quando você não quer? Você pensou sobre isso, não é?

Leigh suspirou e disse:

— Eu sei. Na teoria, parece tudo bem, mas na realidade... Eu só estou acostumada a morar sozinha. Eu *gosto* de morar sozinha. O barulho e as coisas espalhadas pela casa toda e sempre ter que conversar mesmo quando você só quer se sentar no sofá e ficar quieta... é aterrorizante.

Ligeiramente aliviada por Leigh ter, no mínimo, admitido seu medo de coabitação, Emmy afrouxou um pouco.

— Eu sei, querida. É aterrorizante para todo mundo. Diabos, Duncan e eu namoramos por cinco anos e nunca tornamos totalmente oficial. Mas você o ama e ele a ama e vocês dois vão dar um jeito. E, se quer esperar até estarem legalizados, bem, quem sou eu para lhe dizer o que...

— Eu não estou apaixonada por ele, Emmy — a voz de Leigh era firme e a ligação estava perfeita, mas Emmy tinha certeza de que não ouvira direito.

— O que você disse? Não consigo ouvir nada aqui.

Leigh ficou em silêncio do outro lado.

— Leigh? Você está aí? O que você acabou de dizer?

— Não me faça dizer de novo — Leigh sussurrou, a garganta engolindo a última palavra.

— Querida, o que você quer dizer? Vocês dois parecem tão felizes juntos! Você nunca disse nada negativo sobre o Russell, só nos disse várias vezes como ele é doce, gentil e atencioso — estimulou Emmy.

— Nada disso muda o fato de que às vezes eu quase choro de tédio quando estou com ele. Eu sei que não devia, mas isso não muda o fato de que fico. Não temos nada em comum! Ele ama esportes; eu amo ler. Ele quer sair e fazer contatos e conhecer pessoas e eu só quero ficar enfurnada em casa. Ele não tem o menor interesse nos acontecimentos ou nas artes — só futebol americano, musculação, nutrição, estatísticas. Sua lesão na faculdade. Não estou negando que ele seja um cara sensacional, Em, mas não sei se ele é sensacional para mim.

Emmy gostava de pensar em si mesma como bastante intuitiva, mas não antevira isso nem por um segundo.

Nervos, pensou consigo mesma. Nada além da incapacidade de Leigh em aceitar que merecia um ótimo cara e que na verdade havia encontrado um. Todo mundo sabia que paixões loucas e grandes casos de amor esfriavam depois dos primeiros meses, talvez um ano. O que importava era encontrar alguém que fosse um bom parceiro a longo prazo. Que ficasse ao seu lado, fosse um bom marido, um bom pai. E, se Russell não era esse cara, ela não sabia quem era. Começou a explicar exatamente isso para Leigh, mas foi interrompida pelo empregado carrancudo do hotel, que bateu rudemente em seu ombro.

— Senhora? Tenha a gentileza de remover seus sapatos do móvel.

— Quem é? — perguntou Leigh.

— Como disse? — Emmy perscrutou o homem; ela ficou momentaneamente intimidada, mas isso mudou rapidamente para irritação.

— Pedi que a senhora faça a gentileza de remover seus sapatos da cadeira. *Nós não nos sentamos assim aqui.* — O homem permaneceu enraizado no lugar e examinou Emmy.

— Emmy, o que está acontecendo? Quem está aí?

Emmy, normalmente desconfortável com qualquer tipo de confronto, sentiu uma onda de raiva invadi-la. Esqueceu-se totalmente de Leigh e encarou o homem.

— *Nós* não nos *sentamos* assim aqui? Você realmente acabou de me dizer isso?

Leigh riu.

— Mostre a ele como a banda toca.

Emmy fez questão de falar alto para dentro do telefone.

— Estou sentada no saguão porque é escuro demais para ler no meu quarto. Só estou sentada, veja bem, e estou sentada em cima de uma das pernas. E quer saber que tipo de sapatos estou colocando em cima da mobília? Sapatilhas de balé. Tipo, não sapatos baixos estilo bailarina, mas sapatilhas de balé de verdade, sem sola. Eu sou *hóspede* neste hotel e ele tem a audácia de me *repreender* como se eu fosse uma *criança*? — Ela olhou para cima, para encarar o homem. Ele sacudiu a cabeça como se dissesse *americana ignorante* e virou de costas — deu uma pirueta, na verdade —, afastando-se.

— A hospitalidade francesa é adorável — Leigh falou. — E presumo que você ainda não tenha arrumado um amante francês?

— Bela tentativa. Não pense que vai mudar de assunto tão fácil assim.

— Em, eu realmente agradeço por você ouvir, mas não quero mais falar sobre isso, está bem? Tenho certeza de que vai dar tudo certo.

Isso, esse é o espírito da coisa!, Emmy pensou. Leigh só precisava de um pouco de tempo para organizar suas ideias, para perceber o que era importante. Leigh estava pensando demais e ela certamente veria que só estava sendo boba.

— Está bem. De volta ao anel. Conte-me mais.

— É realmente muito lindo — Leigh disse baixinho. — Tão clássico. Não sei como ele sabia que eu gostava disso. Nem tenho certeza se eu sabia que gostava disso. Nunca fomos fazer compras ou olhar anéis; nunca nem conversamos sobre isso.

— Esse é o Russell. De que formato é?

— É um diamante retangular maior no meio, ladeado por dois diamantes retangulares menores dos lados e um aro fino de platina. Cartier.

Emmy assoviou.

— Parece maravilhoso. Você realmente não fazia ideia?

Houve uma longa pausa. Por um momento, Emmy pensou mais uma vez que a linha havia caído, mas então ouviu Leigh respirando pesado.

— Você está bem, querida? Leigh?

Mais respiração, desta vez em arfadas mais curtas e rasas.

— Ah, eu estou bem. Só meu coração que acelerou um pouco. Deve ser esse entusiasmo todo, sabe?

Emmy pressionou o celular contra a orelha, querendo desesperadamente ouvir apenas um pouco das risadas infantis e entusiasmadas de alguém que acabara de ficar noiva, mas sabia que não ouviria. Leigh não era uma garota risonha e feminina: ela era engraçada, era sensível, era leal e era neurótica; risonha não era a praia dela. Talvez Leigh também estivesse se sentindo constrangida em descrever seu anel quando todo mundo esperava que Emmy fosse a primeira. Emmy voltou mentalmente à lanchonete, alguns meses antes, quando contara animadamente a Leigh e Adriana que Duncan perguntara o tamanho de seu dedo. Não necessariamente o gesto mais romântico, lembrava-se de ter pensado, mas definitivamente indicava coisas boas. Sentiu o rosto corar com a lembrança de seu entusiasmo e decidiu poupar Leigh de sentir mais pena dela.

— Então, o que você deu a ele de aniversário de namoro? — Emmy perguntou com animação extra, talvez excessiva.

Mais uma pausa longa. Parecia que Leigh estava tentando controlar sua respiração com inspirações controladas.

— Leigh?

— Desculpe, eu, hum, eu estou bem. Só um pouco... hum, eu lhe dei uma bolsa para laptop. Cor de laranja — ela respirou fundo mais uma vez e tossiu. — Da Barney's.

Emmy tentou disfarçar sua surpresa.

— O Russell finalmente comprou um laptop? Achei que nunca veria isso. Como você finalmente o convenceu?

— Ele ainda não tem um laptop — Leigh suspirou. — Ah, Emmy, eu sou a pior pessoa do mundo!

— Querida, o que houve? Estou tão confusa. Você está planejando comprar um laptop para ele? Que fofo! Você não tinha como saber que ele ia pedir sua mão naquela noite. Não se preocupe com isso. Russell é a última pessoa do mundo que se chatearia com algo assim.

Houve mais uma pausa longa e, quando Leigh finalmente falou, Emmy sabia que ela estava chorando.

— Eu lhe dei uma bolsa para laptop cor de laranja porque fui preguiçosa demais para escolher algo pessoal — disse ela, a voz cheia de raiva e arrependimento. — Liguei para a loja e lhes dei o número do meu cartão de crédito, e foi isso que eles me mandaram. Uma bolsa para laptop! Para alguém que nem tem um laptop. Laranja — houve uma fungada. — Russell odeia cores berrantes.

— Leigh, querida, não seja tão dura consigo mesma. O Russell a ama tanto que pediu para você passar o resto da sua vida com ele. Não deixe que um presente idiota atrapalhe isso. Aposto como ele nem se importou, não é?

— Ele riu, mas deu para ver que ficou chateado.

— Ele é grandinho, Leigh. Pode lidar com um presente equivocado. — As duas sabiam que não fora isso que acontecera, mas deixaram passar. — Então, diga-me, está todo mundo animado?

Leigh descreveu obedientemente a reação de sua mãe e a de Adriana e a da família de Russell, inserindo piadas e observações divertidas em todos os lugares certos. Só depois que desligaram, prometendo conversar mais a fundo no dia seguinte, Emmy se permitiu sentir uma ponta de preocupação. Será que realmente havia um problema com Leigh e Russell? Seria possível que Leigh realmente estivesse tendo sérias dúvidas? *De jeito nenhum*, Emmy decidiu. *É só um caso de nervosismo. Entusiasmo e choque e nada além disso.* Ela sentia confiança em sua análise da situação e estava certa de que tudo iria se acalmar assim que o alvoroço diminuísse um pouco. Voltando ao computador, Emmy reuniu coragem para pedir mais um café ao garçom hostil.

— *Pardon*? — a voz masculina veio por cima de seu ombro direito, mas Emmy, convencida de que mais um funcionário do hotel estava se preparando para repreendê-la por alguma coisa, ignorou.

— Com licença? — a voz insistiu. — Me desculpe por interrompê-la.

Emmy olhou para cima, lembrando-se no último minuto de parecer colossalmente entediada e descontente com a interrupção mas, no momento em que disse "Sim?" no tom mais irritado que conseguiu, arrependeu-se. Olhando para ela estava um cara com o tipo de beleza clássica — cabelo escuro grosso, olhos enrugados, um sorriso fácil cheio de dentes brancos e alinhados — que fazia dele quase universalmente atraente. Não era deslumbrante ou sexy como um astro de cinema, mas sua aparência agradável combinada com sua confiança e facilidade para se comunicar fez Emmy pensar que não havia uma mulher sã no planeta que o acharia feio.

— Oi — ela murmurou. *Bingo*, pensou. *Participante do Tour de Puta número um.*

Ele abriu outro sorriso e se dirigiu à cadeira ao lado dela com um olhar interrogativo. Emmy simplesmente assentiu e ficou olhando enquanto ele se sentava. Era mais jovem do que ela pensara originalmente, talvez tivesse menos de 30 anos. Sua avaliação rápida como um raio — afiada durante tantos anos, que agora era quase instintiva — só produziu resultados positivos. Um suéter de algodão azul-marinho meticulosamente cortado, mas ainda assim casual, por cima de uma camisa social branca. Jeans de boa qualidade que graças a Deus eram destituídos de rasgões deliberados, desbotamento excessivo, logomarcas, tachinhas, bordados ou bolsos com abas. Mocassins marrons simples, mas elegantes. Altura normal, razoavelmente em forma sem ser obsessivo, bem-arrumado mas ainda assim masculino. Se ela tivesse que criticar alguma coisa, poderia dizer que seus jeans eram um pouquinho justos demais. Mas também, se alguém ia seduzir homens europeus, jeans justos demais eram um acidente de percurso inevitável.

Recém-encorajada pela aproximação dele, e sem esquecer que os únicos homens com quem havia falado na França até agora trabalhavam no Costes, Emmy sorriu.

— Eu sou Emmy — disse.

Ele sorriu e lhe ofereceu a mão. Nenhum anel, nenhuma unha roída, nenhum esmalte transparente — todos bons sinais.

— Paul Wyckoff. Não pude deixar de ouvir o que aquele idiota disse para você...

Droga. Não havia como negar o óbvio: apesar do jeans bem-cortado e das boas maneiras e do desejo ardente de Emmy de que não fosse verdade, Paul falava inglês com sotaque americano. Ele indubitavelmente nascera e fora criado nos Estados Unidos ou talvez — o máximo em termos de exótico — no Canadá. Ela ficou profundamente decepcionada.

— ...é simplesmente incrível, não é? — ele estava dizendo. — Sempre fico impressionado com o quanto as pessoas estão dispostas a pagar para serem tão maltratadas.

— Então não sou só eu? — Emmy perguntou, ligeiramente aliviada por não ter sido selecionada pelo hotel.

— Definitivamente não — Paul lhe garantiu. — Eles são completamente grosseiros com *todos* os hóspedes. É a única coisa na qual são realmente bons.

— Bem, obrigada por isso. Eu estava começando a ficar bem complexada.

— Fico feliz por ter podido ajudar. Na primeira vez em que me hospedei aqui, fiquei totalmente paranoico. Meus pais costumavam nos arrastar pelo mundo todo — eu praticamente cresci em hotéis —, mas bastou um dia aqui para fazer com que eu me sentisse um idiota desajeitado.

Emmy riu, já se esquecendo da falta de qualificação de Paul. Falta, é claro, apenas em relação ao jogo. Levara menos de quatro minutos de papo para deduzir que ele daria o marido perfeito. Mas não! Não, droga; ela não ia cair nessa armadilha de novo. *Sexo, bom. Compromisso, mau.* Ela repetiu essas quatro palavras enquanto imagens de seu vestido de casamento Monique Lhuillier dos sonhos (sem mangas, mas não tomara que caia, até o chão, com uma faixa rosa antigo marcando a cintura) e de seu menu perfeito (salada de tomate orgânico com molho cítrico para começar, seguido de atum ahi grelhado ou filé Matsuzake) dançavam em sua mente.

— Fico feliz em saber que não estou sozinha — Emmy terminou seu café e lambeu a colher. — Por que sua família viaja tanto?

— Este é o momento em que eu devo dizer "filho de militar" ou "filho de diplomata", mas na verdade não há um motivo só. Em grande parte, meus pais são simplesmente esquizofrênicos em relação a onde moram e os dois são escritores. Então, estávamos sempre viajando. Na verdade, eu nasci na Argentina.

Emmy levou apenas um milésimo de segundo para entender a importância do fato.

— Então você é argentino?

Paul riu.

— Entre outras coisas.

— Como assim?

— Sou argentino porque nasci em Buenos Aires, quando meus pais estavam ambos escrevendo livros. Moramos lá por períodos durante alguns anos antes de irmos para Bali. Meu pai é inglês, então eu tenho cidadania do Reino Unido, e minha mãe é francesa, mas as leis de cidadania francesa — assim como o atendimento ao cliente — tendem a ser enroladas, então nunca pedi a cidadania. Pode parecer interessante, mas eu lhe garanto, é uma tremenda bagunça.

— É só que você parece tão... americano.

— É, eu sei. Frequentei escolas americanas minha vida inteira, literalmente, do jardim de infância em diante, em qualquer país em que estivéssemos. E fiz universidade em Chicago. Meu pai fica louco por eu falar como um americano nativo.

Emmy assentiu, tentando processar tudo aquilo. Ou na verdade catalogar cada detalhe, para que seu e-mail triunfante para as meninas naquela noite fosse impecável.

— Está pronta para tomar algo um pouco mais forte? — perguntou Paul. — Pode ser que você precise, depois de me ouvir falar de mim mesmo por tanto tempo.

— No que você está pensando? — ela respondeu, pegando deliberadamente pesado nos cílios e na inclinação para a frente. *Sexo, bom. Compromisso, mau.*

Ele riu.

— Nada muito extremo. Talvez passar do café para vinho?

Dividiram uma garrafa de algo saboroso e aveludado, e tão cheio de tanino que fez a boca de Emmy se contrair. Um Bordeaux, ela apostaria, ainda que não se aventurasse mais a adivinhar a safra em particular, como era capaz de fazer há anos, quando havia passado seis meses viajando por toda a França, trabalhando em várias funções em restaurantes e visitando vinícolas. Bordeaux nunca fora um de seus favoritos, mas esta noite ela estava adorando o sabor. Eles conversaram sem esforço, entrando na segunda garrafa, enquanto Emmy imaginava sua lua de mel iminente (uma *villa* de frente para o mar em Bora Bora, com um pavilhão para dormir ao ar livre e uma piscina funda particular, ou talvez um safári africano de luxo onde fariam amor em sua cama com tela de filó antes de um motorista levá-los para ver elefantes e leões em um imponente Range Rover preto) só uma vez. O clima era de flerte, na verdade, até Emmy perguntar — casualmente, ela pensou — o que Paul achava de crianças.

A cabeça dele se ergueu num estalo.

— Crianças? O que têm elas?

Será que ela não estava sendo tão sutil quanto pensava? O vinho devia estar atrapalhando seu bom-senso. Ela achou que perguntar se ele tinha sobrinhos ou sobrinhas serviria como uma ponte totalmente natural para perguntar sua opinião a respeito de ter seus próprios filhos um dia, mas talvez isso fosse mais transparente do que ela pensara a princípio.

— Ah, nada em especial — Emmy disse. — Elas são tão fofas, não são? Apesar de parecer que tanta gente não quer ter filhos hoje em dia, não é? E eu não consigo imaginar isso. Não quero dizer imediatamente, é claro, mas eu sei que definitivamente vou querer tê-los em algum momento, sabe?

Algo sobre essa observação pareceu fazer Paul se lembrar que estava atrasado para planos anteriores não mencionados.

— É, acho que sim. Ouça, Emmy, na verdade estou muito atrasado para um encontro com uns amigos — ele falou, olhando para o relógio.

— Sério? Agora? — Era quase meia-noite, mas parecia quatro da manhã. Ela estava agradavelmente bêbada e alegre e determinada a seduzir Paul, como a mulher sexualmente independente e livre-pensadora que era. Não interessava que somente ela quisesse continuar o papo lá em cima, enfiados debaixo de um edredom confortável enquanto conversavam e se beijavam languidamente até o sol raiar. Ela deitaria a cabeça no peito dele e ele brincaria com seu cabelo, pegando de vez em quando seu queixo com a mão forte e puxando delicadamente sua boca na direção da dele. Eles ririam das tiradas bobas um do outro e contariam segredos e falariam sobre todos os seus lugares favoritos para visitar, esperando, mas ainda sem dizer — afinal de contas, era só sua primeira noite — que um dia viajassem para todos eles juntos. Acordariam tarde pela manhã, e Paul diria a Emmy como ela ficava linda toda sonolenta e desalinhada, e eles pediriam café da manhã no quarto (croissants folhados, suco de laranja fresco, café com leite integral e um prato cheio de frutas do bosque maduras e suculentas) e fariam planos para...

— Ei, Emmy? — Paul colocou alguns dedos sobre sua mão. — Você ainda está comigo?

— Me desculpe. O que estava dizendo?

— Estava dizendo que preciso ir. Eu devia encontrar uns amigos às 22h, mas eu, hum, me distraí — o sorriso encabulado dele fez o coração dela pular. — Qualquer outro dia eu a convidaria para vir — eu insistiria —, mas, bem, na verdade é uma festa de aniversário para minha ex e não sei se ela gostaria que eu levasse... alguém. Sabe?

O projetor na cabeça da Emmy parou subitamente; a tela mostrando eles dois rindo enquanto saqueavam o frigobar dela atrás de mais vinho foi substituída por uma onde ela assistia sozinha às intermináveis repetições da CNN Internacional, embrulhada em sua camiseta cinza furada, enfiando punhados daquelas *framboises* francesas enormes na boca.

Ela conseguiu dar um sorriso.

— Não, não, não. É claro! Entendo perfeitamente. Seria esquisito e falta de consideração aparecer com outra garota. Além disso, eu estou realmente sentindo o *jet lag* agora — Deus, está batendo como se fosse uma tonelada de tijolos em cima de mim. E tenho uma reunião amanhã de manhã bem cedo; portanto eu não poderia ir, de qualquer maneira.

Pare de falar!, ela recomendou a si mesma. *Você está a segundos de contar a ele tudo sobre o horrível pelo encravado na sua virilha que você futucou hoje até sangrar e agora parece herpes. Ou o fato de todo aquele café seguido de todo esse vinho estar deixando seu estômago meio esquisito e que, apesar de estar extremamente decepcionada por ele a estar dispensando agora, está meio aliviada por ter algum tempo sozinha. Pare de falar agora mesmo!*

Paul fez sinal para o garçom pedindo a conta.

— Não, por favor, permita-me — ela falou, esticando o braço um tanto violentamente pela mesa minúscula. Uma canção remixada de Shirley Basset soou dos alto-falantes atrás deles, e Emmy ficou surpresa em ver como o saguão inteiro havia se transformado em um covil escuro e aveludado, cheio de pessoas magníficas.

— Eu realmente sinto muito por sair assim, mas são meus amigos mais antigos e faz séculos...

— É claro! Não se preocupe — ela já começara a se sentir aliviada por subir sozinha. A ideia de cair na cama com Paul como parte de uma promessa que havia feito a suas amigas parecia ridícula. Quem ela estava enganando? Simplesmente não era da sua natureza. Ótimo para outras garotas — fantástico, na verdade, para pessoas como

Adriana —, mas Emmy não era assim. Ela queria conhecer alguém, conhecer em todo o sentido da palavra, e sexo era algo que seguia naturalmente esse processo, não um ato impetuoso que o substituía. Além do mais, ia ficar a semana inteira. Talvez eles pudessem se encontrar de novo no dia seguinte para jantar... Ah, espere, ela tinha reuniões na noite seguinte. Bem, então teriam que se encontrar para tomar uns drinques depois. Começar pelo hotel, talvez, porque era o mais conveniente, e depois vaguear por algumas ruas charmosas de paralelepípedos antes de se enfiarem em um bistrô parisiense perfeito para comer *frites* com Coca-Cola Light tarde da noite. Àquela altura, teriam passado horas e horas juntos, talvez até se beijado debaixo de um daqueles postes românticos de ferro batido — só de levinho, é claro, uma coisa suave e sussurrante, sem língua e sem pressão para levar adiante. É, isso seria ideal.

Ele a acompanhou até o elevador minúsculo enfiado em um canto totalmente escuro do saguão e deu um passo para o lado enquanto um casal extremamente atraente saía.

— Foi um prazer conhecê-la, Em. Emmy. Como as pessoas a chamam?

— As duas coisas. Mas minhas amigas mais íntimas sempre usaram Em, então eu gosto — ela lhe deu seu melhor sorriso.

— Bem, hum, eu vou embora de manhã, então acho que isso é um adeus.

— Ah, é mesmo? Onde você mora? — ela percebeu que nem sabia onde ele vivia.

— Ainda não vou para casa, infelizmente. Estarei em Genebra nos próximos dois dias e depois possivelmente Zurique, dependendo.

— Parece ocupado.

— É, o cronograma de viagem pode ser intenso. Mas, hum, bem, foi realmente um prazer conhecê-la. — Ele fez uma pausa e sorriu. — Eu já disse isso, não foi?

Emmy disse a si mesma que o nó em sua garganta era a combinação de TPM e *jet lag* e vinho demais, e não tinha absolutamente nada a ver com Paul. Ainda assim, ela tinha medo de chorar se tentasse falar, então apenas assentiu.

— Descanse, está bem? E não deixe que nenhuma dessas pessoas do Costes a intimide. Promete?

Ela assentiu novamente.

Ele virou o rosto dela na direção do seu próprio e, por um segundo, ela teve quase certeza de que iria beijá-la. Em vez disso, ele olhou em seus olhos e sorriu de novo. Aí, beijou sua bochecha e deu as costas.

— Boa-noite, Emmy. Cuide-se.

— Boa-noite, Paul. Você também.

Ela entrou no elevador e, antes que as portas se fechassem, ele já havia ido embora.

— Gorda! Gorda! Gorda! — gralhou o pássaro malcriado. Ele havia acordado, como um bebê humano, às 5h45 daquela manhã — um sábado! — e se recusava a voltar a dormir. Adriana tentou cantarolar para ele, alimentá-lo, segurá-lo, brincar com ele e, finalmente, trancá-lo no lavabo com as luzes apagadas, mas o pequeno monstro alado persistia em sua artilharia verbal.

— Garota gorda! Garota gorda! Garota gorda! — gritava ele, a cabeça subindo e descendo como um cachorro de cabeça de mola.

— Agora escute, seu imbecil — Adriana sibilou, os lábios quase tocando as barras de metal da gaiola. — Eu sou muitas coisas, muitas coisas péssimas e mesquinhas, mas gorda *não* é uma delas. Você me entendeu?

O pássaro inclinou a cabeça para o lado como se estivesse pensando na pergunta. Adriana achou que ele podia até ter concordado e voltou para a cama, satisfeita. Nem havia saído pela porta do banheiro quando o pássaro gralhou — mais baixo dessa vez, ela podia jurar.

— Garota gorda!

— Seu filho da mãe! — gritou ela, quase dando um bote na gaiola. Foi preciso cada grama de força de vontade para não jogar tudo pela janela do 26º andar. O pássaro olhou para ela com curiosidade.

— Ah, meu Deus — murmurou ela para si mesma. — Estou falando com um papagaio.

Adriana sempre achou que Emmy exagerava a respeito do pássaro; só naquele momento exato — quando a falta de sono finalmente começara a se instalar e sua autoestima estava por um fio — ela entendeu o quanto devia ser prejudicial viver com Otis o tempo todo.

Ela vasculhou o armário de roupa branca à procura de uma toalha gigante, mas agarrou impacientemente um lençol Frette com elástico por ser a primeira coisa que viu. Jogando-o por cima da gaiola e enfiando bem as pontas debaixo dela, Adriana por um momento se preocupou em sufocá-lo. Chegando à conclusão de que poderia viver com essa possível consequência, fechou a veneziana do banheiro e apagou as luzes. Miraculosamente, o pássaro permaneceu quieto. Só quando já estava a salvo debaixo das cobertas com sua máscara de pepino no lugar, ela respirou. Graças a Deus.

Estava adormecendo quando o telefone tocou e sentia-se tão cansada, mas atendeu.

— Adi? Ainda está dormindo? — a voz de Gilles, estranhamente grave para alguém tão frívolo, estrondou pelo telefone.

— Nós só vamos nos ver hoje às 13h. Ainda são 10h. Por que você está me ligando?

— Ora, ora, alguém não acorda de bom humor! — cantarolou ele, parecendo encantado.

— Gilles...

— Desculpe. Escute, preciso cancelar o almoço hoje. Sei que sou um amigo horrível, mas recebi uma proposta melhor.

— Uma proposta melhor? Primeiro, o papagaio me chama de gorda e agora você está dizendo que recebeu uma proposta melhor?

— O papagaio? *O quê?*

— Esqueça. Então, esclareça para mim, o que constitui uma oferta melhor do que salada e Bloody Marys e manicure?

— Ah, sei lá... Talvez, hum... vejamos... só a oportunidade da minha vida. Está pronta para ouvir isso?

— Estou — falou Adriana, fazendo um esforço enorme para parecer desinteressada.

— A agência ligou para dizer que Ricardo ficou preso em uma sessão de fotos em Ibiza e não ia poder voltar para a sessão de hoje.

— Hum — Adriana se lembrava vagamente que Gilles e Ricardo eram inimigos mortais, apesar de tender a achar que essa competição acirrada vinha mais de Gilles que de Ricardo, que, para grande tristeza de Gilles, parecia bastante satisfeito em aceitar quase todos os trabalhos de maior prestígio da agência. Ele trabalhava com a maioria dos grandes nomes em Hollywood e sua agenda era reservada anualmente — e com um ano de antecedência — para as cerimônias de premiação. Os dois homens haviam feito escola de beleza juntos, sido assistentes juntos em todos os salões da Madison Avenue e então, apesar de ambos terem sido promovidos a cabeleireiro exatamente ao mesmo tempo, Ricardo de alguma forma se tornara um superstar.

— Faz ideia de qual é o trabalho de hoje? — Gilles parecia prestes a dar um grito.

— Vamos ver, o que poderia ser? Uma sessão de fotos! — disse ela com arrogância, fingindo entusiasmo.

Ele a ignorou.

— Ah, não é nada. Tenho certeza de que você não quer saber como vai ser fazer o cabelo da Angelina Jolie no set de *The City Dweller*, que por acaso estão dizendo ser o filme em que ela está mais sexy do que nunca. Engraçado, eu estava pensando em convidá-la para vir comigo e conhecer todo mundo, mas tenho certeza de que você nunca...

— Angelina?

— A primeira e única.

— Mais sexy do que nunca?

— Estão dizendo que faz *Sr. e Sra. Smith* parecer *A Noviça Rebelde*.

Adriana soltou o ar.

— Você acha que o Brad vai estar lá?

— Quem sabe? Tudo é possível. Eu soube que há grandes chances de ela levar o Maddox.

Maddox. Um desdobramento interessante. Por mais que Adriana não gostasse de crianças — especialmente das que gritavam e das com nariz escorrendo —, havia se apaixonado por toda a prole de Brangelina. Está bem, gritos e meleca não apareciam nas páginas do *US Weekly*, mas Adriana tinha certeza de que essas crianças eram diferentes: educadas, dignas, possivelmente até sofisticadas. E não havia como negar seu estilo. Ela adoraria ver aquele adotado cambojano estiloso pessoalmente. Pax também valeria a pena, mas ninguém — nem Zahara ou mesmo Shiloh — seria tão valioso como ver Maddox. Sentou-se de um pulo na cama e começou uma busca frenética em seu closet aberto. O que se veste para um set de filmagens?

— Eu vou! — guinchou ela, sua atitude normalmente indiferente completamente destruída. — Onde e quando?

Gilles foi gentil o suficiente para não rir.

— Achei que poderia se interessar — disse ele, deliberadamente casual. — Esquina da Prince com Mercer, em uma hora. Não tenho certeza onde exatamente vão estar estacionados os trailers de cabelo e maquiagem, mas me mande uma mensagem de texto quando chegar lá e eu irei encontrá-la.

Adriana fechou o celular e correu para o chuveiro. Hesitando em parecer que havia feito qualquer esforço além do normal, ela aplicou um pouco de talco com aroma de limão nas raízes, mas não lavou o cabelo, resultando numa cascata sexy de ondas. Usou hidratante com tonalizante em vez da base corretiva de sempre e esfregou um pouco de gloss nas bochechas antes de passá-lo pelos lábios. Uma passada rápida de pó branco brilhante no canto dos olhos — um truque que sua mãe aprendera em seus dias de modelo e lhe ensinara — e uma só camada de rímel preto-acastanhado completavam seu rosto. Seu espelho de aumento preso à parede confirmou que nem um traço de maquiagem era detectável, mas o resultado a deixava com a aparência fresca, brilhante e linda.

A roupa demorou um pouco mais. Ela descartou dois vestidos de verão, uma túnica cinturada e um par de calças brancas justas, antes de encontrar o vencedor: calças Levi's skinny perfeitamente gastas, que literalmente levantavam e mostravam sua bunda, completadas por duas camisetas com costas de nadador, uma por cima da outra, e arrematadas por sapatilhas Chloe desta estação. Sua pele, permanentemente bronzeada tanto pelos genes quanto pelos meses passados nas praias do Rio, literalmente saltava das camisetas de algodão branco, e seu cabelo caía pelos ombros. Ela acrescentou um monte de pulseiras douradas descombinadas no pulso bronzeado e escolheu um par de brincos de ouro pequenos e discretos para completar o visual. Quarenta e cinco minutos depois de falar com Gilles, Adriana passou na ponta dos pés pelo lavabo em direção à porta da frente, evitando acordar o pássaro adormecido.

— Arghwahhhhhhhh!

Ela ouviu asas batendo e outro grito — indiscernível no conteúdo, mas estranhamente triste na natureza — seguido de mais asas batendo freneticamente. *Deus*, pensou enquanto abria a porta do banheiro. *Parece que ele está morrendo aqui.*

— Você não pode morrer agora — falou para a gaiola embrulhada no lençol. — Pelo menos tenha a delicadeza de esperar até eu conhecer o Maddox. Melhor ainda, espere a Emmy. Não tenho ideia do que fazer com um pássaro morto.

Silêncio. Então, um grito positivamente infeliz. Ela nunca ouvira nada igual antes, mas a tristeza dele a fez tremer de medo.

Adriana pulou para a frente e arrancou o lençol da gaiola, desesperada para acalmar o animal sofredor.

— O que foi, Otis? — sussurrou ela através das barras. — Você está doente?

Só depois que Otis inclinou a cabeça daquela maneira reveladora — e perfeitamente saudável — Adriana soube que havia sido enganada. Ela saíra do banheiro e atravessara metade do saguão antes que Otis gritasse "Garota gorda!" três vezes, parando apenas para gralhar entre os gritos.

— Vá em frente e morra, seu roedor alado. Espero que seja uma morte longa, lenta e muito dolorosa. Vou dançar na sua maldita cova de pássaro.

A situação toda era irritante! Só porque Emmy se sentia culpada demais para vender ou matar o maldito pássaro, não significava que outros tinham que aturar esse abuso. O que se esperava que você dissesse quando uma de suas melhores amigas ligava na noite antes de sua viagem, em pânico porque seu veterinário não acolhe mais pássaros em sua clínica? Qualquer pessoa minimamente racional diria exatamente o que Adriana disse — isto é, que se não podia vestir, comer ou usar como acessório, ela não estava interessada —, mas o pavor absoluto de Emmy acabara por derrotá-la. Emmy jurou que Otis era relativamente fácil de cuidar e, com exceção de alguns ataques de mau humor, Adriana provavelmente nem perceberia que ele estava ali. É, não perceberia. Por isso estava no elevador, imaginando se seus quadris pareciam um pouco mais largos ultimamente. Ou por que estava prestes a caminhar os vinte quarteirões até o centro da cidade em vez de pegar um táxi. Porque *obviamente* ela precisava do exercício. Maldito.

Quando finalmente chegou, seus batimentos cardíacos estavam elevados por causa da combinação do esforço físico e do nervoso, e ela se sentia meio pegajosa com o suor, mas como só acontece com as garotas mais lindas, a umidade dava a Adriana um brilho que aumentava sua beleza. Parecia ainda mais fresca e saudável e, se possível, ainda mais radiante do que o normal. Não poucos dos homens que passavam ficaram imaginando se ela havia acabado de sair da cama depois de uma manhã fazendo amor; os outros imaginavam como seria estar com ela.

Gilles apareceu momentos depois de ela lhe mandar uma mensagem de texto. Ele percebeu um grupo de APs de pé do lado de fora de um dos trailers olhando para eles, então agarrou os quadris de Adriana, empurrou sua pelve contra a dela e a beijou na boca.

— Caramba, garota, você está linda — anunciou. — Quase me dá vontade de ser hétero.

— É, *querido*, eu também. Eu me casaria com você em um segundo. Na verdade, se eu não tiver encontrado um marido até o ano que vem, quer se casar comigo?

— É tentador, tenho que dizer. Ficar comprometido com uma só pessoa pelo resto da vida e ainda por cima uma mulher? Pode me castrar agora.

— Espere, acho que tem alguma coisa aqui. Teríamos um relacionamento completamente aberto, é claro. Você poderia dormir com quem quisesse, mas poderíamos ir juntos a festas e eventos de família, e ainda ter nossas vidas separadas. Seríamos os novos Will e Grace. Acho que parece fantástico.

— É, Adi, querida, mas o quê, posso perguntar, eu ganho com isso? Você se esquece de que eu faço todas essas coisas agora sem ser casado...

— O que você ganha com isso? Hum... — Adriana pressionou a boca com o indicador e fingiu pensar — Vejamos. Ah, sei lá... acesso irrestrito ao meu fundo bancário, talvez? Isso serve?

Gilles abaixou-se em um joelho coberto de jeans e levou a mão aos lábios.

— Adriana de Souza, quer se casar comigo?

Ela riu e o puxou para cima.

— Um ano, querido. Tenho um ano para achar um marido adequado — e, por adequado, quero dizer um que queira transar comigo —, e, se não encontrar, você e eu vamos juntar os trapinhos. Parece bom?

— Estou de pau duro neste instante, juro que estou. Só diga de novo: *fundo bancário.*

Ele a guiou até a metade da rua Prince antes de dar a notícia de que Angelina não seria apresentada a ninguém naquele dia.

— Me diga que está brincando. Eu me levantei e tomei banho e me vesti às 10 da manhã, pelo amor de Deus. Pelo menos Maddox está aqui com a babá?

— Desculpe, querida. Mas estou marcado para fazer o Paul Rudd daqui a 20 minutos e você pode vir comigo.

Adriana fungou.

— Ele é bonitinho, eu acho.

— E, se for uma boa menina, posso até deixar que fique para a filmagem do começo da noite...

— Obrigada mas não, obrigada. Vou sair com aquele financista.

— Ah, *aquele* financista. Entendi. Bem, por mais superdivertido que pareça, eles vão filmar uma cena esta noite com a Tyra... uma cena de *lingerie*... e há um papo de que a Naomi pode se juntar a ela...

— Fala sério.

— Não estou brincando.

— Quando?

— Está marcado para as 19h no Sky Studios. Provavelmente vai haver drinques depois.

Adriana expirou lentamente e olhou para Gilles.

— Estou dentro.

— Eu sabia. — Ele abriu a porta de um trailer da Haddad e esperou que Adriana entrasse. Uma adolescente que ela não reconheceu estava sentada pacientemente em uma das quatro cadeiras, de costas para o espelho iluminado, enquanto uma cabeleireira atarracada lutava com uma escova redonda pelas grossas ondas da garota. As outras três cadeiras pareciam estar vagas há pouco tempo, ainda entulhadas com escovas Mason Pearson, secadores de cabelo iônicos T3 e todos os produtos Kérastase vendidos na América do Norte.

— Gilles, eles adiantaram o horário em meia hora porque Tobias precisa sair daqui cedo — a cabeleireira gritou por cima do barulho do secador. — Estou cuidando de tudo aqui, então por que você não vai para a locação para dar uns retoques?

— Pode deixar — cantarolou Gilles. Ele suspendeu uma enorme mochila de couro transbordando de produtos e fez um sinal em direção à porta para Adriana. — Vamos para o set.

A cena já estava sendo filmada quando chegaram ao loft, e seus crachás para o set foram examinados por não menos do que três APs.

— É mais difícil entrar de penetra neste lugar do que no Chez Cruise — sussurrou Adriana quando finalmente conseguiram entrar.

Gilles sorriu, mas permaneceu alerta, desviando-se cuidadosamente do emaranhado de fios e extensões.

— Logo antes de você chegar aqui, eu os vi dizerem a um carteiro que ele não podia entregar a correspondência até terem terminado o dia de trabalho.

O loft enorme e clássico do SoHo; tinha pé direito de cinco metros de altura e tijolos expostos e todo tipo de esculturas de arte moderna muito intimidantes. A equipe havia montado uma cama de dossel king-size — do tipo que parece que uma enorme caixa oca foi presa em cima — na sala diante da lareira. Com seu edredom marrom e verde-limão chique e mesinhas de cabeceira discretas combinando, parecia uma foto saída direto do catálogo da West Elm. Mas muito mais interessante era a atriz quase nua esparramada por cima.

— Silêncio no set! — uma voz grave de homem estrondou em algum lugar acima.

Gilles ergueu uma das mãos e agarrou o pulso de Adriana. Ambos congelaram no meio do caminho.

— Gravando! — gritou outra voz masculina. Um coro de respostas se seguiu de todas as partes do aposento.

— Gravando!

— Gravando!

— Estamos gravando!

— E... ação!

Adriana virou-se para ver que essas últimas palavras tinham vindo de um homem que estava sentado um pouco para o lado. Ele usava um par de fones gigantescos e estava inclinado intencionalmente para a frente em sua cadeira, examinando o monitor do meio com concentração total. Ao lado dele, uma moça fazia anotações diligentemente em uma prancheta. Adriana supôs que ele fosse o diretor, o deus em pessoa, e ficou feliz em confirmar suas suspeitas quando chegou alguns centímetros para a esquerda e foi capaz de ler as costas da cadeira do homem. TOBIAS BARON estava bordado em letras maiúsculas no tecido preto. O que ela não esperava era que ele fosse tão jovem: seu currículo era como o de alguém com 50 ou 60 anos, mas esse homem não parecia ter um dia a mais do que 40.

Gilles e Adriana ficaram olhando um clipe de 20 segundos enquanto a atriz, vestindo uma camisa social aberta e um par de calcinhas brancas de algodão que conseguiam ser dez vezes mais sexy do que a maioria dos fios-dentais, lia um romance na cama. Ela estava só acariciando distraidamente a barriga e virando as páginas quando Adriana percebeu que a garota era a dublê de corpo de Angelina.

— Corta! — gritou Tobias. Em meio segundo, Gilles traçou uma reta até a atriz e começou a amassar seus cabelos com os dedos. Ele não pareceu notar que ela estava apoiada nos cotovelos com a cabeça jogada para trás como se estivesse em êxtase.

Alguns minutos depois, com a cena arrumada exatamente como antes, houve outra rodada de gritos de "gravando" e um grito de "ação!". Só que desta vez, no momento em que o ator sarado descia seu corpo em cima da garota, um celular tocou. O celular de Adriana. Quarenta cabeças se viraram para olhar enquanto ela, sem se perturbar nem um pouco, vasculhou dentro da bolsa, puxou o telefone para fora e o desligou — *depois* de verificar o identificador de chamadas.

— E corta! — Tobias gritou, evidentemente aborrecido. — O que é isso, pessoal? A hora dos amadores? Joguem esses celulares fora. Agora, vamos continuar da entrada do Fernando. Vamos começar já e... ação!

Dessa vez, os atores completaram a cena do jeito que o diretor queria e Tobias, de má vontade, fez uma pausa. Gilles agarrou a mão de Adriana com tanta força que suas unhas se enterraram nas palmas das mãos dela. Ela sabia que ele estava prestes a surtar — ele sempre fora de gritar —, mas antes que pudesse arrastá-la para fora para lhe dar uma bronca, Tobias os interceptou. Seus fones de ouvido estava passados pelo pescoço; ele franziu o cenho e balançou a cabeça com raiva enquanto o resto da equipe se afastava o suficiente para evitar contato direto, enquanto permanecia perto o bastante para ouvir o que quer que acontecesse.

— Quem é você? — perguntou Tobias, olhando diretamente para Adriana.

Gilles começou a tagarelar.

— Eu sinto muito, sr. Baron, pode ter certeza de que algo assim nunca mais...

Tobias interrompeu Gilles com um gesto exasperado, mas não desviou a atenção de Adriana.

— Quem é *você*?

Ele ficou olhando para ela e Adriana ficou olhando de volta, os dois presos numa luta de poder por quase 30 segundos sem dizer uma palavra. Adriana admirou sua firmeza; a maioria dos homens ficava perturbada quando ela permanecia calada e desafiadora. Também gostou bastante de sua solidez. Ele tinha uma altura média para um homem, provavelmente perto de 1,80m, mas sua camiseta justa exibia um tronco que lhe dava uma aparência muito maior. Pelo que ela podia averiguar, tanto seu bronzeado quanto seu cabelo abundante e escuro eram verdadeiros. Ela estava perto o suficiente para sentir seu cheiro e também gostou disso: uma boa mistura de amaciante de roupas e um perfume masculino sutil.

Esforçando-se ao máximo para não parecer estar pedindo desculpas, ela olhou diretamente nos olhos dele e disse:

— Meu nome é Adriana de Souza.

— Ah, bem, *isso* certamente explica tudo.

— Como disse? — E então ocorreu a ela. Talvez esse homem de alguma forma conhecesse sua mãe e, como resultado, não estivesse surpreso com o comportamento de diva de Adriana. Não seria a primeira vez que alguém na indústria do entretenimento juntava o sobrenome famoso de Adriana e sua aparência deslumbrante.

— Isso explica porque uma jovem como você tem uma música de João Gilberto como toque. Do Rio?

— São Paulo, na verdade — ronronou Adriana. — Você não me parece brasileiro.

— Não? É o nome ou o nariz? — Ele finalmente sorriu. — Você não precisa ser brasileiro para identificar bossa nova quando a ouve.

— Desculpe, eu não ouvi seu nome. Você é? — Adriana perguntou, os olhos arregalados. Ela sabia por muitos anos de experiência que, se você tratasse os superconfiantes como lixo, eles seriam seus para sempre.

O sorriso dele se apagou por um momento antes de se expandir para um sorriso largo, um que dizia *Ei, uma adversária. Gostei disso.* E, apesar de não ter pedido o telefone dela ali na mesma hora, Adriana estava cem por cento certa de que iria ter notícias de Tobias Baron.

— Por que está tão calada? — perguntou Russell enquanto navegava pela Merritt, que parecia um estacionamento, e que se tornara ainda pior pela recusa inabalável dele em evitar a Trifeta dos Horrores do Trânsito: haviam saído da cidade não só durante a hora do rush, mas durante a hora do rush em uma sexta-feira — de um fim de semana de verão.

Leigh suspirou. Apenas mais três dias até sua ansiada Segunda-feira Sem Contato Humano.

— Só o pavor de sempre.

— Eles realmente não são tão ruins assim, querida. Tenho que dizer, não entendo bem por que eles a irritam tanto.

— Bem, provavelmente porque você os encontrou no máximo cinco vezes em toda a sua vida e, se há uma coisa que sabem fazer, é deixar uma boa primeira impressão. Eles não começam a pegar pesado na destruição da sua autoestima até você realmente ter começado a conhecê-los e a confiar neles. Então... cuidado. — Aborrecida por ele estar defendendo seus pais, ela examinou a lista do iPod e botou o volume no máximo. "*Waiting on the*

World to Change", de John Mayer, saiu aos berros dos alto-falantes.

Eles estavam no novo Range Rover de Russell, que ela odiava. Quando ele pedira sua opinião, alguns meses antes sobre de que carros gostava, ela simplesmente dera de ombros.

— A coisa boa de morar em Nova York é que você não precisa de carro. Por que se preocupar?

— Porque, querida, eu quero fazer viagens românticas de fim de semana com você. A liberdade que ele nos dá seria algo maravilhoso para nós. E, além disso, a ESPN vai pagar minha vaga de garagem na cidade. Então, alguma preferência?

— Na verdade, não.

— Leigh, qual é. Nós vamos usá-lo muito juntos. Você realmente não tem uma opinião?

— Sei lá... os azuis, eu acho. — Ela sabia que estava sendo impossível, mas realmente, sinceramente, não se importava. Russell ia ficar obcecado por carros independente do que ela gostasse ou não; então, realmente não queria se envolver.

— Os "azuis"? Você está sendo uma chata.

Aliviada por ele finalmente ter recuado — um acontecimento raríssimo —, ela afrouxou um pouco.

— O Henry dirige um Prius azul e adora. Diz que tem uma quilometragem incrível. Alguém disse que o Escape híbrido também é bom: um utilitário que não parece um tanque.

— Um *híbrido*?

— Sei lá. Não precisa ser. Também gosto daquele Nissan arredondado... Como se chama? Um Mural?

— Murano. Está falando sério?

— Na verdade, eu já lhe disse que não estou nem aí, mas você forçou a conversa. Compre o que bem entender.

Um longo monólogo se seguiu no qual Russell exaltou as muitas virtudes do Range Rover. Falou de seu interior, exterior, potência, exclusividade, estilo e praticidade em tempo ruim (deixando notavelmente de fora qualquer menção sobre quilometragem ou a dificuldade de manutenção, mas Leigh se absteve de observar isso). Ele caiu instintivamente em sua personalidade pública e tagarelou sem parar; voz de barítono animada mas controlada, olhar firme, postura perfeita. Era precisamente o que o tornava tão carismático e atraente na TV que podia torná-lo tão desagradável quando estavam a sós. Ela imaginou o que todas aquelas garotas que escreviam para o site dele e enviavam fotos sedutoras de si mesmas pensariam se vissem esse Russell: ainda lindo, com certeza, mas também presunçoso e bastante chato.

Ele havia acabado de lhe contar sobre o alistamento de um jogador qualquer no Exército quando chegaram à entrada. Os pais dela haviam trocado de má vontade a cidade pelo Greenwich nos anos 1980, quando a avó de Leigh faleceu e deixou a casa da família para seu filho único. O pai de Leigh ainda era editor júnior, e sua mãe acabara de terminar a faculdade de Direito, então a chance de não pagar aluguel nem hipoteca — mesmo que fosse, infelizmente, fora da ilha — era simplesmente boa demais para recusar. Leigh vivera na linda casa antiga desde o pré-primário, brincara de pique no bosque próximo e dera festas de aniversário na piscina e perdera a virgindade no porão frio, parecido com uma caverna, com um garoto de cujo nome ela se lembrava, mas cujo rosto desde então ficara indistinto; ainda assim, a casa de cinco quartos não parecia seu lar há muitos anos.

Leigh digitou o código de segurança (1-2-3-4, naturalmente) no teclado da garagem e fez sinal para Russell seguir. Em parte, estava decepcionada por sua mãe não ter corrido para fora para agarrar sua mão e olhar seu anel de noivado e enxugar as lágrimas enquanto beijava sua filha única e seu futuro genro, mas ela tinha consciência suficiente para admitir que teria ficado irritada e envergonhada se sua mãe tivesse feito exatamente isso. A sra. Eisner não era exatamente do tipo sentimental e chorona e, nesse sentido, mãe e filha eram parecidas.

— Mãe? Pai? Chegamos!

Ela guiou Russell pelo hall de entrada, que há muito tempo deixara de ser uma salinha para tirar as galochas e fora transformado num elegante *foyer*, e entrou na cozinha.

— Onde está todo mundo?

— Estou indo! — ouviu sua mãe gritar da sala. Um momento depois, ela apareceu diante deles, com uma aparência casualmente elegante em uma de suas trilhares de camisas com gola polo, calças de sarja cáqui e mocassins de camurça da Tod.

— Leigh! Russell. Parabéns. Ah, estou tão feliz por vocês dois — ela abraçou sua filha e inclinou-se para beijar a bochecha de Russell. — Agora, venham e sentem-se para eu poder examinar direito esse diamante. Não acredito que tive que esperar 12 dias inteiros para ver isso!

Comentário passivo-agressivo número um, Leigh pensou. *Foi dada a largada.*

— Sinto muito não ter esperado que a senhora e o sr. Eisner voltassem, mas eu queria muito pedi-la em casamento no nosso aniversário de um ano — Russell apressou-se em explicar.

Os pais de Leigh haviam retornado tarde na noite anterior de sua peregrinação anual pela Europa por três semanas, em junho, e haviam insistido para que o feliz casal se juntasse a eles para um jantar de comemoração.

— Por favor — sua mãe fez um gesto com a mão. — Nós entendemos. Além do mais, ninguém realmente precisa dos pais para essas coisas hoje em dia, não é?

Número dois. E em tempo recorde.

Russell limpou a garganta e pareceu desconfortável o suficiente para que Leigh sentisse uma pontada momentânea de compaixão. Ela decidiu salvá-lo.

— Mamãe, que tal uma taça de vinho? Tem algum na geladeira?

A sra. Eisner apontou para o bar de mogno no canto do escritório.

— Deve haver algumas garrafas de chardonnay na geladeirinha de vinhos. Seu pai gosta, mas eu acho um pouco seco. Se preferirem tinto, vão ter que pegar na adega.

— Acho que provavelmente preferimos tinto — disse Leigh, mais para benefício de Russell. Ela sabia que ele odiava vinho branco, chardonnay mais do que todos, mas jamais expressaria sua preferência na frente dos pais dela.

— Vocês duas conversem um minuto — disse Russell com um sorriso ganhador de prêmios (de um Emmy, para ser preciso, conferido no ano anterior para "Programa Semanal de Excelência"). — Eu vou pegar o vinho.

A sra. Eisner pegou a mão esquerda de Leigh e a puxou direto para baixo da luminária da mesa.

— Ora, ora, ele fez mesmo seu dever de casa, não é? E é claro, você também fez. Russell será um marido maravilhoso. Deve estar muito satisfeita.

Leigh fez uma pausa por um momento, sem ter certeza do que ela queria dizer. Estava implícito que Leigh fora preparada e educada para esse momento a vida inteira, que aquele anel significava sucesso de uma maneira que ser oradora de turma, estudar em Cornell ou tornar-se editora em ascensão na Brook Harris jamais poderiam significar. Ela amava Russell — verdade, amava —, mas o fato de sua própria mãe o considerar sua maior realização a irritava.

— É tão emocionante — disse Leigh com um sorriso extragrande.

Sua mãe suspirou.

— Bem, espero que sim! É tão bom vê-la feliz para variar. Você trabalhou tão duro por tanto tempo... Basta dizer que isso veio na hora certa.

— Mamãe, você percebe que acabou de... — Mas antes que pudesse dizer *conseguir insinuar que, um, eu sou sempre negativa e, dois, minha idade é tão avançada que você se preocupou que eu nunca fosse conseguir arrumar um marido* —, Russell voltou com o sr. Eisner a reboque.

— Leigh — seu pai disse com uma voz tão firme e baixa que era quase um sussurro. — Leigh, Leigh, Leigh.

Seu cabelo agora estava completamente grisalho, apesar disso, como com muitos homens, não o fazer parecer tão mais velho, mas mais distinto. A mesma coisa com as linhas fundas em sua testa e em torno de sua boca e de seus olhos — elas transmitiam uma sensação de sabedoria e experiência, não a sugestão de um problema que devesse ser resolvido na próxima hora disponível no cirurgião plástico. Até mesmo seu suéter — um cardigã azul-marinho de três décadas de idade com apliques nos cotovelos e botões de couro — parecia de certa forma mais inteligente do que os suéteres que a maioria dos homens usava hoje em dia.

Ele estava de pé no vão da porta, perto do piano, e olhava para ela de uma forma que sempre a fazia se sentir escrutinada, como se ele estivesse decidindo se gostava ou não do novo corte de cabelo dela ou se aprovava sua roupa. Quando estava crescendo, era sua mãe quem fazia as regras mais imediatas relativas à filha — se delineador era permitido, o que era vestuário adequado para uma festa na escola, até que horas ela podia ficar na rua em noites de semana —, mas só seu pai conseguia fazê-la se sentir brilhante ou uma idiota, linda ou terrivelmente feia, abençoada ou amaldiçoada com o olhar ou comentário mais casual. É claro que, ainda que tais comentários pudessem parecer casuais, eles nunca eram. Cada palavra que ele proferia era considerada, pesada e escolhida com deliberação, e ai da pessoa que fracassasse em selecionar suas palavras com tamanha precisão. Apesar de Leigh não conseguir se lembrar de uma única ocasião em que seu pai tenha levantado a voz, lembrava-se das inúmeras vezes em que ele havia dissecado seus argumentos ou opiniões com uma crueldade tranquila que até hoje a intimidava.

— Ele é editor — sua mãe a consolava quando Leigh ficava chateada na infância. — Palavras são a vida dele. Ele é cuidadoso com elas. Ele as ama, ama a linguagem. Não leve para o lado pessoal, querida. — E Leigh assentia e dizia que entendia e se esforçava mais para tomar cuidado com o que dizia enquanto tentava não levar para o lado pessoal.

— Oi, pai — disse quase que timidamente. Ela vira tanto Emmy quanto Adriana chamarem seus pais de "papai", mas parecia impossível imaginar-se chamando seu pai de algo tão açucarado. Apesar de ter se aposentado há seis anos, Charles Eisner seria um imponente editor-chefe até o dia de sua morte. Ele comandara com mão firme durante os doze anos como diretor da Paramour Publishing — nada daquela "merda calorosa de dar as mãos", nas palavras dele, sobre as grandes editoras de hoje — e permaneceu consistentemente indiferente e afastado em casa, o máximo que pôde. Eventos de outono, cronogramas de produção, editores assistentes, pressões da firma, até mesmo os próprios autores eram completamente previsíveis depois de alguns anos, motivo pelo qual Leigh sempre achou que ele ficava especialmente irritado pelo fato de as crianças não o serem. Até hoje, Leigh tentava permanecer o mais firme e imparcial possível perto de seu pai, tomando um cuidado especial para não falar qualquer coisa que estivesse pensando.

— Já congratulei meu futuro genro — disse ele, atravessando o aposento na direção de Leigh. — Venha cá, querida. Me dê esse prazer.

Após um rápido abraço e um beijo na testa, nenhum dos dois especialmente caloroso ou afetuoso, o sr. Eisner conduziu todos para a sala de jantar e começou a dar ordens sem demonstrar.

— Russell, pode por favor decantar o vinho? Use os copos sem pé do bar, por favor. Carol, a salada precisa ser misturada com o vinagrete. Todo o resto está pronto, mas eu não queria que ficasse ensopada enquanto esperávamos. Leigh, querida, apenas sente-se e relaxe. Afinal de contas, esta é sua noite especial.

Ela disse a si mesma que era paranoico e neurótico interpretar isso como algo que não fosse um elogio, mas não conseguia afastar a sensação de que parecia um pequeno ataque.

— Está bem — disse. — Eu serei a relaxadora oficial.

Conversaram sobre a viagem de seus pais enquanto comiam a salada de rúcula e queijo de cabra, e contaram sobre seu noivado durante o filé com aspargos e batatas com alecrim. Russel entreteve a mesa com histórias sobre a compra do anel e o planejamento do pedido, e os pais de Leigh sorriram e riram muito mais do que era comum para qualquer um dos dois, e tudo estava bastante civilizado, quase mesmo agradável, até o celular de Leigh tocar no meio da sobremesa.

Ela puxou a bolsa de debaixo da mesa e tirou o telefone.

— Leigh! — a mãe ralhou. — Nós estamos *comendo.*

— Sim, mãe, eu sei, mas é o Henry. Me deem licença um minuto.

Ela pegou o telefone e se dirigiu para a sala de estar mas, percebendo que todo mundo poderia ouvi-la, foi para o deque nos fundos e ouviu seu pai dizer "Nenhum editor com que jamais trabalhei ligaria para outro às 21h de sexta-feira, a não ser que houvesse algo muito, muito errado" logo antes de fechar a porta atrás de si.

— Alô? — respondeu ela, convencida de que seu pai estava certo e que Henry estava ligando para demiti-la. Fazia dez dias desde toda a história de Jesse Chapman e, apesar de Leigh ter pedido desculpas inúmeras vezes, Henry ainda parecia distante e distraído.

— Leigh? Henry. Desculpe por ligar tão tarde, mas isso não podia esperar até amanhã.

Lá vem, ela pensou, preparando-se para receber a notícia. Era ruim o suficiente ser demitida da empresa onde você era a mais jovem editora sênior da história, mas ter que entrar e contar ao seu pai ia ser insuportável.

— Sem problema. Estou na casa dos meus pais e acabamos de terminar de jantar, então é o momento perfeito. Está tudo bem?

Henry suspirou. *Merda.* Isso podia ser pior do que ela pensava.

— Você está com Charles? Isso é simplesmente perfeito. Ele vai adorar.

Leigh respirou fundo e forçou-se a falar.

— Sim?

Pareceu mais um guincho do que uma palavra.

— Está sentada? Você não vai acreditar nisso. Deus sabe que eu mal acredito.

— Henry — disse ela baixinho. — Por favor.

— Acabei de desligar com Jesse Chapman...

Ah, graças a Deus, pensou Leigh, suas mãos finalmente afrouxando. *Ele só está me ligando para dizer que o Jesse escolheu uma editora.* Ela sabia que provavelmente devia se importar se ele tinha ou não escolhido a Brook Harris, mas seu alívio era grande demais.

— ...e ele decidiu que quer que nós publiquemos seu próximo romance.

— Henry, isso é maravilhoso! Eu não podia estar mais feliz. E é claro que você sabe que eu vou pedir desculpas a ele de novo pessoalmente quando...

Ele a interrompeu.

— Eu não terminei, Leigh. Ele quer que nós o publiquemos, mas tem uma condição: quer que *você* o edite.

Leigh estava prestes a dizer "você está brincando" quando Henry falou de novo.

— E isso não é brincadeira.

Leigh tentou engolir, mas sua boca parecia de algodão. A combinação de entusiasmo, alívio e terror era demais para aguentar.

— Henry, por favor.

— Por favor o quê? Você está ouvindo? Escutou o que eu disse? O autor bestseller número um do *New York Times*, vencedor do Pulitzer, vendedor de cinco milhões de cópias no mundo todo e, até este exato momento, totalmente desaparecido da face da Terra, pediu — não, com licença, *exigiu* — que você, Leigh Eisner, o edite.

— Não.

— Leigh, controle-se. Não sei de que outra forma dizer isso. Ele quer você e só você. Disse que, depois que obteve sucesso, ninguém mais era franco com ele. Todo mundo só o afagava e mimava e lhe dizia que ele era brilhante, mas ninguém — nem a casa editorial, o editor ou o agente — jamais falou francamente com ele. E parece que ele adorou você não ter medo de ser sincera. Acho que suas palavras exatas foram: "Aquela garota tem tolerância zero para o papo furado e eu também. Quero trabalhar com ela."

— Tolerância zero para papo furado? Henry, a descrição do meu trabalho é dizer aos escritores só o que eles querem ouvir. Diabos, a minha vida toda é isso. Às vezes, eu escorrego, mas...

— Escorrega?

— Está bem, é um pequeno eufemismo. Então às vezes eu falo sem pensar. Mas acho que não sou capaz de sinceridade por encomenda. Meio que sai quando eu menos espero.

— Bem, eu certamente sei disso, mas nosso amigo Jesse não sabe. Nem vai saber — ele fez uma pausa. — Leigh, tenho que dizer que fiquei tão chocado quanto você está, provavelmente mais, mas quero que você escute com muita atenção. Você é capaz. Eu não teria concordado com isso se não estivesse absolutamente certo de que você conseguiria. E não só conseguir — fazer funcionar. Certamente não precisa que eu lhe diga o quanto isso vai ser importante na sua carreira. Tire um tempo esta noite, pense a respeito e venha à minha sala quando chegar amanhã, está bem? Eu estou com você nessa, Leigh. Vai ser ótimo.

Sua família estava discutindo festas de noivado quando ela voltou para a mesa e, tranquilamente, anunciou que ia editar o novo livro de Jesse Chapman.

— Ah, ele vai lançar um livro novo? — sua mãe perguntou enquanto se servia de mais café. — Que ótimo. Já faz algum tempo, não é?

Russell tinha um pouco mais de noção, mas não muita. Ele a apoiava, é claro, sempre parecia orgulhoso de contar a seus amigos sobre o trabalho dela e sabia que Leigh muito provavelmente havia ofendido o autor naquele dia na sala de Henry, mas escritores como Jesse Chapman não estavam no topo de sua lista pessoal de leitura.

Mas não tinha importância. A única pessoa que entendia o significado da situação a ouvira em alto e bom som: seu pai parecia ter levado um soco no estômago.

— Jesse Chapman? *O* Jesse Chapman?

Leigh apenas assentiu, sem ter certeza de que não ia se exibir se abrisse a boca.

Ele se recuperou rapidamente e ergueu sua taça para fazer um brinde, mas Leigh podia ver a dúvida e a descrença em seus olhos. Ela sabia que ele estava pensando que devia ter havido algum engano, que sua filha, tão inexperiente se comparada a sua própria carreira ilustre, iria editar um escritor maior do que qualquer um com quem ele jamais trabalhara. Leigh quase se solidarizou — quase — quando viu, pela primeira vez na vida, seu pai, o artesão das palavras, o grande guru, o grande juiz e júri, sem fala.

depois que estão dentro, eles são de verdade

Enquanto o resto dos Estados Unidos passava o fim de semana prolongado do feriado olhando fogos de artifício e comparecendo a churrascos à beira da piscina, Emmy estava sentada com suas amigas no chão do aeroporto de Curaçao e tentava descobrir quando suas férias haviam dado tão errado. Ela nem havia sentido os óculos escuros sendo roubados de sua cabeça, possivelmente nunca teria percebido o momento preciso em que haviam sido arrancados se os ladrões — dois adolescentes com cabelo comprido e espinhas em uma picape caindo aos pedaços — não tivessem parado a alguns metros de distância, se pendurado para fora da janela e balançado os óculos para ela enquanto gritavam alegremente em uma língua que ela não reconheceu.

Acontecera tão rápido. Ainda incerta, Emmy tocara sua cabeça para confirmar que tinham sumido.

— Por que aqueles garotos estão gritando para nós? — perguntou Adriana, parecendo confusa. — Estão tentando nos vender aqueles óculos escuros?

Responder parecia uma tarefa avassaladora. A língua de Emmy estava grossa, sem reação. Devia ser bastante simples explicar que aqueles eram os óculos *dela*, mas nenhum esforço de sua parte produziu qualquer tipo de som.

Aparentemente, Leigh também não havia entendido.

— Diga a eles que você não precisa de óculos escuros, que acabou de comprar um par — falou ela, engolindo as palavras.

— Mas eu *preciso* de um par — grunhiu Emmy. Acenou indiferentemente na direção dos garotos, que haviam acabado de passar a marcha na caminhonete e estavam se dirigindo para a saída do aeroporto. "Ajudem-nos". Ela parecia a Rose do filme *Titanic*, congelada e quase inconsciente, à deriva no Atlântico, apesar de, felizmente, não estarem nem congelando nem à deriva.

— Vamos, garotas, precisamos nos controlar. Isso são férias: uma comemoração, não um funeral — disse Adriana, mal conseguindo pronunciar as palavras.

As "férias" estavam significativamente menos festivas do que o último velório ao qual Emmy fora — sem falar que a comida não era tão boa. Mas ela não disse nada. Afinal de contas, estavam ali para comemorar o noivado de Leigh e nem morta ela ia estragar tudo. E daí que a história toda tinha virado um enorme pesadelo antes mesmo de começar? Sua melhor amiga só fica noiva uma vez (se Deus quiser... e, se essa amiga fosse Leigh, então, definitivamente), e ela ia fazer Leigh se divertir nem que isso a matasse. O que era bem possível.

Ela conseguira não pensar na ironia da situação toda, mas ficar sentada bêbada e semidrogada em um aeroporto caribenho enquanto adolescentes locais a roubavam estimulara uma certa contemplação. Seu ex-namorado havia planejado essa viagem para comemorar o aniversário de cinco anos de namoro. Depois que o dito ex-namorado a deixara pela líder de torcida virgem, ele lhe oferecera essas férias como uma espécie de prêmio de consolação. O instinto de Emmy lhe dissera para ter um pouco de dignidade e mandar ele se catar, de uma vez por todas, mas já estava tudo pago e ela andava estressada ultimamente com seu novo emprego e, bem, tinha valido a pena aceitar só pela chance de insinuar que ia viajar com um novo namorado.

— Sério, Em, vá. Está tudo reservado e pago. Vai ser bom para você — Duncan havia dito quando passara para pegar seus DVDs e os últimos pares remanescentes de cuecas, na semana depois de ela ter voltado de Paris. Fora uma viagem perfeita em relação ao trabalho, mas ela ainda estava um pouco magoada com a rejeição ostensiva do Paul — sem falar em seu papel óbvio em fazê-lo sair correndo com o papo sobre bebês. O fato de Duncan parecer incrivelmente em forma e feliz, provavelmente no melhor estado desde que ela o conhecia, não ajudava. Filho da puta.

— O quê? Você e a líder de torcida ainda não estão prontos para viajar juntos? Ou será que ela também não acredita em viagem antes do casamento?

Ele dera um suspiro como se para sugerir que não esperava nada menos da parte de Emmy, lhe entregara a pasta com o itinerário completo e lhe dera um beijinho no rosto.

— Vá. Tome um pouco de sol. Eu odiaria desperdiçar isso.

— Obrigada, Duncan, nós vamos fazer exatamente isso. — Ênfase no *nós*, é claro. Ele nem piscara.

Desgraçado.

Emmy o odiava por encorajá-la a ir, mas odiava a si mesma mais ainda por aceitar a sugestão. Ela podia ter deixado a ideia toda de lado, mas, quando pediu a opinião de suas amigas sobre fazer uma viagem sozinha para as Antilhas Holandesas, elas não gostaram.

— Sozinha? Por que você iria para lá *sozinha*? Principalmente levando-se em conta que tem duas melhores amigas sentadas bem aqui, uma das quais acabou de ficar noiva. Acho que seria totalmente *negligente* não nos convidar — fungara Adriana.

Como sempre, Leigh fora um pouco mais reservada.

— Ah, por favor, não é nada de mais. E, além do mais, as coisas estão uma loucura no trabalho neste momento. Estou editando meu primeiro autor importante. E acho que Russell não ia gostar se eu o dispensasse no 4 de julho.

Emmy concordou.

— Viu? A Leigh está ocupada demais e tenho certeza de que você tem, hum... coisas para fazer. — Ninguém tinha uma ideia clara do que Adriana fazia o dia inteiro, mas havia um acordo tácito de nunca tocar no assunto. — Além do mais, são só duas reservas.

Resolução pós-término de namoro ou não, Emmy tinha pouco interesse em passar a semana procurando homens ou dançando em cima das mesas em boates locais. Paris e toda a história com Paul tinham sido um grande golpe em seu ego; a última coisa que ela queria era Adriana insistindo para que ela caçasse homens dia e noite.

— Duas, três, qual é a diferença? Nada que um telefonema não possa resolver. E Leigh, meu amor, não estou nem aí para o que está acontecendo no seu trabalho. Quanto ao Russell, ele simplesmente vai ter que entender que suas melhores amigas estão felizes por você e querem brindar a sua felicidade — Adriana sorriu expansivamente para ambas as garotas. — Bem, isso está resolvido. Quando partimos?

As coisas se deterioraram rapidamente desde que haviam saído de Nova York, apesar de agora os detalhes estarem meio indistintos. Haviam pego o voo das seis da manhã de LaGuardia para Miami e, de alguma forma, contra todo o juízo, bom-senso e razão, Adriana conseguira convencê-las a tomar Bloody Marys durante o voo. Bloody Marys antes das nove da manhã, os quais, apesar de Emmy detestar admitir, estavam muito bons. O segundo e o terceiro haviam descido com bastante facilidade e, quando finalmente aterrissaram no aeroporto de Curaçao, a baldeação em Miami parecia um sonho nebuloso. A única prova sólida de que realmente acontecera — os óculos Gucci de 200 dólares que Adriana insistira que Emmy *precisava* comprar no *duty-free* — havia evaporado. A mala de Emmy também havia desaparecido, mas os comprimidos minúsculos que Adriana insistiu que Leigh e ela tomassem estavam fazendo sua mágica: mala, óculos escuros, *que se dane*. Ela não estava nem aí.

As garotas sentaram-se largadas contra as malas de Adriana e Leigh — que estavam miraculosamente presentes e intactas — sob o sol brutal do meio da tarde.

— Onde nós estamos mesmo? — perguntou Leigh, puxando ineficazmente a bandana que havia amarrado em volta do cabelo. — Não consigo me lembrar.

Adriana olhou para cima.

— Jamaica?

Elas riram, ambas seguras de que Jamaica não era a resposta certa, mas incapazes de se lembrar qual era.

Emmy tirou a pasta de sua bagagem de mão e começou a ler.

— Aruba. Bonaire. Curaçao. As ilhas A-B-C das Antilhas Holandesas. A 130 quilômetros da costa da Venezuela. População...

Adriana levantou a mão.

— Estou entediada.

— Está tudo voltando — Emmy falou arrastado. — No momento, estamos em Curaçao. Nosso voo de Miami atrasou e perdemos a barca para Bonaire. Estamos presas.

— Parem de ser tão negativas, meninas! — cantarolou Adriana. — Estamos pegando uma cor linda. Vamos conhecer holandeses gostosos. — Pausa. — Os holandeses são gostosos?

— Holandeses? Eu não sabia que havia holandeses na Jamaica — Leigh gritou de uma forma muito não Leigh. Adriana caiu na gargalhada e as duas garotas deram um *high-five.*

As têmporas de Emmy latejavam de dor e sua pele parecia estar pegando fogo.

— Controlem-se, gente. Precisamos sair daqui.

Os problemas haviam começado quando as garotas desembarcaram em Curaçao ligeiramente altas, mas totalmente conscientes, e se dirigiram para o guichê da barca. Emmy pediu educadamente três passagens.

— Não — uma mulher negra e gorda vestindo um mumu e sandálias anunciou com alegria indisfarçável. — Cancelado.

— "Cancelado"? Como assim, "cancelado"? — Emmy tentou ao máximo encará-la, mas o fato de que seu queixo mal alcançava o topo do balcão anulava o efeito desejado.

A mulher sorriu. Indelicadamente.

— Acabou.

Mais uma hora se passou antes que elas reunissem informações suficientes para deduzir que tinha existido uma barca; que a barca não existia mais; e que a única maneira de atravessar os 50km era voando por uma das duas companhias aéreas locais, irritantemente chamadas Bonaire Express e Divi Divi Air.

— Eu prefiro morrer a voar em algo chamado "Divi Divi" — anunciou Adriana enquanto pesquisavam os balcões lado a lado das companhias, cada um consistindo de um único funcionário e uma mesa de rodinhas.

— Você vai morrer um dia — disse Leigh. Pegou uma fotocópia de uma lista escrita à mão dos horários atuais. — Ah, espere, isso deve fazê-la se sentir muito melhor. Aqui diz que os aviões de seis lugares remodelados são *muito* confiáveis.

— Remodelados? Seis lugares? *Confiáveis*? Essa é a melhor porra de adjetivo que essas pessoas podem inventar, e vamos pôr nossas vidas em suas mãos? — Emmy estava a mais ou menos três minutos de abandonar toda a maldita ideia e pegar o voo seguinte para Nova York.

Leigh não havia terminado.

— Esperem, vejam, tem uma foto. — Grampeada no verso do horário dos voos havia uma foto de qualidade surpreendentemente boa de um avião. Um avião muito colorido. Quase fluorescente, na verdade. Leigh a passou para Adriana, que abanou as mãos com nojo e acendeu um cigarro. Ela tragou profundamente e passou o cigarro para Leigh, que o pegou instintivamente antes de se lembrar que não era mais fumante.

Adriana soltou a fumaça.

— Não me mostre isso. Por favor! Não há desculpa concebível, imaginável ou aceitável para um avião precisar parecer um vestido Pucci! — Ela olhou novamente para a foto, tragou e gemeu simultaneamente. — Ah, Deus, é um avião de hélice. Não vou voar num avião de hélice. *Não posso* voar num avião de hélice.

— Ah, mas você vai, com certeza — cantarolou Leigh. — Vamos até deixar você decidir em qual. Divi/Pucci sai às 18h e Bonaire Express — esse é o que tem o avião que parece uma pintura do Jackson Pollock, caso você esteja confusa — tem um voo às 18h20. Qual você prefere?

Adriana choramingou. Emmy olhou para Leigh e revirou os olhos.

Adriana procurou na carteira e entregou a Leigh seu cartão American Express Platinun.

— Compre qualquer um que você ache que nos dá a melhor chance de sobrevivência. Vou buscar alguma coisa para bebermos.

Após comprarem três passagens usando uma combinação indecifrável de florins, dólares e *traveller checks*, já que a companhia aérea não aceitava cartões de crédito, Emmy e Leigh procuraram um lugar para se sentar. O aeroporto de Hato, pelo que parecia, não oferecia muito no quesito conforto, e cadeiras não eram exceção. Era uma estrutura poeirenta e ao ar livre que, contra todas as probabilidades, não oferecia um centímetro quadrado de sombra para proteger do sol brutal do meio-dia. Exaustas demais para continuar procurando, as garotas retornaram para o pedaço de chão no qual haviam se sentado antes, uma área que podia ser uma calçada ou uma pista ou um estacionamento. Haviam acabado de se jogar em cima da mala de Adriana quando ela, segurando um saco plástico e parecendo triunfante, deixou-se cair ao lado.

Emmy agarrou o saco de suas mãos.

— Nunca precisei tanto de água na minha vida. Por favor, diga que trouxe mais de uma? — Dentro do saco havia uma única garrafa de vidro de um líquido azul-berrante. — Você comprou Gatorade em vez de água?

— Não é Gatorade, *querida.* É Blue Curaçao. Hum. Não parece delicioso? — Adriana removeu suas sapatilhas de balé amarradas nos tornozelos, revelando unhas pintadas de rosa-claro, e enfiou a parte de baixo de seu top debaixo do elástico do sutiã. Mesmo tendo visto a barriga durinha e as laterais sem pneus de Adriana um milhão de vezes, Emmy não podia parar de olhar. Adriana, educadamente, fingiu não perceber. Fez um gesto com a cabeça em direção à garrafa. — A especialidade local. Devíamos começar agora mesmo, se pretendemos estar apagadas na hora da decolagem.

Leigh tomou a garrafa de Emmy.

— Aqui diz que o Blue Curaçao é um licor azul doce, feito das cascas secas de laranjas azedas, e que é usado para dar cor aos coquetéis — leu no rótulo.

— É, e daí? — perguntou Adriana, massageando uma gota de óleo de bronzear Hawaiian Tropic do tamanho de uma moeda em seus ombros já dourados.

— E daí? Daí que é só corante comestível com álcool. Não podemos beber isso.

— Sério? Eu posso. — Adriana desatarraxou a tampa e deu um longo gole.

Emmy suspirou.

— Nada de água? Eu mataria por um pouco de água.

— É claro que não tem água. Rodei o aeroporto inteiro. A única lojinha estava fechada com tapumes, permanentemente, pelo que parecia, com um cartaz que dizia NÃO. Vi algo que pode ter sido um bar em algum momento, mas também podia ser a alfândega, e uma área que estava designada como restaurante, mas parecia o centro de Bagdá. Havia, no entanto, uma mesa dobrável perto do portão da Divi Divi ocupada por um senhor educado, que alegou ser o *duty-free*. Ele tinha uns dez pacotes de algo chamado Richmond Ultra-Lights, algumas barras esmigalhadas de Toblerone e uma garrafa de Jim Beam e uma disto. Eu escolhi isto — ela entregou a garrafa para Emmy. — Ah, qual é, Em. relaxe um pouco. Estamos de férias!

Emmy pegou a garrafa, olhou-a e deu um gole grande. Tinha gosto de adoçante líquido com álcool. Ela bebeu de novo.

Adriana sorriu, orgulhosa como uma mãe no show de talentos da 6ª série.

— Esse é o espírito da coisa! Leigh, meu amor, dê um trago. Pronto... Agora, meninas, eu tenho um presentinho para vocês.

Leigh forçou-se a engolir e estremeceu.

— Eu conheço essa cara. Por favor, diga que você não contrabandeou algo realmente ilegal. Se *isso* — ela fez um gesto largo com as mãos — é o aeroporto internacional, pode imaginar como é a prisão?

Sem se abalar, Adriana puxou do bolso de seu jeans uma caixa branca e vermelha no formato de uma grande cápsula de remédio. Ela abriu a tampa e tirou três comprimidos. Um desapareceu por sua garganta abaixo. Ela entregou um a cada uma de suas amigas.

— O ajudantezinho de mamãe — cantarolou.

— Valium? Desde quando você toma Valium?

— Desde quando? Desde que decidimos voar em um avião que parece um brinquedo de parque de diversões.

Bem, isso era tudo de que Emmy precisava para ser convencida. Ela engoliu o pequeno comprimido redondo e o ajudou a descer com um pouco de Blue Curaçao. Viu Leigh fazer o mesmo e então, mais uma vez, tudo ficou suave.

Uma hora se passou e então mais uma. Emmy abriu os olhos primeiro. Suas panturrilhas estavam cor de salmão e havia seis latas de cerveja vazias no chão. Ela tinha uma vaga lembrança de ter sido abordada por um homem com um isopor pendurado no pescoço. Ele também não tinha água, mas estava vendendo latas de cerveja chamadas, suspeitamente, Amstel Bright. Na hora, pareceu uma boa ideia, mas a cerveja e o Blue Curaçao e o Valium combinados ao calor de mais de 38 graus e nenhuma água provavelmente não havia sido a atitude mais sábia.

— Adriana, acorde. Leigh? Acho que está na hora de embarcarmos.

Leigh abriu um só olho sem mexer um músculo e olhou para cima com uma clareza surpreendente.

— Onde estamos?

— Vamos, precisamos ir. A única coisa pior do que entrar naquele avião é dormir aqui esta noite.

Isso pareceu motivá-las. Conseguiram mancar, todas juntas, na direção certa.

— Uau, ótima segurança aqui — balbuciou Leigh, enquanto as garotas abriam caminho até um quadro-negro no qual se lia BONAIRE EXPRESS, 18H. — Eu simplesmente adoro aeroportos que não o incomodam com máquinas de raio-x e detectores de metal.

Elas embarcaram com pouco drama no avião de seis lugares, recebendo apenas um olhar estranho do piloto quando ele viu Adriana engolir o resto do Blue Curaçao e apagar prontamente contra a janela. O voo nem foi particularmente aterrorizante, apesar de Emmy ter aplaudido junto com seus companheiros de viagem quando as rodas tocaram no chão. Naturalmente, o carro com motorista que fora reservado não estava em nenhuma parte do Aeroporto Flamingo de Bonaire, e a frasqueira de cosméticos de Adriana de alguma forma havia desaparecido durante o voo de 20 minutos, mas ninguém parecia se importar.

— Assim viajamos com pouca coisa, com essa história de perder-uma-mala-por-voo.

Quando finalmente saltaram do táxi em frente ao hotel, elas estavam acordadas havia quase 24 horas, tinham ficado bêbadas, sóbrias, perdido duas malas e voado numa companhia aérea com um nome que parecia uma rima para crianças, em um aeroporto que certamente não passaria nem na inspeção mais leniente da FAA.* Felizmente, o hotel parecia tão elegante e tranquilo quanto no dossiê de Duncan, e Emmy quase quis beijar o funcio-

---

* Federal Aviation Administration: Administração Federal de Aviação. *(N. da T.)*

nário do *check-in* quando ele lhes deu um *upgrade* para uma suíte de dois quartos. Leigh já havia caído dura, totalmente vestida, na cama do quarto menor, e Adriana parecia estar prestes a fazer o mesmo, mas Emmy estava determinada a tomar um banho antes de desmaiar.

— Adi, posso pegar emprestada alguma coisa para dormir? — gritara Emmy da gigantesca banheira de mármore. Já esvaziara toda a garrafa de espuma para banho debaixo do jato d'água e ela formara uma espuma luxuriante, deixando o banheiro todo com um aroma de eucalipto.

— Pegue o que quiser; só deixe o baby-doll de seda cor de malva e o robe para mim. É meu conjunto da sorte.

— Está com fome? — gritou Emmy de novo.

— Morrendo. Serviço de quarto?

Emmy entrou no quarto de Adriana em um roupão e chinelos fornecidos pelo hotel, e começou a procurar na mala dela. Puxou uma cinta-liga preta e meias arrastão e os suspendeu.

— Você não tem cuecas samba-canção ou algo assim?

— Emmy, *querida*, caso não tenha notado, cuecas são para meninos. — Ela se arrastou para uma posição sentada e enfiou a mão na mala. — Tome, use isso.

Emmy pegou o shortinho de seda cor de lavanda e o retalho de tecido combinando e os levantou.

— Sinceramente, é isso que você usa quando está sozinha no seu apartamento e só quer se sentir confortável?

Adriana deu sua fungadinha delicada.

— Difícil. Isso parece algo que minha avó usaria. Na verdade, acho que foi um presente dela. Eu normalmente uso isso. — Ela enfiou uma combinação magenta por cima da cabeça; o tecido sedoso se movia como líquido contra seu corpo.

Emmy suspirou.

— Eu sei que não devia odiá-la por ter um corpo perfeito, mas eu odeio. Odeio mesmo, de verdade.

— Meu amor, isso também pode ser seu. — Adriana segurou os seios e os puxou para cima, fazendo com que sua camisola subisse de seus quadris revelando uma depilação completa. — Por dez mil e algumas horas nas mãos mágicas do dr. Kramer. — Ela olhou para baixo e apertou cada um mais uma vez. — Fico tão feliz por ter operado de novo quando legalizaram o silicone. É tão mais natural, você não acha?

Emmy havia admirado — ah, que se dane, havia *idolatrado* — os implantes de Adriana desde o momento em que ela voltara com eles depois das férias de Natal, no segundo ano de faculdade. Tudo bem, não pareciam tão perfeitos quando um deles começou a vazar quatro meses depois, e Emmy precisou correr com Adriana para o pronto-socorro e passar a noite sentada com ela enquanto esperavam um cirurgião plástico chegar para reconstruir seu seio esquerdo despencado. Mas agora? Trocar a solução salina pelo silicone fora uma boa decisão — mesmo que tivesse significado mais quatro dias e noites durante os quais Emmy tivera que cuidar de sua amiga. Eram impecáveis. Tão curvilíneos e cheios e lindos sem parecerem nem um pouco falsos... Bem, talvez parecessem um pouquinho falsos, mas só para aqueles que conheceram Adriana antes e, como a própria Adi dissera com uma gargalhada, "Depois que estão dentro, eles são de verdade". De verdade, de mentira, quem realmente se importava, quando eram tão absolutamente perfeitos?

Emmy imaginara mil vezes, dez mil vezes, como seria ter peitos assim. Ou, verdade seja dita, qualquer peito. Ela sempre se sentira muito satisfeita com sua silhueta esguia, ficando mais feliz com seu corpo conforme foi ficando mais velha, e passou a perceber o quanto era raro para uma mulher permanecer magra naturalmente. Ainda assim, apesar de saber quantas mulheres matariam para ter seu metabolismo, suas coxas de palito e bundinha pequena e braços que não balançavam, ela ansiava saber como era ter um corpo de mulher, com toda a maciez e curvas que os homens tanto amavam. Quando diante de seios como os de Adriana, Emmy imaginava gavetas cheias de sutiãs sexy rendados; vestidos com decotes que podiam ser preenchidos; um mundo cheio de partes de cima de biquíni sem enchimento; uma total incapacidade de comprar na seção infantil porque seus seios jamais caberiam numa camiseta de menina. Ela sonhava em nunca mais ouvir o adágio "mais do que uma mão" e usar vestidos tomara que caia sem botar enchimento antes, e ter um homem olhando para o seu peito em vez de seus olhos, só uma vez.

É claro que nunca teria coragem de fazer isso. Mesmo examinando os seios de Adriana esta noite, ela sabia que era covarde demais para levar isso adiante. Também entendia que o que os homens achavam atraente nela vinha de sua delicadeza, da graça natural que resultava de ter um corpo tão pequeno, da forma como sua fragilidade física os fazia sentir ainda mais conscientes de sua própria força e masculinidade, e não de algo tão abertamente sexual quanto seios grandes e lindos.

Emmy suspirou. Arrancou a toalha da cabeça e a jogou no chão.

— Pensando bem, o que você acha de pular o jantar hoje à noite? Não consigo me mexer.

Adriana botou as mãos no coração.

— Como se você precisasse perguntar. Menos comida agora significa um corpo melhor para usar biquíni amanhã.

— Bom argumento. Boa noite, Adi.

— Boa noite, Em. espero que seus sonhos sejam cheios de gringos lindos. Não pense que nós esquecemos disso...

Mas, antes que pudesse responder, Emmy apagou.

Na piscina, em seu segundo dia de férias, Adriana podia sentir Leigh observando-a enquanto ela tirava um cigarro de sua bolsa de praia, acendia-o e tragava languidamente. Era cruel fumar na frente de alguém que sentia tanta falta, ela admitia, mas, diabos, elas estavam de férias. Não havia motivos para Leigh não poder curtir um pouco e largar de novo quando voltasse para casa; afinal de contas, Adriana fazia isso o tempo todo.

— Quer um? — Adriana perguntou com um sorriso malicioso, esticando a mão na direção da espreguiçadeira de Leigh.

Leigh ficou olhando e depois inclinou-se para a frente.

— Deixe-me só sentir o cheiro — falou, enfiando o rosto na corrente de fumaça. Ela gemeu, sua voz rascante parecendo ainda mais grave que o normal. — Meu Deus, como isso é bom. Se descobrisse que só tenho mais um ano ou cinco ou dez para viver, eu juro, a primeira coisa que iria fazer era comprar um maço de cigarros.

Emmy sacudiu a cabeça, fazendo com que algumas mechas castanhas se soltassem do seu rabo de cavalo. Ela ajeitou sua roupa de banho — um duas-peças azul esportivo que parecia mais uma roupa de ginástica do que um biquíni — e disse:

— Vocês duas são simplesmente nojentas com os cigarros. Ninguém lhes contou que vício horrível é? Totalmente nojento.

— Bom dia, raio de sol! Você está um amor esta manhã, não é? — falou Leigh. Bebeu o resto do seu suco de laranja e puxou sua bolsa de palha para cima da espreguiçadeira. — Meu Deus, mal posso esperar para tomar um sol. Acredita que já estamos quase em julho, e eu não saí nenhuma vez este verão?

Adriana fez uma cena para olhar Leigh de cima a baixo.

— Ah, nem dá para ver — falou. — Essa sua cor azul translúcida combina muito bem com você.

— Pode rir, se quiser — cantarolou Leigh, parecendo genuinamente feliz pela primeira vez em semanas —, mas veremos quem vai rir daqui a 20 anos, quando vocês duas tiverem pedaços enormes de câncer de pele retirados dos rostos e quantidades imensas de botox para cuidar de todas essas rugas. Eu mal posso esperar.

Adriana e Emmy observaram fascinadas enquanto Leigh removia metodicamente dois frascos e um tubo de filtro solar de sua bolsa. Primeiro, ela aplicou um creme grosso da Clarins, FPS 50, em cada centímetro de pele exposta, dos dedos dos pés até os ombros, tomando o cuidado de afastar seu biquíni preto e passar a gororoba nas áreas do contorno do biquíni. Quando terminou essa tarefa trabalhosa, ela se borrifou inteira com uma lata aerossol Neutrogena, também FPS 50, para "garantir que não deixara nada de fora", como explicou para sua plateia atenta. Com o corpo revestido e vaporizado com êxito, começou a trabalhar no rosto, massageando pequenas poças de algum filtro solar francês importado, altamente cobiçado, nas bochechas, queixo, testa, lóbulos, pálpebras e pescoço. Prendeu o cabelo em um coque, cobriu-o com um chapéu de palha com a circunferência de uma mesa de canto e colocou um gigantesco par de óculos escuros preto.

— Hum — ela suspirou, esticando os braços acima da cabeça, tomando cuidado para não tirar o chapéu do lugar. — Isso é maravilhoso.

Adriana olhou para Emmy e revirou os olhos. As duas sorriram. Leigh era peculiar, não havia como negar, mas seu ritual reconfortou ambas, por ser tão a cara de Leigh.

— Muito bem, meninas, chega de papo furado. Temos um assunto que precisa ser discutido — anunciou Adriana. Ela sabia que Leigh não estava a fim de falar muito sobre o noivado: deixara isso perfeitamente claro no dia anterior na praia, com sua conversa ansiosa e incessante sobre o novo autor importantíssimo que lhe haviam passado (o tipo de conversa nervosa que as garotas agora ignoravam, depois de tantos anos ouvindo Leigh dizer "eu fracassei totalmente naquela prova final" e "eu nunca vou conseguir esse original de volta a tempo", só para vê-la tirar notas máximas intermináveis e receber uma promoção atrás da outra no trabalho) e respostas lacônicas sobre suas núpcias futuras. Então Adriana decidiu largar do seu pé. Por enquanto.

— Não sei quanto a você, Leigh, mas eu sei que quero mais detalhes da viagem da Emmy a Paris — cantarolou

Adriana, olhando propositalmente para Emmy. — A Cidade do Amor; estou esperando que haja bastante para contar.

Emmy gemeu e colocou sua edição de bolso de *Londres é a melhor cidade nos Estados Unidos* aberta em cima do peito.

— Quantas vezes vou ter que dizer? Não há nada para contar.

— Mentira, tudo mentira — falou Leigh. — Você mencionou algo sobre um cara chamado Paul. O que, por falar nisso, não me parece um nome especialmente estrangeiro, mas talvez você possa esclarecer isso.

— Só não sei por que vocês duas ficam me fazendo reviver isso — Emmy disse com um olhar suplicante. — É cruel. Contei a vocês a história toda: Paul, o meio argentino, meio inglês, que era bem-vestido, bem-viajado e, acima de tudo, extremamente charmoso e atraente, escolheu a festa de aniversário da ex-namorada em vez de sexo com esta que vos fala.

— Tenho certeza de que há outra explicação. Talvez ele só...

Adriana interrompeu o que certamente ia ser o jogo exageradamente diplomático, insanamente iludido de "talvez" de Leigh.

— Por favor! Só há uma explicação para o que houve naquela noite, presumindo, como estamos fazendo, que Paul não só seja hétero quanto do sexo masculino. Emmy, seja sincera. Você queria fazer sexo com ele naquela noite? Sentiu tesão por ele? Realmente *desejou* seu corpo?

Emmy riu desconfortavelmente.

— Uau. Não sei como reagir. Acho que sim? Sim, claro. Eu o convidei para subir poucas horas depois de conhecê-lo, não convidei? Praticamente me joguei em cima dele.

— E por "se jogou em cima" você quer dizer "insinuou nervosa e sutilmente" — ou tentou insinuar — "que consideraria a ideia de mais um drinque". Estou certa?

— Bem, talvez — fungou Emmy. Ela estava determinada a não contar a verdadeira razão da saída apressada de Paul. Se admitisse que perguntara se ele queria ter filhos algum dia — uma pergunta perfeitamente razoável, no que lhe dizia respeito —, Emmy sabia que suas amigas nunca, *jamais* deixariam isso para lá.

— Então você não passou realmente um clima de ser uma garota desencanada, louca e baladeira que topa qualquer coisa divertida?

— Ah, sei lá. Provavelmente não, está bem? Mas por que você acha isso? *Porque eu não sou uma garota louca e baladeira que topa qualquer coisa.* Sou uma garota pouco notável que gosta bastante de ficar, mas que prefere *conhecer alguém* de quem realmente goste do que ter um casinho sexual com um estranho.

Adriana sorriu triunfante.

— E esse, minha amiga, é o seu problema.

— Isso não é um problema — Leigh acrescentou sem abrir os olhos. — É só o jeito como ela é. Nem todo mundo pode ter namoros de uma noite que não significam nada.

Adriana soltou um suspiro longo e frustrado.

— Antes de mais nada, meninas, "namoros de uma noite" são para pessoinhas patéticas que se conhecem em cassinos em Atlantic City ou hotéis do meio-oeste. "Ficar" é o que garotas de irmandade bêbadas fazem depois do baile da primavera. Nós temos *casos. Casos* fabulosos, sensuais e espontâneos. Entenderam? Segundo, acho que estamos esquecendo de algo aqui: não fui eu quem decidiu que a Emmy devia estar tendo *casos* em cada cidade que visita. Ela fez esse pequeno pronunciamento por vontade própria. É claro que, se você acha que não aguenta...

O garçom, um gatinho louro com cara de safado, de camisa com gola e bermuda cáqui, perguntou se podia lhes trazer alguma coisa. Pediram uma rodada de marguerita e continuaram a conversa como se não tivesse havido interrupção.

— Não, você está certa — admitiu Emmy. — A decisão foi minha e eu vou fazer isso. Vai ser bom para mim, certo? Vai me deixar menos ligada na história toda de casamento. Mais relaxada. É só que parece ótimo na teoria, mas quando é meia-noite e você está em um hotel estranho e olhando para essa pessoa que você mal conhece e pensando que ela está prestes a vê-la nua apesar de você não saber seu sobrenome... Sei lá, é só... diferente.

— E feito com a atitude certa, pode ser muito libertador — falou Adriana.

— Ou um desastre total — acrescentou Leigh.

— Sempre a otimista, não é?

— Olhe, estou ouvindo que a Emmy quer fazer isso e entendo totalmente por quê. Quer dizer, se eu só tivesse estado com três caras em toda a minha vida, e eles todos tivessem sido namorados de muito tempo, eu gostaria de dar uma provadinha no que mais há por aí também. Mas é importante que ela saiba que namoros de uma noite — me desculpe, *casos* — nem sempre são tão glamourosos — disse Leigh.

— Fale por você. Eu sempre fiquei bastante satisfeita — sorriu Adriana. Era verdade, na maior parte. Ela estivera com mais homens do que jamais poderia contar, mas gostara de cada um deles.

Leigh atacou.

— Ah, é mesmo? Então eu acho que não está se lembrando daquele surfista — como era o nome dele? Pasha? — que lhe deu um *high-five* depois do sexo, e aí o chamou de "cara", como em "Cara, dá um tempo aí um minuto", quando você perguntou se ele queria outro copo de vinho? Ou o que tinha fetiche em pés e que só queria hidratar os seus e esfregá-los pelo corpo dele? E quem poderia se esquecer daquele que você conheceu no casamento da Izzie, atendendo a um telefonema *da mãe dele* enquanto você estava por cima? Devo continuar?

Adriana ergueu a mão direita e deu seu melhor sorriso.

— Acho que entendemos. No entanto, querida amiga, você está distorcendo um pouco a questão. Algumas maçãs podres não são motivo para não visitar o pomar. Essas foram tristes exceções. Que tal o barão austríaco que pensou, corretamente, que comprar diamantes na Bulgari era uma boa preliminar? Ou a vez na Costa Rica, em que o surfista e eu — o outro surfista — fizemos amor na praia ao pôr-do-sol? Ou quando o arquiteto com aquele terraço incrível com vista para o Hudson...

— Só saiba que tanto pode ser bom quanto pode ser ruim — disse Leigh, olhando diretamente para Emmy com as sobrancelhas erguidas.

— Você é tão estraga-prazeres! — chiou Adriana. — Eu vou nadar. — Ela tentou manter seu tom leve, mas aquilo tudo estava começando a irritá-la. Por que Leigh estava tão amarga? A garota tinha um emprego incrível na editora de maior prestígio de Nova York, um noivo cobiçado, comentarista esportivo que a adorava e que só tinha olhos para ela, e uma aparência elegante e sofisticada, atraente o suficiente para os homens gostarem, mas não tão atraente que as mulheres a odiassem. Por que ela estava sempre tão infeliz?

— Espero que, depois de me fazer passar por isso, não tenha se esquecido da sua parte no acordo — disse Emmy.

— É claro que não — respondeu Adriana. — Na verdade, acho que já conheci meu futuro marido.

— Hum — murmurou Leigh, pegando sua frozen marguerita da bandeja do garçom com as duas mãos. Ela a pressionou diretamente contra a testa por um momento, antes de lamber toda a borda de sal.

— É mesmo? — perguntou Emmy com uma condescendência que deixou Adriana irritada.

— É, é mesmo — retrucou Adriana. — E, apesar de nenhuma de vocês duas parecer remotamente interessada, vou informá-las que por acaso é Tobias Baron.

As duas cabeças se levantaram para olhá-la, perplexas. *Bem, isso chamou sua atenção, graças a Deus.*

— O Tobias Baron? — perguntou Leigh.

É, assim é melhor.

— O primeiro e único — assentiu. — E, na verdade, seus amigos o chamam de Toby.

Os olhos de Leigh se esbugalharam.

— Está brincando? Fale, garota! Nós precisamos ouvir...

— É claro! — sorriu Adriana. — Mas antes, vou dar uma nadada rápida. — Ela se levantou da espreguiçadeira como um gato se alongando de um cochilo vespertino e caminhou em direção à piscina. *Isso vai ensiná-las a não me levar a sério.* Testou a água com os dedos dos pés e então mergulhou, mal quebrando a superfície da água com seu corpo esguio, e imediatamente começou um *crawl* forte, mas gracioso. Apesar de não ser grande fã de mar (a água salgada ressecava tanto seu cabelo, sem falar naquelas criaturas desagradáveis que picavam), Adriana nadava como um peixe. Sua mãe, apavorada que a pequena Adriana caísse na piscina da propriedade, insistiu que a menina aprendesse a nadar antes mesmo que pudesse andar. Isso foi realizado com bastante eficiência em uma única tarde. A sra. de Souza carregou uma Adriana de nove meses se retorcendo, colocou-a em um metro e meio de água, tirou as boiazinhas de braço e ficou olhando, enquanto a criança afundava. Quando ouviu essa história pela primeira vez, no começo da adolescência, Adriana ficou horrorizada.

— Você simplesmente ficou olhando enquanto eu me afogava? — perguntara à mãe.

— Por favor, não foi tão dramático: você só afundou por um ou dois instantes. Aí, descobriu o que tinha que fazer e bateu as mãozinhas até a cabeça chegar à superfície. Um pouco de água pelo nariz não chega a ser um trauma, chega? — Não era um método aprovado pelo dr. Phil, mas era eficiente mesmo assim.

Ela nadou dez vezes o comprimento da piscina e aceitou graciosamente uma toalha de praia enrolada de um atendente musculoso, oferecendo-lhe um sorriso largo como recompensa. Adriana voltou e Emmy dobrou a página que estava lendo e jogou o livro de lado.

— Adriana de Souza, como pode ainda não ter nos contado isso? Já estamos em Aruba há...

— Bonaire! — Leigh e Adriana disseram simultaneamente.

Emmy fez um gesto de silêncio com os braços.

— Tanto faz. Estamos em *Bonaire* há dois dias inteiros e você só menciona isso agora? Que tipo de amiga faz isso?

— Não é sério — falou ela, curtindo a expressão de suas amigas. Ela simplesmente adorava segurar as informações até causarem o máximo de efeito. — Mas acho que ele tem potencial.

— Potencial? As revistas o chamam de George Clooney mais inteligente. Lindo, bem-sucedido, hétero, solteiro...

— Divorciado — corrigiu Emmy.

Leigh fez um gesto com a mão.

— Um erro de quando tinha 20 e poucos anos que durou 36 meses e não produziu filhos. No quesito homens divorciados, ele mal se qualifica.

Adriana assoviou.

— Ora, ora, parece que vocês duas estão bastante informadas. Isso quer dizer que aprovam?

Ambas assentiram vigorosamente.

— Então conte-nos sobre ele — falou Emmy ofegante, provavelmente aliviada pelo foco ter saído dela.

Adriana ergueu só um pouco seu torso pingando de água da cadeira para ajeitar a almofada, mas foi o bastante para fazer um homem que tomava banho de sol gemer audivelmente.

— Bem, vejamos. Não é necessário lhes dar as informações biográficas — vocês obviamente sabem isso!

— mas, hum, ele realmente é um amor. Eu o conheci há duas semanas, no set de *The City Dweller*.

Leigh se deitou de bruços e desamarrou a parte de cima do biquíni.

— O que você estava fazendo lá?

— Gilles me levou. Eu ia conhecer Angelina e Maddox mas, em vez disso, conheci Toby. — Adriana continuou repetindo sua conversa com Toby palavra por palavra, acrescentando algumas frases (para dar o clima), mas sem omitir nenhuma. Quando havia terminado, passou os lábios sedutoramente em volta do canudo listrado e deu um grande gole em sua marguerita. Ela não tinha certeza, mas achava que o grupo de gatinhos do outro lado da piscina estava olhando para ela.

— Então, você acha que ele vai ligar? — perguntou Emmy com o que parecia ser preocupação genuína.

Um pouco chateada por sua amiga ter chegado a considerar a ideia de que ele não fosse ligar, muito menos verbalizá-la, ela estourou.

— É claro que ele vai ligar. Por que não ligaria?

— Ooooh, parece que alguém está um pouco sensível... — Leigh praticamente cantou.

— O quê? Está se referindo ao Yani? Já superei isso há muito tempo. — Adriana esticou as pernas e fez ponta com os pés.

— Aconteceu alguma coisa com o Yani? — Emmy perguntou ansiosamente. — Por que eu sempre sou a última a saber de tudo?

Adriana suspirou.

— Não sei por que estamos falando nisso de novo. Eu lhe dei meu telefone depois da aula na semana passada e disse a ele para me ligar.

— E?

— E ele devolveu — Adriana tentou soar extremamente entediada com o interrogatório, mas suas amigas a conheciam bem demais: isso a vinha assombrando a semana inteira, fazendo-a ter cada vez mais certeza de que a hora de encontrar um marido havia chegado. A rejeição de Yani, algo que ela tinha certeza de que jamais aconteceria há alguns anos, deixava claro que suas oportunidades estavam acabando.

— Ele disse por quê?

— Não, só que sentia muito, mas não seria capaz de usar o número.

— Tenho certeza de que foi só porque ele...

— Por favor — Adriana disse com um aceno casual e um sorriso deliberado. — Eu não estou *nem um pouco* interessada. Yani, o professor de ioga, não é exatamente um dos diretores mais reverenciados de Hollywood, é?

— Oi — disse Emmy, sentando-se e sorrindo largamente na direção do ombro direito de Adriana.

— O que foi? — Adriana ficou momentaneamente confusa até virar-se e ver um homem de pé atrás de si. Um homem bastante atraente, na verdade. Ora, sim, aquela bermuda com estampa havaiana ficava abaixo dos ossos do quadril, circundando um abdômen impressionantemente tonificado. Seu cabelo clareado pelo sol estava molhado e Adriana percebeu as mãos fortes quando ele o afastou do rosto. Ele precisava fazer a barba, ela notou, e não era tão alto quanto ela costumava gostar, mas no geral era bastante gostoso. E estava sorrindo. Para *Emmy*.

— Olá — disse ele. — Espero não estar interrompendo nada...

Um australiano! Eram seus favoritos. Seu primeiro beijo na vida fora com um menino australiano de 11 anos, mandado para São Paulo durante o verão para ficar com os vizinhos de porta de Adriana e, desde então, ela já estivera com conterrâneos suficientes para se considerar cidadã honorária.

— É claro que não — ronronou Adriana, empurrando instintivamente os ombros para a trás e o peito para a frente.

— Bem, hum, nós, meus amigos ali — ele apontou para a mesa do outro lado da piscina onde havia três caras sentados, tentando não olhar — estávamos imaginando se não gostariam de jantar conosco hoje à noite. — Adriana ficou olhando para ele sem acreditar. Estava confirmado: ele estava falando diretamente com Emmy. Inacreditável! Será que essa coisinha deliciosa preferia Emmy a ela?

— É que viemos para uma das festas só para homens de um amigo e, bem, já estamos aqui há três dias e estamos ficando cansados de conversar uns com os outros. Seria, hum, ótimo se vocês viessem com a gente hoje à noite. Nenhuma loucura, eu prometo, só um lugarzinho legal na praia, com bons drinques e boa música. Por nossa conta. O que vocês dizem?

A essa altura, até Emmy percebera que o australiano estava se dirigindo a ela, e Adriana, apesar de estar chocada com a situação toda, ficou impressionada com a rapidez com que Emmy se recuperou.

— Ora, isso é tão gentil da parte de vocês! — disse ela em sua melhor imitação de garota sulista. — Nós adoraríamos.

O australiano, parecendo satisfeito, foi até o bar à procura de uma caneta. Assim que ele saiu, Adriana tomou a decisão deliberada de pensar positivamente. Suprimiu o pânico cada vez maior de que os homens não a achassem mais atraente e engoliu suas críticas a respeito do australiano — que era, depois de observar melhor, bastante baixinho... sem falar naquela barbinha com cara de suja; ela não era velha demais para caras que não se davam ao trabalho de se cuidar? — e, em vez disso, concentrou-se em dar o maior sorriso possível. Inclinando-se para a frente conspiratoriamente, sussurrou para suas amigas:

— Emmy, meu amor, aquele garoto é todo seu. Paris foi a Hora do Amador. Agora, minha amiga, você está com a especialista. Considere-se avisada... — E, enquanto Emmy corava e Leigh dava uma piscada de aprovação, Adriana concentrou-se em segurar as lágrimas.

Leigh vasculhou dentro da bolsa, procurando alguma coisa, qualquer coisa, com que pudesse se manter ocupada até Jesse chegar. Ela não podia ficar só sentada ali, pelo amor de Deus, olhando para o nada, nem queria parecer *aquela* garota, a que ficava encurvada, teclando freneticamente em seu BlackBerry. Havia um excerto de cem páginas de um original que sua assistente lhe havia entregue quando ela estava saindo da sala, mas também descartou essa ideia; puxar um livro no Michael's durante o almoço era como ler um roteiro no The Coffee Bean, em Hollywood. Simplesmente não se faz isso. O que ela realmente queria fazer era colocar seus amados fones de cancelamento de ruído e bloquear a voz aguda e discordante do homem sentado atrás dela, gritando no celular. Se estivesse sozinha ou com amigos, ela simplesmente teria pedido para mudar de mesa, mas Jesse estava para chegar a qualquer segundo e ela não queria ser vista fazendo um estardalhaço. A combinação da ansiedade por causa do almoço com a barulheira de sua vizinha de cima indo à cozinha no meio da noite havia resultado em uma noite de muito pouco sono e ela ansiava colocar um fone de ouvido escondido — só um era tudo de que precisava! — e deixar seu confiável iPod (cheio apenas com músicas clássicas ou lentas) acalmar seus nervos em frangalhos. Estava desembaralhando os fios quando o *maître d'* apareceu ao lado da mesa, Jesse a reboque.

— É um prazer revê-lo — ela disse de modo suave, deliberadamente sem se levantar para cumprimentá-lo, mas esticando a mão em vez disso.

Ele se inclinou para beijar sua bochecha. Foi instintivo e totalmente impessoal, e não mais estimulante do que receber um beijo de sua avó, mas mesmo assim Leigh sentiu uma certa excitação. *São só os nervos*, pensou.

Jesse ficou de pé ao lado da cadeira que havia sido puxada para ele e pareceu inspecionar a cena.

— Leigh, querida, posso incomodá-la e pedir que troquemos de mesa? — Ele olhou para os dois homens de terno sentados atrás dela, um dos quais ainda estava ao celular, e disse em voz alta: — Eu não aguento gente pouco civilizada que grita ao celular no restaurante.

Sua reprimenda passou despercebida pelo transgressor, mas Leigh quase pulou direto de sua cadeira para os braços dele.

— Eu detesto aquele cara — falou, juntando suas coisas com muita rapidez, mas Jesse já estava ocupado em sinalizar para o *maître*. Só quando já estavam sentados novamente, desta vez em uma mesa para dois perfeitamente situada em um canto tranquilo nos fundos, Leigh se permitiu olhar furtivamente para Jesse.

Ele estava usando jeans e um blazer — talvez exatamente o mesmo que usava naquele dia na sala de Henry —, e o cabelo estava despenteado. Parecia arrumado mas casualmente amarrotado, como se não tivesse pensado duas vezes sobre sua aparência, e isso deixava Leigh extremamente consciente de quanto tempo ela passara se preparando.

Já fazia algum tempo que ela não dedicava tanto tempo a sua rotina matinal. Andava tão ocupada e privada de sono ultimamente que seu regime de beleza de uma hora havia sido condensado para incluir só o básico: lavar os cabelos rapidamente, uma passada com o secador, só o suficiente para tirar a água, um pouco de rímel e batom no caminho. Mas esta manhã era diferente. Ela pulara da cama sem apertar o botão de cochilo do despertador, tomando cuidado para não acordar Russell e, a partir daí, seu corpo realizou as funções elaboradas, como se estivesse no piloto automático.

Ela pensara exaustivamente no que vestir para sua primeira reunião oficial com Jesse. Toda a aura dele era informal, isso era certo, mas ela queria parecer profissional. Seu pai nunca deixava de lembrá-la que os escritores mais velhos sempre a veriam como uma mulher, antes de vê-la como editora, e que se ela tivesse alguma chance de conseguir seu respeito, devia esquecer sua feminilidade. Ou, pelo menos, não exagerá-la. Leigh sempre seguira cuidadosamente essa receita, mas hoje — quando devia contar mais — ela não conseguia suportar o terninho preto de sempre. Ou o cinza-carvão. Ou o azul-marinho. Nem sua tanga de algodão usual parecia suficiente; em vez disso, ela enfiou um fio-dental stretch rosa-choque e um sutiã de malha combinando que dava pouco suporte e não escondia nada. *Por que não?*, pensou. Eram mais bonitos do que sensuais, e o que havia de errado em mudar um pouco? Por cima disso ela amarrou seu vestido-envelope Diane Von Furstenberg favorito, uma peça até o joelho, com mangas três-quartos, decote baixo e uma estampa abstrata amarela, branca e preta. Secou o cabelo com secador e se maquiou descalça antes de acrescentar um par de sandálias de tirinhas, escolhendo saltos 7 em vez de saltos mais baixos e mais práticos. Russell assoviara sonolento quando ela dera um beijo de despedida em sua testa, mas ela começou a imaginar se estava arrumada demais no momento em que entrou no metrô e, quando finalmente estava sentada no restaurante, estava convencida de que parecia mais com uma acompanhante muito bem-paga do que com uma profissional com estilo, mas séria.

Por mérito ou por distração — Leigh não tinha certeza qual dos dois — Jesse manteve os olhos firmes em seu rosto enquanto dizia:

— Aonde foi parar minha editora que parecia um camundongo? Espero que não tenha tido todo esse trabalho por minha causa.

Leigh o observou enquanto se acomodava na cadeira à sua frente, e imediatamente se arrependeu da escolha da roupa. Ela estava preparada para os comentários machistas de Jesse — Henry a havia advertido sobre isso —, e a julgar pelo seu primeiro encontro e seu status literário de astro-do-rock, ela presumiu que ele seria um idiota presunçoso, mas, apesar disso, não tinha se preparado para um insulto tão óbvio. Era um comportamento inaceitável e, se ela não estabelecesse limites naquele instante, toda a sua relação de trabalho estaria fadada ao fracasso. Ele podia ser um escritor famoso, mas agora era o *seu* escritor famoso, e ela ia se assegurar direitinho de que entendesse isso.

— Por sua causa? — Leigh olhou ostensivamente para si mesma e riu divertida. — Jesse, que gentileza sua perceber, mas na verdade é para uma festa mais tarde. — Ela fez uma pausa, esperando soar mais confiante do que se sentia. — Devo presumir agora que você teve todo esse trabalho por minha causa?

As mãos dele foram imediatamente para o cabelo e o afastaram do rosto.

— É, eu estou horrível, não é? — ele falou um pouco encabulado. — Perdi o primeiro trem e aí o cronograma foi para o espaço. Foi meio que um pesadelo.

— O trem? Achei que você morava na cidade.

— Eu moro, mas não consigo me concentrar aqui, então tenho escrito nos Hamptons.

— Ah, isso é...

Ele a interrompeu com uma risada triste.

— Realmente muito original, eu sei. Comprei a casa em novembro passado, assim que começou a ficar frio. Sempre fui devidamente anti-Hamptons, não vai ficar chocada em saber, mas aquela era diferente: cinza, isolada, o lugar perfeito para se trancar com um computador e pouco mais. Não se vê outra alma durante dias, e então — *puf!* — o sol sai por meio segundo em maio, e o Upper East Side inteiro aparece em massa.

— Então, por que ficou? É o inferno na Terra por lá em julho.

— Pura preguiça.

— Ah, por favor. Não acredito nisso nem por um segundo.

— Acredite. Estou todo instalado lá, não consigo ir embora. Além disso, estão fazendo obras no apartamento em cima do meu aqui, e o barulho é insuportável.

— Hum — Leigh falou, aceitando o cardápio do garçom.

Jesse sacudiu a cabeça e recostou-se na cadeira com um suspiro.

— Como você aguenta tantas horas com babacas autocentrados como eu?

Leigh não conseguiu não rir.

— Faz parte do trabalho — disse.

— Por falar nisso, tenho certeza de que está curiosa sobre...

— Jesse — ela disse docemente, interrompendo-o no meio da frase. — Vamos ter bastante tempo para trabalhar, então achei que podia ser bom se só nos conhecêssemos hoje e guardássemos a discussão editorial para a próxima vez.

Ele ficou olhando para ela.

— Está falando sério?

— Muito. Se você concordar.

Ele inclinou a cabeça de lado.

— Você é uma pessoa estranha, não é? Uma editora que não quer conversar sobre meu livro. Ora, ora, ora. Sobre o que quer falar, srta. Eisner?

Leigh ficou satisfeita com a reação dele. Sua viagem para Curaçao com as garotas não parecera muito uma comemoração de noivado, mas lhe dera tempo suficiente para pensar em sua estratégia com Jesse. Se ela tinha alguma esperança de que isso desse certo, sabia que precisava determinar o tom com ele no começo e com firmeza. Ditar o ritmo e o conteúdo das conversas era a única forma de fazer isso. Ele viera a esse almoço esperando que essa nova editora estivesse babando para ouvir tudo sobre seu novo livro, então ela fingiu indiferença.

Quando terminaram suas entradas (salada de filé para ele e perca grelhada com ervas para ela), haviam conversado sobre tudo, *menos* literatura. Leigh descobriu que Jesse crescera em Seattle, mas que a achava deprimente, e que quando tinha vinte e poucos anos fizera trabalhos variados no sudeste da Ásia, mas também achou isso deprimente. Ele disse a ela o quanto ficara chocado quando *Desencanto* entrara para a lista de bestsellers, e como era surreal ganhar milhões com o que ele achava ser pouco mais do que um diário de viagem, e como as coisas são loucas em Nova York quando você é jovem, bem-sucedido e muito, muito rico. Só se passara pouco mais de uma hora, mas Leigh começou a sentir que conhecia Jesse um pouco, como se estivessem começando a criar uma conexão que era incomum para ambos — não romântica, é claro, mas ainda assim de certa forma íntima. Casualmente e sem a mínima ênfase ou interesse, Jesse mencionou sua esposa.

— Você tem uma *esposa*? — perguntou Leigh.

Ele assentiu.

— Tipo, você é *casado*?

— Normalmente é como as pessoas definem, sim. Está surpresa?

— Não. Bem, sim. Não surpresa que você seja casado, só... hum... surpresa que... Bem, que eu não tenha lido isso nos jornais.

Jesse sorriu e ela pensou em como ele ficava muito mais bonito quando sorria. Mais jovem, de certa maneira, e não tão traumatizado. Ele olhou para a mão esquerda dela e ergueu as sobrancelhas.

— Vejo que você também planeja se juntar à nossa tropa de *casados*.

Ela não sabia por quê, mas de repente estava perturbada. Perturbada e bastante constrangida.

— Sobremesa? — ela perguntou, pegando o cardápio e fingindo examiná-lo.

Jesse pediu expressos para ambos. Sem perguntar. O que, naturalmente, Leigh achou tão irritante quanto atraente. Teria preferido chá se tivesse tido permissão para escolher, mas era estranhamente bom não tomar essa decisão.

— Então, diga-me, srta. Eisner. Qual foi o último grande livro que editou? Antes do meu, é claro.

— Bem, não preciso lembrá-lo, sr. Chapman, que a grandeza do seu livro ainda tem que ser mostrada. Estamos todos muito curiosos.

— Como eu estou, a respeito da mulher que vai me editar.

— O que, exatamente, gostaria de saber?

— Quem são seus outros autores? Seus favoritos? De quais de seus livros você gostou?

Um pouco perturbada, Leigh disse:

— Acho que provavelmente você sabe as respostas para suas próprias perguntas.

— Como assim?

Leigh fez uma pausa por um momento e considerou as consequências de ser completamente honesta. Ela certamente não sentia nenhuma compulsão moral para contar toda a verdade; só parecia bobagem manter a farsa a essa altura, então o olhou direto nos olhos e falou:

— Quero dizer que não tenho dúvidas de que você fez seu dever de casa. Sabe muito bem que você vai ser meu maior autor até agora — e admito, muito maior —, e também sabe que meu chefe, meus colegas e provavelmente toda a comunidade editorial acham que eu sou inexperiente demais para editar seu livro.

Jesse engoliu seu expresso de um gole só.

— E o que *você* acha, cara Leigh? — ele perguntou, um meio-sorriso brincando em sua boca.

— Acho que está cansado de toda essa conversa. Não sei por que você sumiu nos últimos seis anos, mas suspeito que tenha sido por algo além de farras excessivas, ou o que quer que os caçadores de fofocas tenham dito. Acho que quer recomeçar do zero com um editor que não tenha nada a perder. Alguém jovem, sedento e disposto a assumir alguns riscos — ela fez uma pausa. — Como estou me saindo?

— Muito bem.

— Obrigada. — Ela se sentia quase bêbada com a adrenalina, ansiosa e elétrica, mas de uma maneira boa.

— E, correndo o risco de soar como um babaca paternalista, estou bastante seguro de que tomei a decisão certa.

— Tomou — ela assentiu.

Jesse fez sinal para o garçom fechar a conta e a entregou diretamente a Leigh quando ela chegou.

— Isso é por conta da Brook Harris, eu presumo?

— É claro. — Ela colocou seu cartão American Express Corporativo novinho na pasta e se recostou. — Então, Jesse — falou, puxando sua agenda de couro vermelho da bolsa —, quando nos veremos novamente? Estou livre para almoçar terça e sexta da semana que vem, apesar de terça provavelmente ser melhor. É claro que você pode vir ao escritório e conhecer...

— Semana que vem não é bom para mim.

— Ah, está bem, então. A semana seguinte, então. Que tal você...

— Não, isso também não vai funcionar.

A empresa dela acabara de gastar três milhões de dólares para comprar o que era pouco mais do que um nome e uma promessa, e ele não considerava suficientemente prioritário estar disponível para uma conversa editorial adequada?

— Você nem me deixou terminar — ela disse calmamente.

— Sinto muito — ele falou, mal contendo um sorriso. — É só que não pretendo voltar à cidade de novo nas próximas semanas. O problema com o trem hoje de manhã garantiu isso. Agora, podemos esperar até que eu volte ou, se estiver disposta, eu ficaria feliz em hospedá-las nos Hamptons.

— Bem, vou ter que verificar minha agenda e lhe dar um retorno — ela disse friamente.

— Ele vai lhe dizer para ir.

— Como disse?

— Henry. Ele vai lhe dizer para ir. Não se preocupe, Leigh, não é tão longe e eu prometo cuidar bem de você. Tem até um Starbucks.

O garçom trouxe o cartão e o recibo de volta. Leigh colocou cuidadosamente cada um em seu compartimento na carteira e juntou suas coisas.

— Não a deixei chateada, não é? — perguntou Jesse. Leigh teve a clara sensação de que ele não podia se importar menos.

— É claro que não. Só estou atrasada para outro compromisso. Eu ligo hoje mais tarde ou amanhã e marco nossa próxima reunião.

Ele sorriu e deu um passo para o lado, para que ela pudesse passar na frente.

— Parece bom. E Leigh? Tente não entrar em pânico, está bem? Vamos trabalhar muito bem juntos.

Estava chovendo quando saíram e, enquanto Leigh vasculhava sua bolsa gigantesca atrás do guarda-chuva, Jesse começou a correr em direção à Sexta Avenida.

— Nos falamos depois — ele gritou sem se virar.

Leigh estava fervendo de raiva. Ele realmente era um imbecil convencido e pretensioso. Nem havia se incomodado em perguntar se ela precisava de um táxi ou se oferecido para acompanhá-la de volta até o escritório — nem agradecera pelo almoço! Ela não sabia como ia lidar com um homem com um ego tão gigantescamente enorme. Podia ser diplomática e guiá-lo com a cenoura, mas a abordagem suave, de olhos esbugalhados, estou-tão-impressionada-com-você-sr.-Bestseller simplesmente não era a cara dela. Não agora, não nunca e certamente não para alguém tão detestável quanto Jesse Chapman. Diabos, *Adriana* provavelmente poderia fazer um trabalho melhor com ele, mesmo nunca tendo editado — ou possivelmente nem lido — um único livro em toda a sua vida.

Esse pensamento a infernizou durante os oito quarteirões até o escritório, uma caminhada que se tornou ainda pior com seus saltos 7 agora ensopados. Quando finalmente entrou no edifício, estava prestes a cancelar tudo — um fato que ela não exatamente escondeu de Henry.

— Eisner, entre aqui — ele gritou quando ela passou por sua porta. Não havia como ir do elevador para sua sala sem passar pela de Henry, um projeto enlouquecedor que ele sem dúvida orquestrara de propósito.

Leigh teria gostado de alguns minutos para se recompor e, verdade seja dita, talvez diminuir o impacto de sua roupa acrescentando um cardigã ou um par de rasteirinhas, mas ela sabia que Henry deixara a tarde toda livre antecipando sua volta.

— Olá — ela falou animada e se instalou o mais modestamente possível no sofá.

— E então? — ele perguntou. Henry a olhou de cima a baixo mas, felizmente, permaneceu inexpressivo.

— Bem, ele com certeza vai dar trabalho — ela disse antes de perceber o quanto isso soava completamente idiota.

— Vai dar trabalho?

— Ele é arrogante, exatamente como você me avisou, mas tenho certeza de que não é nada que não sejamos capazes de resolver. Quando tentei marcar nossa próxima reunião, ele recusou-se ostensivamente a voltar a Manhattan.

Henry olhou para cima.

— Ele não mora no West Village?

— Sim, mas alega que não pode se concentrar aqui, então alugou uma casa nos Hamptons. Ele simplesmente presumiu *que eu iria até lá...* — Leigh deixou a frase morrer com uma risada.

— É claro que você vai — Henry falou rispidamente, algo que não fazia com frequência.

— Eu vou? — perguntou Leigh, mais surpresa com a veemência de Henry que com qualquer outra coisa.

— Vai. Eu passo seus outros projetos para alguém, se for necessário. De agora até a data da publicação, essa vai ser sua única prioridade. Se isso significar encontrá-lo no Zoológico do Bronx porque filhotes de leão o deixam inspirado, que seja. Desde que o original chegue até o prazo e seja publicável, não me importa se você passar os próximos seis meses na Tanzânia. Só faça com que isso aconteça.

— Eu entendo, Henry. Entendo mesmo. Pode contar comigo. E não precisa passar meus autores para outras pessoas — Leigh falou, pensando no biógrafo com fadiga crônica, no romancista que estava procurando alguém para fazer a apresentação de seu livro e no comediante transformado em escritor, que ligava com novas piadas não menos do que três vezes por semana.

O telefone de Henry tocou e um momento depois a assistente anunciou pelo interfone que era sua esposa.

— Pense no que eu disse, Leigh — falou, a mão sobre o bocal.

Ela assentiu e saiu correndo da sala dele, sem nem perceber a dor excruciante que sentia nos pés. Sua assistente, segurando um punhado de recados e memorandos, atacou Leigh no momento em que ela caiu na cadeira.

— Este contrato precisa ser assinado imediatamente para que eu possa enviá-lo por FedEx antes do final do dia, e o Pablo, do departamento de arte, disse que precisa das orelhas para as memórias de Mathison assim que humanamente possível. Ah, e...

— Annette, podemos adiar essas coisas só um minuto? Eu preciso dar um telefonema. Pode fechar a porta quando sair? Vai ser só um minuto — Leigh tentou manter a voz calma e estável, mas tinha vontade de gritar.

Annette, bendita seja, simplesmente assentiu e fechou silenciosamente a porta atrás de si. Sem saber se jamais teria forças para dar o telefonema se não o fizesse naquele segundo, Leigh pegou o fone e discou.

— Bem, isso foi rápido — Jesse respondeu. Parecia uma provocação. — O que posso fazer por você, srta. Eisner?

— Verifiquei minha agenda e o verei nos Hamptons.

Ele demonstrou controle suficiente para não tripudiar, mas Leigh podia *sentir* que estava sorrindo.

— Eu agradeço, Leigh. Estarei fazendo pesquisa fora da cidade nas próximas semanas. A segunda semana de agosto funciona para você?

Leigh não se deu ao trabalho de olhar em sua agenda ou no calendário que mantinha na tela do computador. Para quê? Henry deixara bem claro: se estava bom para Jesse, estava bom para ela.

Ela respirou fundo e mordeu o polegar com força suficiente para deixar a marca dos dentes.

— Estarei aí — falou.

mamãe bebe porque eu choro

Izzie seguiu o caminho até o elevador do prédio e apertou o número 11.

— Então você está me dizendo que um australiano lindo a levou para dar uma volta na praia tarde da noite, depois de horas bebendo e dançando e que, apesar da sua jura solene para si mesma e para suas amigas de que iria, perdoe o linguajar, foder com qualquer um que tivesse um passaporte estrangeiro, *mesmo assim* você não dormiu com ele?

— É.

— Emmy, Emmy, Emmy.

— Eu não consegui, está bem? Simplesmente não consegui! Estávamos rolando pela areia, dando uns amassos violentos. Ele beijava tão bem. Tirou a camisa e meu Deus... — Emmy gemeu audivelmente e fechou os olhos.

— E? Não estou ouvindo nada ruim até agora.

— E assim que ele foi desabotoar os meus jeans, eu surtei. Não sei por quê, simplesmente surtei. Foi tão...

tão *surreal* ver esse cara em cima de mim, prestes a *entrar* em mim e eu nem sabia o sobrenome dele. Eu não consegui.

Izzie destrancou a porta do apartamento e Emmy a seguiu para o pequeno hall com piso de mármore.

— Você realmente disse que ele estava prestes a "entrar" em você?

— Izzie — Emmy advertiu. — Podemos nos concentrar aqui? Eu queria fazer, queria mesmo. Estava *tão* atraída por ele. Ele era muito gentil e não ameaçador e *australiano* e teria sido o casinho de férias perfeito. Mas mesmo assim eu o fiz parar.

Kevin olhou da mesa onde estava sentado, do outro lado da sala, e sorriu.

— Essa conversa parece significativamente mais interessante do que minha paciente, que acabou de me mandar um e-mail para descrever a consistência de sua evacuação. — Ele fechou o laptop e atravessou a sala de estar, beijando Emmy na bochecha e envolvendo Izzie em um abraço de urso caloroso e receptivo. — Senti saudades, amor — murmurou baixinho em seu ouvido.

Izzie pressionou os lábios contra os dele e acariciou seu rosto com o dorso da mão.

— Hum, eu também senti saudades. Como foi o plantão?

— Hum, com licença? — Emmy interrompeu o momento particular. — Odeio atrapalhar esse encontro carinhoso, mas como vocês dois já são casados e eu não tenho com quem conversar, gostaria que nos concentrássemos em *mim* um pouquinho...

Kevin riu e deu um tapinha na bunda de sua mulher.

— É justo. Vou botar suas coisas no outro quarto e pegar umas bebidas. Esperem por mim lá fora. — Ele se dirigiu para a cozinha e Izzie o seguiu com olhos desejosos.

— Ele é tão incrível que dá vontade de vomitar — disse Emmy.

— Eu sei — Izzie suspirou com um sorriso mal contido. — Ele é absurdamente gentil. Provavelmente seria insuportável se eu não o amasse tanto. Venha, vamos sentar na varanda.

Emmy podia pensar em lugares melhores para se sentar do que à mesa de ferro batido da varanda, em uma cadeira de ferro batido, debaixo do sol escaldante do Sul da Flórida, o ar pesado com a umidade. Como no tapete, diretamente na frente da saída do ar condicionado, por exemplo.

— Alguém para de suar aqui *em algum momento*? — Emmy perguntou a Izzie, que parecia completamente intocada pelo clima.

Izzie deu de ombros.

— Você se acostuma depois de algum tempo. Apesar de eu ter que dizer que pouca gente escolhe agosto para visitar Miami. — Ela virou o rosto para cima, para pegar sol, mas só depois de piscar para Emmy. — Muito bem, então estamos na parte em que ele estava prestes a *entrar* em você...

A porta de correr de vidro se abriu e Kevin, com uma bandeja cheia de drinques e acessórios nas mãos, balançou a cabeça desalentado.

— Parece que não consigo escapar dessa conversa. Sério, Em, podemos avançar isso um pouco?

Enquanto Izzie pulava para ajudar Kevin, Emmy ficou pensando de onde a garota tirava energia. O calor e a umidade impiedosos faziam Emmy se sentir como se seu corpo inteiro estivesse se liquefazendo.

— Não há muito mais o que dizer — Emmy falou, pegando um punhado de uvas da bandeja. Ela catou uma garrafa de água de um baldinho com gelo que ele pusera na mesa e falou: — Não vamos beber? Achei que nenhum dos dois estava de plantão.

Izzie e Kevin trocaram um olhar rápido.

— É, vamos abrir alguma coisa em um minuto. Mas antes — ele entregou uma sacola de lona para Izzie —, temos uma coisa para você.

— Para mim? — Emmy perguntou, confusa. — Eu é que devia estar trazendo alguma coisa para vocês... eu sou a convidada.

Izzie abriu a sacola de lona e entregou a Emmy uma caixinha adornada festivamente com papel amarelo e fitas arco-íris.

— Para você — disse.

— Isso é mesmo uma gracinha da parte de vocês dois, mas acho que é justo eu avisá-los: se for algum tipo de vale-presente da Match.com ou um livro sobre namoros ou qualquer tipo de informação sobre congelar meus óvulos, haverá problemas.

Izzie devia saber que ela só estava brincando, portanto Emmy ficou surpresa em ver seu sorriso diminuir um pouco.

— Apenas abra — ela insistiu.

Nunca tendo sido de abrir presentes delicadamente — realmente valia a pena guardar papel de embrulho e fitas usadas? —, Emmy rasgou o papel com satisfação. Não ficou surpresa ao encontrar uma camiseta branca dobrada, aninhada no meio do papel de seda amarelo. Ela e Izzie faziam isso há anos, desde que tinham idade suficiente para ganhar seu próprio dinheiro e eram responsáveis o bastante para enviar caixas com regularidade: mandavam camisetas com frases engraçadas, provocativas, inteligentes ou simplesmente idiotas uma para a outra, sempre esperando superar a última contribuição. Apenas algumas semanas antes, Emmy mandara para Izzie uma camiseta sem manga que dizia CONFIE EM MIM, EU SOU MÉDICU e Izzie respondera mandando por FedEx uma camiseta para cachorro — feita para cães tipo toy, mas endereçada para Otis — na qual se lia EU SÓ MORDO QUANDO GENTE FEIA ME FAZ CARINHO.

Emmy ergueu a camiseta.

— "A MELHOR TITIA DO MUNDO"? — ela leu em voz alta. — Não entendi. O que há de tão inteligente em... — O olhar que Izzie e Kevin trocaram a fez parar no meio da frase. — Aimeudeus.

Izzie só sorriu e assentiu. Kevin apertou sua mão por cima da mesa.

— Aimeudeus — Emmy murmurou novamente.

— Estamos grávidos! — Izzie gritou, derrubando duas garrafas de água quando pulou para abraçar Emmy.

— Aimeudeus.

— Em, sério, diga outra coisa — Kevin aconselhou, a testa franzida de preocupação por sua esposa.

Emmy tinha consciência de que seus braços estavam envolvendo Izzie, de que ela estava segurando sua irmã com grande determinação, mas era incapaz de formular alguma palavra. Sua mente correu para onde sempre corria quando alguém falava em gravidez pela primeira vez: o dia, há apenas um ano e pouco, em que ela testemunhara seu primeiro parto ao vivo. Izzie vestira Emmy com avental cirúrgico, a ensinara a agir como estudante de medicina e a levara para assistir a um parto natural sem complicações. Nenhum dos vídeos de saúde da sexta série ou histórias assustadoras que ouvira dos amigos e de Izzie a haviam preparado para o que ela viu naquele dia, e agora tudo voltou rapidamente. Só que a desconhecida na mesa agora era sua irmã, e ela não conseguia afastar a imagem mental de uma cabecinha careca de bebê emergindo das partes privadas dela.

Mas antes mesmo que pudesse começar a processar isso, sua mente mudou completamente de rumo. Em seguida, veio um inventário mental de todas as butiques de bebês e sites na internet que ela passara tantos anos visitando, arrulhando pelas botinhas felpudas e paninhos monogramados para arrotar, enchendo seu carrinho de compras imaginário com as coisas mais lindas. Agora ela teria um motivo real para fazer compras — para sua própria sobrinha ou sobrinho! —, mas como ia decidir? É claro que teria que comprar macacõezinhos para o pequeno com dizeres inteligentes como NINGUÉM IGNORA O BEBÊ e MAMÃE BEBE PORQUE EU CHORO, mas, e quanto ao sueterzinho fofo de gola rolê de *cashmere* ou as botas Ugg forradas de pele de carneiro ou a edição limitada de carrinhos Bugaboo com estampa xadrez verde-limão? Todas aquelas meiazinhas que pareciam sapatos de boneca eram essenciais, assim como um minirroupão atoalhado. Ela deixaria de fora tudo que fosse funcional ou valioso — deixe que outras pessoas comprem as almofadas de amamentação Boppy ou os aquecedores de mamadeiras ou as colheres Tiffany com nome gravado. Ela se asseguraria de que o bebê de Izzie tivesse todas as coisas essenciais de Manhattan. Se não fizesse isso, quem faria? Certamente não os futuros pais desse bebê, que seguramente estariam ocupados demais fazendo os partos de *outras* pessoas para procurar as coisas mais novas, descoladas e lindas. É, realmente não havia escolha. Se algum dia tinha havido um momento de se apresentar para o serviço, era este. Ela assumiria o apelido da camiseta e seria a melhor tia que se pode imaginar. E, quem sabe? Talvez pudesse usar essas coisas para seu próprio bebê um dia; seus filhos e os de Izzie poderiam dividir roupas e brinquedos, como suas mães haviam feito a vida inteira. Eles seriam mais como irmãos do que primos! Na verdade, agora que estava pensando melhor, percebeu que Izzie poderia esperar para sincronizar seu segundo com o primeiro de Emmy, e aí elas duas estariam grávidas ao mesmo tempo. Poderiam fazer aulas de ioga pré-natal e Izzie poderia explicar o que estava acontecendo a cada passo do caminho, com aquela voz calma e profissional que usava com suas pacientes e, quando finalmente chegasse a hora de parir, elas o fariam com algumas semanas de diferença, para que cada irmã pudesse estar lá para apoiar a outra. É, com certeza era um bom plano, principalmente levando-se em conta que...

— Em? Você está bem? Diga alguma coisa! — gritou Izzie.

— Ah, Izzie, estou tão feliz por vocês dois! — Emmy falou, levantando-se. Ela abraçou sua irmã novamente e então se jogou em cima de Kevin. — Desculpe, é que eu fiquei tão chocada.

— É uma loucura, não é? — perguntou Izzie. — Nós mesmos mal nos acostumamos. Achei que não seria nada de mais, já que gravidez e bebês são, bem, são a nossa *vida*, mas é tão diferente quando acontece com você, sabe?

Bem, tecnicamente, ela *não* sabia. Se as coisas continuassem do jeito que estavam indo, poderia nunca saber. Mas também sabia que Izzie não queria dizer isso.

— De quanto tempo você está?

Izzie esticou a mão para o colo de Emmy e segurou as mãos da irmã.

— Não fique zangada, Em...

— O quê? Vai parir, tipo, no mês que vem? Você é uma daquelas aberrações que podem estar grávidas de nove meses e todo mundo só acha que comeu alguns donuts a mais? Pensando bem, eu notei que seu rosto estava um pouco mais inchado.

— Estou grávida de 13 semanas. Acabei de entrar no segundo trimestre. O bebê deve nascer em fevereiro.

Emmy concentrou-se em fazer as contas. Quatro semanas em um mês, quatro cabe em 13 mais do que três vezes...

— Você já está com mais de três *meses*? Tipo, a Katie Holmes e a Jennifer Garner não anunciaram para o *público* americano quando estavam grávidas de uns dois meses? E minha própria *irmã* espera até estar no segundo trimestre?

— Em, foi muito difícil para nós não falar nada, mas queríamos muito lhe contar pessoalmente. Eu queria que nós todos estivéssemos juntos, cara a cara, com a camiseta bonitinha... — Izzie parecia tomada de preocupação; quando as lágrimas encheram seus olhos, Emmy quis chorar também.

— Não, Izzie, não faça isso. Eu estou só brincando, juro! Adorei a forma como você me contou. Não teria sido a mesma coisa pelo telefone — ela se apressou em dizer enquanto as lágrimas corriam pelo rosto de sua irmã. Com apenas um instante de hesitação por causa de Kevin, antes de se lembrar que ele era praticamente seu irmão, Emmy arrancou o top pela cabeça e vestiu a nova camisa A MELHOR TITIA DO MUNDO. — Olhe — falou, virando-se para mostrar para Izzie, percebendo que Kevin educadamente desviara o olhar. — Eu adorei. Adorei que você vai ter um bebê! Adorei, adorei, adorei o modo como me contou. Eu te amo tanto, Izzie. Venha cá, porra, e me abrace de novo!

— Me desculpe — Izzie fungou, enxugando uma lágrima do rosto. — São os hormônios. Eu estou enlouquecida ultimamente.

— Está mesmo — Kevin concordou.

— Não esquente com isso. Vamos comemorar! Vou levá-los para jantar hoje no melhor lugar de Miami. Aonde devemos ir? Joe's Stone Crab?

Kevin tirou um cochilo antes do jantar, enquanto Emmy e Izzie passaram quase duas horas emboladas juntas, esmiuçando cada detalhe desse novo acontecimento. Sim, eles iam descobrir o sexo quisessem ou não, porque inevitavelmente iriam querer ver seu próprio ultrassom e ambos, obviamente, sabiam como lê-lo. Não, ainda não tinham conversado sobre nomes, apesar de Izzie *amar* Ezra para menino e Riley para menina. Discutiram como era fofo dar nome de menino para menina e como sua mãe ficaria irritada se o bebê não fosse batizado em homenagem a seus pais. Emmy pediu a Izzie para descrever o estágio de desenvolvimento atual do bebê, e Izzie apagou no meio da frase.

Emmy puxou um cobertor do armário do corredor e cobriu sua irmã. A pobrezinha devia estar exausta! Grávida e trabalhando turnos de 36 horas, e a emoção de contar a grande notícia para sua irmã. Enquanto se aninhava perto de Izzie e fechava os olhos, Emmy mal podia conter seus próprios pensamentos. Sim, é claro que ela estava muito feliz por Izzie ter um bebê. A pequena Isabelle, que chupou o dedo até os 11 anos e que tinha um medo mortal de aranhas e era tão inacreditável, brutal e inegavelmente desafinada que a família inteira costumava implorar para que não cantasse no chuveiro, ia ser a *mãe* de alguém. A garotinha que sempre imitara os maneirismos de Emmy e implorava para ser incluída em seus programas logo estaria dando à luz seu próprio filho. Era quase esquisito demais para compreender. E, quando vinha o pensamento — por mais passageiro que fosse — que sua irmã mais nova ia ter um bebê e ela, Emmy, não tinha nem um rapaz para quem gostasse de mandar e-mails, bem, ela o afastava imediatamente da cabeça. Não havia lugar para esse tipo de pensamento egoísta, não quando você queria apoiar sua irmã e ser a melhor tia possível. Não, ela simplesmente não ia se permitir sentir isso, ponto.

Kevin gentilmente as sacudiu para acordá-las.

— Não eram vocês que deviam *me* acordar? — perguntou, acendendo um abajur.

Izzie enterrou a cabeça debaixo do cobertor e gemeu.

— Que horas são?

— São quase 23h e não sei quanto à sua irmã, mas eu não estou nem um pouco motivado a sair para jantar agora. — Ele se abaixou e beijou Izzie na testa. — Querida? Quer vir para a cama?

— Aaarrgh — foi tudo o que Izzie conseguiu dizer.

— Idem — gemeu Emmy. Ela passava 65 horas por semana em restaurantes e abençoava a ideia de ficar em casa. Simplesmente não era relaxante entrar em um restaurante, qualquer restaurante, como cliente. Seu cérebro entrava no modo gerente e ela não podia deixar de contar a proporção funcionários-clientes, observar a eficiência do barman, determinar com que rapidez a gerência estava tentando liberar as mesas. Era mais fácil ficar em casa e saquear a geladeira. Mas aí ela se lembrou. — Aimeudeus, vocês vão ter um bebê!

Izzie riu e chutou sua irmã nas costelas.

— É, nós realmente não estávamos brincando sobre isso.

— Uma olhada nas suas bochechas de esquilo e tudo voltou à minha memória rapidinho — Emmy sorriu.

— Bruxa.

— Vaca.

Kevin ergueu as mãos, desistindo.

— Vou sair daqui. Izzie, só feche tudo quando vier para a cama, está bem?

Izzie virou-se para Emmy.

— Vai me odiar se eu for dormir agora? Eu sei que é praticamente meio-dia para você, mas a virada de ontem à noite meio que me matou.

Emmy suspirou dramaticamente e sacudiu a cabeça fingindo estar decepcionada.

— Só porque está grávida e trabalhando sem parar fazendo partos a noite toda não é desculpa, você sabe. Tudo bem, acho que vou sobreviver sozinha pelas próximas oito horas.

Izzie cutucou Emmy e a abraçou.

— Vou ser mais divertida amanhã, prometo.

Eles jogaram algumas toalhas para Emmy e desapareceram segundos depois de dizerem boa-noite, uma atitude que na verdade não desagradou Emmy. Ainda estava meio lenta por causa do cochilo, mas lembrar da gravidez de Izzie a fez ficar trêmula de nervoso. Agarrando seu celular e a última *Elle*, ela pegou o elevador para o térreo e saiu pelo saguão dos fundos para a área dramaticamente iluminada e ajardinada da piscina. A não ser por dois caras na casa dos vinte bebendo cerveja e jogando gamão em uma das mesas mais afastadas, o lugar estava abençoadamente deserto, então Emmy enrolou sua calça capri e se jogou perto da jacuzzi, suspirando enquanto mergulhava os pés na água fervendo.

Ela ligou para Leigh.

— Que bom, fico feliz em ter notícias suas — Leigh disse depois de atender no primeiro toque.

— Por quê? É uma ótima noite de sexta-feira e você está noiva de um dos caras mais gatos que eu já vi em carne e osso. Não tem coisa melhor para fazer?

— A irmã mais nova de Russell, a nadadora, veio passar o fim de semana em Nova York, então ele ficou em casa com ela hoje à noite.

— Entendi. Essa é a que você gosta, certo?

Leigh suspirou.

— Falando relativamente, é, eu acho. Ela é superdoce e simpática e extrovertida, e no geral irritantemente perfeita. É basicamente idêntica à outra.

Emmy ouviu o som familiar de Leigh pegando uma pastilha de Nicorette do pacote de alumínio e mordendo-a. Ela quase podia sentir o alívio da amiga.

— Melhor isso do que uma vaca passivo-agressiva que vai transformar sua vida num inferno. Podia ser muito pior do que ter cunhadas irritantemente simpáticas.

— Verdade. Mas preciso reclamar de alguma coisa. — Pausa, mastiga, mastiga. — O que você fez esta noite? Ah, espere, eu esqueci. Você não está na Flórida?

— Estou, sim. Isso aqui parece a África subsaariana.

— Como vai Izzie? Faz séculos que não a vejo.

— Izzie está... — Emmy pensou em como dizer a Leigh. Sabia que devia parecer mais entusiasmada — droga, ela *estava* entusiasmada —, mas algo sobre o horário avançado e a água quente, combinados com o choque de ouvir a novidade de Izzie havia exaurido Emmy. Ela estava genuinamente feliz por Izzie e encantada com a ideia de virar tia, mas não conseguia afastar a sensação de que estava prestes a chorar.

— Emmy, ela está bem? Está tudo bem?

O tom de preocupação e solidariedade na voz de Leigh acionou algo; em instantes as lágrimas estavam correndo por seu rosto.

— Emmy, sério, fale comigo. O que há com você?

— Ah, Leigh, eu sou uma pessoa horrível — ela soluçou. — Nojenta. Vil. Desprezível. Minha única irmã, minha melhor amiga na face da Terra está grávida e eu nem consigo ficar feliz por ela.

— A Izzie está *grávida*? — Leigh perguntou com sua voz séria.

Emmy assentiu e aí lembrou-se de que estava ao telefone.

— Está mesmo. Para fevereiro. Vão descobrir o sexo no mês que vem.

— Ah, Emmy. Eu quero dizer "parabéns" e "sinto muito" ao mesmo tempo, então só posso imaginar como você se sente.

— É claro que eu sabia que, em algum momento, eles iam começar uma família; só não achei que fosse ser agora. Leigh, ela é minha irmã *caçula*!

— Eu sei, eu sei — Leigh a consolou. — Só não pense nem por um segundo que está errada por sentir o que está sentindo. É claro que você está feliz por ela, mas é compreensível que tenha sentimentos conflitantes a respeito. Qualquer um teria, principalmente se levarmos em conta tudo o que aconteceu com Duncan...

Fora precisamente por isso que Emmy havia telefonado para Leigh em vez de para Adriana ou — Deus que me perdoe — sua mãe.

— Eu venho para cá e passo três horas direto falando sobre esses meus casinhos idiotas e fracassados — literalmente tagarelando sobre como não consigo dormir com estranhos — e a Izzie está começando uma família perfeita com seu marido perfeito na idade perfeita. O que há de errado comigo? — A tristeza em sua própria voz fez Emmy começar a chorar de novo. Essa autocomiseração a fazia sentir-se bem e, se ela se desse uma folga, era merecida. Havia resolvido dar apoio incondicional e ser extremamente entusiasmada na frente da Izzie, mas isso não significava que tinha que fingir para Leigh.

— Emmy, querida, não há nada de errado com você. Você e Izzie só estão em estágios diferentes agora. É só uma questão de *timing* — não tem nada a ver com aquilo que vocês são como pessoas. E é claro que eu não tenho a menor dúvida de que você vai ser uma ótima tia e irmã, mas mais do que isso, tenho certeza de que também vai encontrar um cara ótimo. Um cara *perfeito*. Está bem?

— Está bem — Emmy suspirou. Tirou os pés da Jacuzzi, enrolou as calças ainda mais para cima e os enfiou na água de novo. — Distraia-me. Conte-me o que está acontecendo com você?

Foi a vez de Leigh suspirar.

— Não muita coisa. Ah, espere, na verdade estou mentindo. Adivinhe quem conheci ontem à noite?

— Me dê uma pista.

— Adriana o escolheu como seu futuro marido.

— Você conheceu Tobias Baron? Ah, meu Deus! Conte-me tudo! Eu nem sabia que ele tinha telefonado para ela.

— Eu sei, ela está meio esquisita a respeito desse cara. Calada. Quase como se tivesse medo de estragar tudo. Acho que ele voltou para LA por algumas semanas e agora está de volta a Nova York. Eles saíram pela primeira vez na última quarta-feira e de novo comigo e com Russell ontem à noite, e escute isso: ela ainda não dormiu com ele.

Emmy engasgou.

— Não!

— Sério.

— Então, o que há de errado com ele? Adriana nunca, *jamais* saiu com um cara bem-sucedido, famoso e bonito e não dormiu com ele. E em dois encontros, nada menos do que isso. Tipo *nunca*.

— Eu sei — Leigh riu. — Acho que ela pode estar levando essa aposta de vocês duas a sério, porque não pareceu haver nada de drasticamente errado com ele. Ele foi simpático, daquele jeito bajulador de Hollywood, mas não ofensivo. Educado, encantador e definitivamente a fim dela.

— E ela?

— Ela pareceu idolatrá-lo. Fomos jantar tarde no The Harrison, e não sei bem por que nos demos ao trabalho. Os dois não conseguiam parar de se agarrar.

— Isso é sensacional — Emmy disse automaticamente, dando a resposta esperada. É claro que devia ficar feliz por sua amiga com fobia de compromisso ter achado o amor verdadeiro, assim como devia estar feliz por sua irmã ter um bebê. Mas os "devia" não estavam sendo transportados para a realidade.

— É, bem, veremos. Ela vai para LA para vê-lo na semana que vem, então provavelmente esse será o vai ou racha. Ela vai fazer merda, com certeza.

— Leigh! Isso não é muito "melhor amiga" da sua parte — Emmy fingiu estar ultrajada, mas na verdade estava encantada.

— É, bem, me mate. Nós duas conhecemos aquela garota e sabemos que ela não é esposa de *ninguém.* Não é agora e provavelmente nunca será. É bonitinho ela querer tentar, mas não estou convencida.

— É justo. Como você está? Como vai o Russell? — Emmy notou os dois caras fechando o tabuleiro de gamão e trocando aqueles tapinhas de boa noite nas costas que não encostam de verdade. O mais louro, com cabelo mais comprido e que parecia bem jovem pegou as duas garrafas vazias de cerveja e o tabuleiro e andou em direção ao saguão. O moreno, que tinha cerca de 1,80m, talvez 1,82m, e usava uma camisa de linho branco de mangas curtas andou em direção a ela.

— Ele está bem. Não tenho muitas novidades para contar. Nossas mães entraram na onda total de planejamento do casamento, mas estamos tentando nos manter fora disso.

— É obviamente uma boa opção — murmurou Emmy. Ficou irritada ao ver o cara jogar a carteira e a toalha em uma espreguiçadeira próxima e começar a tirar a camisa. Se toda a área da piscina estava deserta, por que ele tinha que ficar bem ao lado dela?

— É, não estamos tão interessados. As coisas já estão loucas o suficiente no trabalho no momento, e eu acabei de descobrir que tenho que ir a Long Island no fim de semana que vem.

— Hum — Emmy falou, sem ouvir uma palavra. O cara tirou os jeans, revelando shorts de malha azul-marinho por baixo, e Emmy ficou intrigada ao ver que, na verdade, ele parecia muito mais esguio sem roupa. Algumas pessoas poderiam até chamá-lo de magricelo, mas Emmy preferia pensar nele como flexível. Ficou imaginando se haveria problema em descrever um garoto como flexível. Ele tinha uma barriga completamente chata e um peitoral não desenvolvido, mas era atraente, no estilo John Mayer. Possivelmente até sexy, se você conseguir ignorar a camisa social de mangas curtas.

Leigh estava dizendo algo sobre os Hamptons e um novo escritor, mas Emmy não estava prestando atenção. Estava consciente demais do cara ouvindo seu lado da conversa, então falou:

— Leigh, eu vou entrar. Posso ligar daqui a alguns minutos lá de cima?

— Eu vou dormir, então vamos nos falar amanhã. O Russell está...

— Parece bom, querida. Durma bem — Emmy fechou o telefone sem esperar a resposta de Leigh.

O cara sorriu para ela — um sorriso bonito, ela decidiu, apesar de não ser espetacular — e desceu o primeiro degrau da Jacuzzi. Entrou rapidamente, parecendo nem perceber a água escaldante, e disse:

— Com saudades do namorado?

Ela podia se sentir corando, o que odiava.

— Não, não era meu namorado. Eu não tenho namorado. Era minha amiga Leigh. De Nova York.

Ele sorriu e ela quis matá-lo, e depois a si mesma. Por que ela sempre falava assim? Não era da conta dele quem era ao telefone, onde ela ia passar a noite, se tinha ou não namorado. Ela sabia que tinha problemas sérios com revelações, mas ele tinha que rir dela por causa disso?

— Ah, entendi. Como vai Leigh, de Nova York?

Emmy não sabia se ele estava zoando com ela ou perguntando seriamente, e achou isso irritante.

— Leigh, de Nova York, vai bem — falou, um pouco mais arrogante do que pretendia. E então, enquanto sacudia os dedos do pé dentro da água quente e via o rapaz observá-la, de repente não se importava mais com o que ele pensava. — Ela está tendo uma semana muito ocupada no trabalho e não parece tão entusiasmada com seu casamento futuro quanto eu acho que deveria estar. O que é estranho, porque seu noivo é fantástico. Ela acabou de me contar que nossa outra amiga está completamente apaixonada por um diretor famoso — e não, não vou lhe dizer o nome dele porque sou muito discreta —, e é tão esquisito porque Adriana não se compromete com os homens, ela os coleciona. E, para fechar a noite, acabei de descobrir que minha irmã — minha irmã *caçula* — vai ter um bebê.

— Bem, parece que você e Leigh de Nova York tiveram muito o que conversar — ele falou, parecendo divertido, mas não surpreso.

— Gostaria de partilhar comigo alguma coisa extremamente pessoal ou meio inadequada? — Emmy perguntou.

Ele deu de ombros e fez um gesto como se dissesse "eu sou isso que você está vendo".

— Na verdade, não.

— Ah, bem, isso é fascinante — *Babaca*, Emmy pensou. Não fora *ela* quem invadira o espaço pessoal de outra pessoa, interrompera um telefonema e iniciara uma conversa, fora? Emmy tirou os pés da água e começou a se levantar.

— Está bem, está bem. Meu nome é George. Estudo Direito na Universidade de Miami. O cara com quem eu estava jogando gamão é meu primo, mas é mais como um irmão. E acabou de me dizer que sua namorada tem clamídia... e não pegou dele. Vejamos, o que mais? Só entrei na UM porque meu pai mexeu os pauzinhos e ele nunca me deixa esquecer isso. E provavelmente a coisa mais idiota que já fiz foi me casar em Vegas uma noite, quando eu estava muito, muito bêbado.

Ah, assim era melhor! Ele não era nenhum Paul no quesito inteligência, mas definitivamente era divertido. Emmy riu.

— Tipo, estilo Britney.

— Tipo, totalmente estilo Britney, até a anulação. Apesar de que provavelmente foi pior, já que eu só tinha conhecido a garota na noite anterior.

— Excelente — Emmy bateu palmas e mergulhou as pernas de volta na água. — Então, diga-me, George, o que você acha de...

Ela parou no meio da frase e ficou olhando, o queixo caído de surpresa enquanto George parecia se materializar na sua frente. Antes que ela tivesse tempo de pensar ou reagir, ele escorregou seu corpo entre as pernas dela, escorou os joelhos no banco da Jacuzzi e colocou seus lábios nos dela. Surpresa demais para fazer alguma coisa, Emmy o beijou de volta. Instantaneamente, ela sentiu a descarga de excitação há muito esquecida atingi-la, a mesma que ela costumava sentir no começo com Duncan, mas que não sentira muito mais depois do primeiro ano. Não tinha acontecido com o australiano com quem ela dera uns malhos em Curaçao — uma experiência perfeitamente agradável, mas ela não se perdera o suficiente no momento para calar o constante monólogo interno. Ali, com George, sua mente ficou magicamente, abençoadamente vazia, com uma única exceção: ela tinha uma vaga noção, em algum recesso profundo de sua consciência, de que nunca fora beijada assim antes.

A delicadeza durou apenas alguns minutos, tempo bastante para Emmy se perder inteiramente, e então George a envolveu em seus braços, pressionou seu peito nu contra a camiseta dela e prendeu seu lábio de baixo com os dentes. Ele enterrou o rosto no pescoço dela e por um segundo — só um segundo — Emmy foi puxada para fora do momento e pensou, *Meu Deus, isso saiu direto de um romance ruim.* Mas, no minuto seguinte, ela se jogou de volta no prazer, toda a sutileza indo embora pelo ralo, e praticamente implorou que ele continuasse beijando a pele sensível de seu pescoço e de seus ombros. Passou as pernas em volta da cintura dele e correu os dedos por seu cabelo enquanto George ofegava, e então, sem nenhum aviso, levantava sua bunda do cimento, puxava seu corpo inteiro contra o seu e mergulhava os dois na água.

Isso, finalmente, foi suficiente para despertar Emmy de seu estado sonhador.

— George! Ah, meu Deus. Eu estou totalmente vestida. O que você está fazendo?

Ele respondeu pressionando sua boca contra a dela. Ela continuou protestando até ele fazer aquele negócio com seu lábio de baixo novamente. Toda a umidade de suas bocas e a fumaça que subia e a sensação única da água quente encharcando suas roupas fizeram Emmy sentir como se estivesse derretendo. Flutuando. Motivo pelo qual percebeu quando George puxou sua camiseta ensopada por cima da cabeça — estava, afinal, pesada pela água absorvida —, mas não processou completamente o acontecimento. Esta noite, como sempre, ela estava sem sutiã, a única vantagem de não ter peitos, então ambos sentiram a gratificação imediata de pele contra pele e foi esse momento de contato intenso que fez Emmy imaginar por que diabos nunca se sentira assim antes. Se não fosse tão absolutamente fabuloso, ela teria se sentido humilhada por ter 30 anos de idade e não entender realmente qual era a grande comoção. Não que não tivesse sido nada menos do que perfeitamente prazeroso com seus três namorados anteriores, mas *isso*? Quem precisava de prazeroso quando havia *isso*?

Daquele momento em diante, George deixou de existir como uma pessoa separada ou, na verdade, como qualquer pessoa. Ele não era um estudante de Direito ou o cara jogando gamão ou um estranho que ela conhecera minutos antes; ele era só o corpo do qual ela queria desesperadamente ficar perto. Pareceu a coisa mais natural do mundo quando ele removeu habilmente suas calças capri e o fio-dental de algodão, e deixou que flutuassem para longe, e então, usando apenas uma das mãos enquanto a outra mantinha a cabeça dela em seus lábios, tirou seus próprios shorts. Ele a impeliu para fora da água e a deitou gentilmente no chão. A superfície e o ar frio foram um alívio daquele calor todo. Emmy esqueceu que estava completamente nua na presença de um completo estranho e às vistas de sabe lá Deus quantos apartamentos; não se preocupou nem por um segundo quanto ao estado de sua virilha (só minimamente aceitável), o jeito como seu rosto corava quando ela ficava excitada (uma cor vinho-escuro) ou como seus seios pareciam (muito) uma tábua quando ela se deitava de costas. Não pensou em absolutamente nada a não ser no quanto ela o queria e, sentindo-o contra suas coxas, tentou todas as maneiras possíveis para chegar mais perto, mas ele parecia gostar de provocá-la. Só depois do que pareceu uma quantidade interminável de beijos e amassos foi que uma camisinha se materializou do bolso dos shorts dele e George entrou nela, e Emmy soube, naquele momento, que não podia mais viver sem aquilo.

cheio de confiança arrogante e sorrisos fatais

Adriana sempre ficava perplexa com por que as pessoas odiavam tanto voar. Sério, o que havia de tão horrível em algumas horas gastas enrolada debaixo de um cobertor de cashmere, bebendo champanhe e vendo filmes? A comida era horrorosa, é claro, até na primeira classe, mas quando você vinha equipada (barras de Zone, uma salada de frutas Whole Foods e um spray Evian), na verdade podia ser bastante agradável. Principalmente quando, como hoje, seu companheiro de assento era um ator lindo, famoso e descompromissado. Tudo bem, um ator de TV, mas ainda assim um astro no programa do horário nobre mais popular da NBC, um programa ao qual até Adriana assistia. Ele acabara de passar por um rompimento muito público com uma estrela vulgar de novela vespertina, que tinha 21 anos e um corpaço. Adriana acompanhara todo o caso espalhafatoso na *US Weekly*, até mesmo a publicação das mensagens furiosas pelo BlackBerry que haviam trocado uma noite, de lados opostos do país, e estava convencida de que ele podia arrumar coisa melhor. Ela já pensava assim antes, mas agora, dando uma espiadela em seu lindo perfil e seus bíceps esculpidos, tinha praticamente certeza.

Era uma pena que *ela* estivesse comprometida, Adriana pensou com um suspiro audível. Isso fez com que seu companheiro de assento olhasse para cima, um gesto que Adriana ignorou conscientemente. Deus sabe que não havia uma espécie mais desafiadora do que os artistas de ego inflado — Adriana saíra com atores, músicos, comediantes e atletas profissionais suficientes para se considerar uma autoridade —, e qualquer garota que valesse suas La Perlas sabia que eles só reagiam a uma coisa: um desafio. Eram mais como crianças do que pessoas de verdade, Adriana sempre dissera; então fazia sentido que a única coisa que desejassem desesperadamente fosse o que não podiam ter — motivo pelo qual Adriana fingiu que ele não existia.

Ela o reconheceu imediatamente quando ele tomou o assento do corredor, ao lado dela, mas dera apenas um "hum" quando ele educadamente disse oi. Preenchendo o tempo entre o embarque e a decolagem com o máximo de telefonemas tagarelas e animados possível, e ligando o iPod assim que os aparelhos eletrônicos foram permitidos — antes que *ele* pudesse tomar a decisão de bloqueá-*la* —, Adriana achava que tinha feito um trabalho decente até agora. E, quando a animada comissária de bordo perguntou se ela gostaria de uma bebida, uma pergunta que o sr. Ator de TV repetiu para Adriana, ela sorriu apenas para a comissária, pediu mais champanhe e mais uma vez botou os fones de ouvido.

Minutos depois, ele puxou um roteiro e fez um estardalhaço para mostrar a capa do CAA. Começou a ler, apesar de Adriana ter a sensação de que estava folheando as páginas só para aparecer. Para ela, naturalmente — devia ficar impressionada. Ela revirou os olhos e se permitiu sorrir, um gesto que ele aproveitou imediatamente. Adriana não estava nem um pouco surpresa. Ele estava, afinal de contas, só *esperando* uma desculpa para conversar com ela.

— Está ouvindo alguma coisa engraçada? — ele perguntou, dando um sorriso também bastante decente.

Adriana na verdade não estava ouvindo nada. Os fones de ouvido eram só um acessório, algo que indicava seu desinteresse em conversar e, como ela havia previsto, tinham feito o trabalho à perfeição.

Ela olhou para ele, esperou um momento e puxou lentamente o fone esquerdo do ouvido.

— Perdão? — perguntou com os olhos arregalados. — Você disse alguma coisa?

— Só estava imaginando se estava ouvindo algo engraçado. Você estava rindo...

Adriana esperou alguns segundos a mais do que o necessário para deixá-lo confuso, e então se apresentou para salvá-lo.

— Ah, estava? Não, estava só me lembrando de algo muito engraçado.

Vago. Sugestivo. Misterioso. A especialidade de Adriana.

Ele sorriu. Deus, ele *era* lindo.

— Bem, eu adoraria ouvir a respeito. Temos tempo de sobra — ele falou, esticando os braços. — Quatro horas e meia, para ser exato.

— Vou deixar para outra hora — disse Adriana. Lentamente, ela enfiou um cacho solto atrás da orelha, assegurando-se de que ele visse bem suas mãos delicadas e femininas, com seus dedos elegantemente longos e unhas pintadas de rosa-claro e pele impecável, e então ofereceu uma a ele. — Adriana — falou, dando a seu nome uma inflexão brasileira extra.

— Dean — ele falou, engolindo a mão dela com a sua. É claro que ela já sabia disso, mas não deu sinais de reconhecimento.

— Então, Dean, o que o leva a LA hoje? — perguntou inocentemente.

— Apenas algumas reuniões. Com uns diretores e gente do estúdio, esse tipo de coisa.

— Ah, você é um aspirante a ator! Eu não fazia ideia. — Ela estava forçando a barra agora, mas era necessário. É claro que nenhum aspirante a ator voaria de primeira classe, mas ele ficara muito famoso rápido demais; se ela cedesse um milímetro que fosse, seu ego esmagaria os dois. Além disso, só uma ponta de reconhecimento da parte dela a rebaixaria instantaneamente de uma brasileira nova-iorquina sexy e sofisticada para uma fã deslumbrada e bajuladora, e Adriana preferia morrer a deixar que *isso* acontecesse.

— Ah, não, na verdade, eu...

— Bem, boa sorte no seu teste! Está nervoso?

Ele franziu a testa.

— Não é um teste. Na verdade, eu já...

— Dean? — Adriana interrompeu docemente. — Incomoda-se de chamar a comissária para mim? Eu simplesmente adoraria outra taça de espumante.

Ele suspirou, fez um sinal para a comissária e pediu um Jack com soda além do champanhe de Adriana.

— Você mora em LA? — perguntou, agora mais ansioso para continuar a conversa, a fim de corrigir o engano dela.

— Eu? Em Los Angeles? Nunca — Adriana riu. — Só vou passar um fim de semana com um amigo. — Com certeza não era da conta dele que o "amigo" dela na verdade fosse seu namorado, ninguém menos do que Tobias Baron, um nome que provavelmente deixaria o pobre Dean louco. — Nada tão emocionante quanto um teste de verdade! É para a TV ou para um filme?

A expressão dele indicava derrota. Para corrigir o que ela presumira, ele basicamente teria que anunciar quem era — algo que seu ego nunca permitiria. Ela o tinha conquistado naquele momento, estava segura. Tão segura que começou a contar. *Cinco, quatro, três, dois, um e...*

— Diga, Adriana, por que não me deixa levá-la para jantar? Você e seu amigo, se quiser. LA não é tão ruim... se você souber aonde ir.

Bingo. Ela ainda tinha a manha. Podia estar beirando os 30, mas ainda conseguia que qualquer homem — bem, quase qualquer homem, mas isso provavelmente era culpa do Yani, não dela — a convidasse para sair em 10 minutos ou menos. Seu trabalho estava terminado.

— Ah, eu queria *tanto* poder, Dean, mas estou com a agenda cheia este fim de semana. — Era preciso um esforço sobre-humano para dizer as palavras, mas ela *estava* em um relacionamento monogâmico. Na semana anterior, Toby anunciara que não estava mais saindo com outras pessoas e que esperava que Adriana também não saísse. Seu primeiro namorado sério — e perfeito para marido, ainda por cima. Educado em todas as escolas certas da Costa Leste, fizera um nome (e milhões) sozinho, com grandes sucessos, assim que saíra da faculdade de cinema na USC, e era atualmente um dos diretores mais procurados de Hollywood. Ela sentia um grande prazer em imaginar o choque de suas amigas quando, apenas alguns meses mais para a frente, ela anunciasse seu noivado. E sua mãe! A mulher iria desmaiar, Adriana tinha certeza. Só esses pensamentos lhe deram forças para rejeitar aquela delícia de homem sentado a seu lado.

— Bem, acho que vamos ter que fazer isso em Nova York, então — Dean falou, cheio de confiança arrogante e sorrisos fatais.

— Acho que sim — Adriana retrucou sem um segundo de hesitação. *O que uma garota pode fazer?*, perguntou a si mesma. Uma refeição era só uma refeição, e ninguém podia dizer que ela não tinha sido a namorada perfeita até agora. Ele era tão lindo.

Conversaram durante o resto do voo e, quando finalmente desembarcaram, Adriana sabia exatamente o que faria com ele na cama. Só no último segundo possível, lembrou-se de que devia se encontrar com Toby na esteira de bagagens.

— Dean, *querido*, eu vou me refrescar um pouco. Tenho que me despedir agora.

— Eu espero. Tenho um carro que vem me pegar, então eu a deixo na casa de seu amigo — ele falou, parando do lado de fora do banheiro feminino.

— Não, meu bem, mas obrigada. Pode ir. — Ela baixou os cílios e olhou para cima através dos olhos semicerrados. — Prefiro que a gente espere por Nova York.

— Vou adorar — disse ele, beijando seu rosto. — Eu ligo para você.

— Faça isso — ela ronronou.

Adriana se enfiou no banheiro e matou cinco minutos refazendo a maquiagem, e dirigiu-se confiantemente até a esteira de bagagens para encontrar seu *namorado*. Não ficou chateada por encontrar um motorista uniformizado segurando uma placa com seu nome em vez de um Toby sorridente. Teriam o fim de semana todo juntos, afinal de contas, e ela podia tirar uma folguinha dos flertes, joguinhos, e ser absolutamente maravilhosa. O motorista colocou seu baú Goyard em um carrinho de bagagem — malas com rodinhas eram *tão* burguesas — e lhe entregou um envelope com a logo da Twentieth Century Fox no canto esquerdo.

— O sr. Baron pede desculpas por não ter sido capaz de encontrá-la — disse o motorista, guiando-a para o estacionamento.

— Ah, está tudo bem — Adriana disse alegremente. — Vou só tirar um cochilo no carro, se não se incomodar.

Uma vez instalada no luxuoso banco de trás de um carrão último tipo, no entanto, Adriana descobriu que estava excitada demais para dormir. Dois meses e meio e ela finalmente ia conhecer a lendária mansão de Toby em Hollywood Hills. Leu e releu a carta dele (*Querida Adriana, eu sinto tanto não tê-la encontrado no aeroporto, mas surgiu algo inesperado no último minuto. Prometo compensá-la. Com amor, T.*), percebeu o uso de *amor* — provavelmente só uma afetação de Hollywood, ela pensou, já que não tinha como ele amá-la a essa altura... tinha? — e suspirou com prazer. Esse negócio de monogamia era moleza. Por que diabos ela resistira tanto tempo? Podia não ser tão emocionante quanto sair com meia dúzia de homens ao mesmo tempo, mas certamente era menos exaustivo. Além disso, por mais que ela odiasse admitir, sua mãe estava certa. Hoje de manhã mesmo, no avião, ela percebeu que suas coxas se espalhavam um pouquinho mais no assento de couro. Quando correu para o banheiro para investigar, percebeu uma linhazinha minúscula perto de seu olho esquerdo — uma ruga. Ao inferno com aquelas luzes fluorescentes horrorosas e aquelas ditas precauções de segurança que impediam que uma garota levasse produtos adequados de cuidados para a pele a bordo! Alguns centímetros a mais de espalhamento de coxa ou — Deus perdoe — um pé de galinha evidente, e ela não iria conquistar diretores bem-sucedidos ou atores gostosos. Estava na hora de falar sério e encontrar alguém para cuidar adequadamente dela, e Adriana estava extremamente satisfeita com seu progresso até agora. Com 12 anos a mais do que ela (e um pouquinho idiota, ela tinha que admitir), Toby tinha muita sorte em ter alguém tão jovem e linda quanto Adriana e, felizmente, ele parecia saber disso.

Como se aproveitando a deixa, o nome de Toby apareceu na tela de seu celular. Ela esperou que ele tocasse três vezes inteiras e então atendeu.

— William? — perguntou com um tom confuso.

— Adriana? É você? — o pobre Toby parecia desconcertado e um pouco indignado.

— Ah, *Toby, querido*! Como você está, meu amor? Que bilhete lindo você escreveu!

— Quem é William? — ele perguntou, asperamente.

— William quem, amor? — ela suspirou para si mesma. A farsa toda era cansativa, mas necessária.

— Você achou que eu era alguém chamado William. Quando atendeu, você falou "William". Vou perguntar de novo: quem é William?

— Toby, amor, só cometi um errinho idiota! Você sabe como às vezes eu sou esquecida. Nem conheço alguém chamado William, juro — Adriana baixou a voz e passou direto de colegial doce para sedutora sexy. — Agora, diga-me: está louco para me ver? Porque eu estou *doida* para vê-lo.

— Mal posso esperar para botar as mãos em você — ele ofegou ao telefone.

Os homens eram tão fáceis de manipular que era quase um crime. Como podia haver tantas mulheres que não entendiam que, com um mínimo de disciplina e um pouco de criatividade, podiam ter qualquer homem que desejassem?

A outra linha tocou enquanto o motorista entrava na 405 e Adriana disse:

— Toby, eu preciso atender. Vai me encontrar no hotel quando estiver liberado?

— É o William? — ele perguntou, ciumento.

— Não, meu bem, sinto dizer que não é nada tão emocionante quanto um amante secreto. Na verdade, é minha mãe ligando.

— Então você admite que *há* um amante secreto?

Ela riu alegremente e decidiu dar uma folga para o pobre homem; além do mais, nem era mais um desafio.

— Não há nenhum amante secreto. Só uma mãe brasileira de cinquenta e poucos anos que quer me dizer as várias maneiras como eu fui uma péssima filha ultimamente.

— Eu a vejo daqui a pouco — ele disse asperamente e desligou.

Adriana respirou fundo e apertou o botão.

— Mamãe! Que bom que você ligou.

— Diga-me, Adi, por onde você anda esses dias?

— No sentido figurado ou no literal?

— Adriana, não estou com disposição para joguinhos.

— Há algo errado? — ela perguntou, preocupada não que seu pai tivesse tido um ataque cardíaco ou um de seus milhares de primos tivesse morrido subitamente, mas que seus pais estivessem pensando em uma longa visita a Nova York.

— Acabei de falar ao telefone com Gerard. Ele disse que você saiu hoje de manhã com uma mala do tamanho de um Land Rover.

— Você ligou para o meu porteiro para me espionar? — Adriana gritou, esquecendo que o motorista do Toby podia ouvir cada palavra. — Como ousa?

— Eu liguei para o *meu* porteiro — a sra. de Souza mandou de volta. — Adriana, achei que tínhamos acabado de discutir isso. Seu pai não gostou da conta do seu American Express no mês passado. Foram, eu me lembro, dez mil em roupas e sapatos e mais dez em viagens e diversão. Ele mandou você reduzir significativamente todas as despesas fúteis, e agora você está voando por aí novamente.

— Mamãe! Eu não estou "voando por aí". Por acaso estou em Los Angeles — ela baixou a voz e cobriu a boca com a mão. — Estou saindo com um homem. Um homem *muito* qualificado — baixou ainda mais a voz, sussurrando. — Isso não é uma despesa, é um investimento.

Bem, isso pareceu acalmar a velha. Adriana achava humilhante viver à mercê de seus pais, já que o apartamento era deles. Eles podiam chegar a qualquer hora, sem aviso, e ficar o tempo que quisessem. Podiam questionar cada dólar que ela gastava em roupas ou tratamentos faciais ou passagens de avião só porque estavam pagando as contas. E agora, como uma mulher de 30 anos de idade, ela estava sendo forçada a justificar Toby. Ficava feliz por não haver mais ninguém ali para testemunhar isso.

— É mesmo? — sua mãe perguntou. — E quem, se posso perguntar, é esse cavalheiro?

— Ah, só um diretor de cinema. Conhece Toby Baron, não?

Adriana ouviu a mãe engasgar e quase delirou de prazer.

— Tobias Baron? Ele não ganhou um Oscar?

— Com certeza. E foi indicado a mais dois. É, ele provavelmente é um dos três diretores vivos mais influentes hoje — Adriana disse com orgulho.

— Qual é a sua relação com o sr. Baron?

— Ah, ele é meu namorado. — Por mais que se esforçasse, ela não conseguia esconder a alegria em sua voz.

— Namorado? Adi, *querida*, você não tem um namorado desde a sétima série. Está querendo me dizer que está saindo só com ele?

— É exatamente o que estou lhe dizendo, mamãe. Na verdade, esta visita foi ideia dele. Ele disse que era estranho não me ter como parte de sua vida em Los Angeles, eu não conhecer seus amigos e não saber como é a sua casa. — Mais uma vez ela baixou a voz e afundou a cabeça atrás do assento do motorista. — A qual, por falar nisso, ouvi dizer que é incrível.

Verdade seja dita, ela tinha feito mais do que ouvir: em suas muitas horas gastas pesquisando Toby online, ela encontrara um artigo na *InStyle* que continha mais ou menos uma dúzia de fotos do interior de seu esconderijo de solteiro. Adriana já sabia que ele preferia um visual minimalista moderno para sua casa de quatro quartos e cinco banheiros; que a casa era no estilo balinês com duchas e jardins internos/externos, mais pavilhões separados para comer, estar e dormir; que, para melhorar, havia uma piscina infinita linda de morrer que parecia continuar até, bem, o infinito por cima do vale. Ela havia decidido sem ver que, com apenas alguns pequenos ajustes (com certeza o quarto principal precisaria de uma penteadeira embutida e a instalação imediata de closets California adequados), ela seria muito, muito feliz vivendo ali.

— Bem, *querida*, estamos dispostos a relevar desta vez. Mas, por favor, demonstre um pouco de comedimento no futuro. Não preciso lhe dizer que seu pai tem estado sob muita pressão ultimamente.

— Eu sei, mamãe.

— E comporte-se com o sr. Baron — advertiu. — Não se esqueça de tudo o que eu lhe ensinei.

— Mamãe! É claro que não vou esquecer.

— No mínimo, as regras se tornam ainda mais importantes com homens ricos e poderosos. Eles são os mais acostumados a ter mulheres caindo a seus pés e, portanto, admiram mais quando encontram alguém que se recuse a fazer isso.

— Eu sei, mamãe.

— Mantenha o seu mistério, Adriana! Eu sei que vocês vão para a cama com os homens muito mais rápido agora do que fazíamos na minha época, mas isso faz com que seja ainda mais importante permanecer um pouco inalcançável em outras áreas. Você entendeu?

— Sim, mamãe. Entendi perfeitamente.

— Porque você não está estabelecendo um bom precedente atravessando o país para ver um homem.

— Mamãe! Estava na hora. Ele já foi quatro vezes a Nova York me ver. — Ela podia estar exagerando um pouquinho, mas sua mãe não precisava saber disso.

— E você vai ficar num hotel, eu espero?

— É claro. Apesar de que seria muito mais barato ficar na casa dele...

Só a sugestão disso levou sua mãe ao pânico.

— Adriana! Você é mais esperta do que isso! É claro que seu pai e eu gostaríamos que você mostrasse um pouco mais de sensibilidade financeira, mas essa área em especial não é negociável.

— Eu estava *brincando*, mamãe. Tenho uma suíte reservada no Peninsula e pretendo usá-la.

— E lembre-se: nada de passar a noite! Se você tiver definitivamente que ter intimidade com ele, então pelo menos tenha o bom-senso de ir embora depois.

— Sim, mamãe — Adriana sorriu para si mesma. A maioria das mães advertia sua filhas contra sexo casual por medo de uma doença em potencial, desrespeito ou reputação. A sra. de Souza não tinha nenhuma dessas preocupações; ela só temia que um passo em falso danificasse irreparavelmente o equilíbrio de poder da relação e tornasse o objetivo final — o pronto noivado de Adriana com um homem adequado — ainda mais difícil de alcançar.

— Bem, está bem, querida, fico feliz por termos tido esta conversa. Ele parece muito promissor. Certamente muito melhor do que os homens com quem você normalmente sai...

— Eu ligo quando estiver de volta a Nova York no domingo, está bem?

Sua mãe fez um som de *tsc-tsc* e disse:

— Deixe-me ver aqui... Estou só verificando minha agenda. Ah, sim, estaremos em Dubai. O celular deve funcionar, mas é sempre melhor ligar para o apartamento. Tem o número?

— Tenho. Eu ligo para lá. Deseje-me sorte!

— Você não precisa de sorte, *querida*. É uma garota absolutamente deslumbrante que qualquer homem — o sr. Tobias Baron seguramente incluído — ficaria encantado em ter. Só se lembre das suas responsabilidades, Adriana.

Elas mandaram beijos e desligaram. Adriana olhou para o motorista para ver o quanto ele poderia ter ouvido, mas ele estava falando baixinho em seu fone de ouvido Bluetooth. Não havia como negar que sua mãe era exaustiva e, a julgar pelas histórias de Leigh e Emmy, bem diferente da maioria das mães, mas era difícil desprezar suas realizações. A sra. de Souza transformara uma carreira de modelo fenomenalmente bem-sucedida em uma vida de luxo e lazer, tudo fornecido por um homem gentil e trabalhador que adorava o chão que ela pisava. Um complexo em São Paulo, uma mansão de frente para o mar em Portugal e apartamentos lindos tanto em Nova York quanto Dubai... bem, isso não era para se menosprezar. As peles e as joias, carros e empregados também não eram nada maus, e naturalmente a sra. de Souza fazia muito bom uso de seus gastos ilimitados e não questionados (uma cláusula na qual ela insistira antes da cerimônia de casamento). Podia ser cansativo aguentar as intermináveis "lições" de sua mãe, mas Adriana não questionava a autoridade da mulher em todos os assuntos relacionados aos homens.

Adriana olhou pela janela enquanto eles saíam da 405 em Wilshire e serpenteavam pela Westwood e então pela alameda Synagogue. Fazia alguns anos que Adriana estivera em LA, mas ela tinha bastante certeza de que o motorista perdera a saída para seu hotel.

— Senhor? Com licença, acho que acabamos de passar pelo Peninsula. Aquele não era o Santa Mônica Boulevard?

Ele tossiu e olhou para ela pelo retrovisor.

— O sr. Baron nos redirecionou para outro local, senhora.

— Ah, é mesmo? Bem, sinto, mas preciso passar por cima dele. Eu gostaria de ir para o meu hotel primeiro, por favor.

Por mais ansiosa que estivesse para ver a casa palaciana de Toby, ou seja, seu futuro lar, ela precisava desesperadamente cuidar de seu cabelo lambido-pela-umidade e sua aparência pálida de viagem. Ainda por cima, tinha que lidar com toda essa história de "senhora".

Para seu grande desgosto, e então choque, o motorista a ignorou e continuou dirigindo. Ela estava sendo sequestrada? O motorista era algum tarado que perdera a cabeça no segundo em que uma garota bonita sentara no banco de trás? Ela devia ligar para Toby? Para sua mãe? Para a polícia?

— Me desculpe, senhora. É só que...

— Pode por favor não me chamar de "senhora"? — Adriana cortou, todos os pensamentos de morte iminente desaparecendo.

O motorista pareceu devidamente constrangido.

— É claro. *Senhorita*. Eu só estava dizendo que acho que vai gostar de aonde estamos indo.

— Estamos indo para o centro de cabala da Madonna? — ela perguntou cheia de esperanças.

— Não, senhora. Hum, senhorita.

— Para o centro de cientologia do Tom?

— Temo que não. — Ele entrou com o carro à esquerda, uma entrada à esquerda linda, mágica e bem-vinda... em Rodeo Drive.

— Para a penitenciária da Paris? — Era fácil brincar agora que estavam num lugar tão encantador.

O motorista encostou num meio-fio com uma placa de NÃO ESTACIONAR, desligou o carro e buscou Adriana. Ofereceu o braço e disse:

— Se quiser me acompanhar...

Ele a guiou por uma Bebe (na Rodeo!) e ela entrou em pânico por um momento, até que viu a placa. Adriana teve que se lembrar de respirar. Queria cantar e chorar e gritar, tudo ao mesmo tempo. *Aimeudeus, aimeudeus, aimeudeus*, pensou, forçando-se a dar golinhos de ar. Não podia ser. Podia? Um exame rápido da vitrine deslumbrante confirmou que era verdade: haviam acabado de entrar nos sagrados salões do Magnífico Adornador do Oscar, o guru em pessoa: Harry Winston.

— Minha Nossa — ela engasgou audivelmente, esquecendo-se momentaneamente que tanto o motorista quanto uma vendedora com cara de arrogante a observavam intensamente.

— É, pode ser impactante. — A vendedora falou, balançando a cabeça com uma compreensão fingida. — É sua primeira vez?

Adriana se controlou. Nem morta ela permitiria que essa mulher a paternalizasse. Deu seu sorriso mais brilhante e esticou a mão para tocar no braço da mulher.

— Primeira vez? — Adriana perguntou com um risinho divertido. — Quem me dera. Só fiquei meio surpresa, já que eu pensava que estávamos indo para a Bulgari.

— Ah — a mulher murmurou, claramente sem acreditar em uma palavra. — Bem, acho que você vai ter que se contentar com isto aqui hoje, não é?

Normalmente seria necessário cada grama da força de vontade da parte de Adriana para se controlar e não dizer algo cruel, mas algo no brilho que a cercava parecia tirar toda a sua vontade de brigar. Em vez disso, ela sorriu.

— Na verdade, não sei bem o que estou fazendo aqui...

A mulher devia ter quarenta e muitos anos e até Adriana tinha que admitir que ela era bem bonita para sua idade. Seu terno azul-marinho era feminino, profissional e lhe caía bem, e sua maquiagem fora aplicada com talento. Ela esticou a mão em direção à pequena área com cadeiras e fez sinal para que Adriana se sentasse.

O motorista saiu discretamente enquanto Adriana se acomodava em um divã antigo de veludo. Era bem acolchoado e convidativo em todo seu luxo, mas ela só conseguia se empoleirar cuidadosamente em uma ponta se não quisesse cair para trás. Uma mulher acima do peso em um uniforme antigo de empregada colocou uma bandeja de chá e biscoitos na mesa.

— Obrigada, Ama — a vendedora disse sem olhar.

— *Gracias*, Ama — Adriana acrescentou. — *Me gustan sus aretes. ¿Son de aquí?* — Gostei dos seus brincos. Eles são daqui?

A empregada corou, não acostumada a ser interpelada por clientes.

— *Sí, señora, son de aquí. El señor Winston me los dió como regalo de boda hace casi veinte años.* — Sim, senhorita, são daqui. O sr. Winston me deu como presente de casamento há quase vinte anos.

— *Muy lindos* — Adriana assentiu com aprovação enquanto Ama corava novamente e desaparecia atrás de uma pesada cortina de veludo.

— Como fala espanhol tão fluentemente? — a vendedora perguntou mais por educação do que por curiosidade genuína.

— Português é minha língua pátria, mas aprendemos espanhol também. São línguas irmãs — Adriana explicou com paciência, apesar de mal conseguir conter sua emoção.

— Ah, que interessante.

Não, não é, Adriana pensou, imaginando se estaria prestes a estabelecer algum tipo de recorde de tempo para fazer um homem pedir sua mão. Toby não podia realmente estar prestes a pedi-la... podia? Não, era ridículo; eles só tinham se conhecido no começo do verão. Era muito mais provável que ele tivesse começado a se sentir um pouco ansioso a respeito do seu "amante secreto" imaginário e decidido — corretamente, é claro — que uma joia poderia virar o pêndulo a seu favor.

— Está surpreendentemente frio hoje, não é? — a mulher estava dizendo.

— Hum. — *Chega de papo furado!*, Adriana queria gritar. *Eu. Quero. Meu. Presente!*

— Bem, querida, provavelmente está se perguntando por que está aqui — ela falou.

O eufemismo do século, Adriana pensou.

— O sr. Baron me pediu para presenteá-la com — como se seguindo a deixa, um senhor de uns 60 anos, de terno e colete, com uma lupa de joalheiro em torno do pescoço, apareceu e entregou à vendedora uma bandejinha forrada de veludo, que ela mostrou a Adriana — isso.

Arrumado perfeitamente no veludo negro estava o par de brincos mais lindos que Adriana jamais vira. Mais do que lindos, na verdade — absolutamente deslumbrantes. A vendedora tocou cuidadosamente em um deles com uma unha bem-feita e disse:

— Uma graça, não é?

Adriana soltou o ar pela primeira vez em mais de um minuto.

— São magníficos. Gotas de safira, iguais aos que Salma Hayek usou no Oscar — falou arfando.

A cabeça da mulher se ergueu num estalo e ela olhou para Adriana.

— Ora, ora, você conhece mesmo suas joias, não é?

— Na verdade, não — Adriana disse, rindo. — Mas conheço *suas* joias.

Era impressionante — não, era totalmente inacreditável — que Toby tivesse se lembrado que ela admirara os brincos de Salma no Oscar, em uma revista antiga. Só isso já era incrível o suficiente, mas o fato de ele ter guardado a foto e encontrado um par idêntico, dois meses depois do ocorrido era quase incompreensível.

— Bem, na verdade, esse são *exatamente* os mesmos que a srta. Hayek usou no Oscar. Foram emprestados a ela e recebemos muitos pedidos por eles desde então. No entanto — ela fez uma pausa para dar um efeito dramático —, agora pertencem a você.

— Ahhhhh — Adriana respirou, perdendo momentaneamente o controle mais uma vez e se atrapalhando para experimentá-los.

Quinze minutos depois, com os brincos de gotas de safira dignos de uma celebridade firmemente no lugar e uma garrafa de Evian na mão, Adriana pulou para o banco de trás do carro. Estava satisfeita consigo mesma, não só por sua nova aquisição, mas pelo que ela representava: um namorado firme e comprometido que a adorava e a enchia de amor e carinho (e Harry Winston). Ela finalmente entendia por que todas as outras garotas ansiavam tanto por esse tipo de estabilidade. Quem precisava de centenas de homens e todas as dores de cabeça que vinham junto com eles quando se podia encontrar um só que tivesse tudo? Claro, Dean, o ator de TV, era uma delícia, não havia como negar, mas o quão delicioso ele seria quando não tivesse trabalhado em cinco anos e estivesse morando em algum dormitório para atores em West Hollywood? Não havia como negar que ela gostara muito do cirurgião do Greenwich e do espião israelense e do garoto de fraternidade de Dartmouth. Saboreara cada um deles e, verdade seja dita, inúmeros outros. Mas isso fora antes, quando ela era só uma criança, não uma mulher adulta com desejos de mulher adulta. Adriana passou os dedos nas pedras azuis penduradas e sorriu para si mesma. Este seria o fim de semana perfeito, ela tinha certeza.

— Você não ganha o bastante para fazer visitas domiciliares — Russell murmurou enquanto acariciava as costas de Leigh suavemente, só com a ponta dos dedos.

— Nem me diga — disse ela, rezando para que ele não parasse. Ela se aninhou mais perto de seu peito largo, quente e praticamente sem pelos, e enterrou a cabeça em sua axila. Sempre adorara seus abraços e mesmo agora eles a encorajavam; podia não querer transar com Russell, mas pelo menos não sentia repulsa por seu toque. Leigh lembrava-se de Emmy passando por isso com Mark, o namorado antes de Duncan. Ela alegava que o sexo nunca fora sensacional, nem mesmo no começo, mas as coisas foram ficando piores — grande parte na cabeça de Emmy, ela admitia —, até que ela se encolhia de nojo toda vez que ele tentava tocá-la. A história sempre assombrara Leigh, alguém que entendia perfeitamente qual era a sensação de se encolher para longe do beijo de um namorado, mas era exatamente por isso que achava essas sessões de ficar agarradinho tão tranquilizadoras.

Ela não ia *querer* ficar nua na cama com o Russell, dormir de conchinha e apreciar seu toque se houvesse algo errado... ia? Não, era um sinal claro de que tudo estava como devia estar. Que mulher não tinha mudanças no desejo sexual às vezes? De acordo com a matéria no *Harper's Bazzar* que lera no salão de manicure na semana anterior, a libido de uma mulher era uma coisa tênue, afetada pelo estresse, padrões de sono, hormônios e cerca de um milhão de outros fatores que ela não podia controlar. Com um pouco de tempo e muita paciência — algo que Russell mostrara ter aos montes até muito recentemente —, *Bazaar* jurava que a maioria das mulheres retornaria ao normal. Ela simplesmente iria esperar.

— Então, como ele é? — perguntou Russell. — É realmente tão maluco quanto todo mundo acha?

Leigh ficou imaginando quando Russell tinha procurado Jesse no Google.

— Como assim? Ele parece um... sei lá, um *escritor.* Eles são todos malucos.

Russell rolou e ficou de costas e passou o braço por cima dos olhos para bloquear o sol do início da manhã que entrava pelos lados da cortina da janela.

— É, mas ele vendeu cinco milhões de cópias e ganhou o Pulitzer e aí desapareceu. Durante *seis* anos. Foi realmente um problema com drogas? Ou ele simplesmente pirou?

— Não faço ideia. Só almoçamos uma vez; ele não chegou exatamente a me fazer confidências — Leigh tentou conter a exasperação na voz, mas não era fácil. — Olhe, eu também não estou morrendo de vontade de ir para lá.

O que não deixava de ser verdade. Havia coisas que Leigh definitivamente preferiria fazer com dois dias fora do escritório a dirigir até os Hamptons logo antes do fim de semana do Dia do Trabalho.

— Eu sei, querida. Só não deixe ele ficar dando ordens em você, está bem? Ele pode pensar que é o mandachuva, mas *você* ainda é a editora *dele*. Você é quem manda, certo?

— Certo — ela disse automaticamente, apesar de estar realmente pensando no quanto a irritava quando Russell falava igual a seu pai. O sr. Eisner dissera essas exatas palavras para ela na noite anterior, no que provavelmente pretendia ser um estímulo útil, mas que para Leigh soara mais como um sermão condescendente do profissional perfeito para a amadora agitada.

Russell beijou sua testa, vestiu uma cueca samba-canção e caminhou para o banheiro. Depois de ligar o chuveiro na água mais quente, dirigiu-se para a cozinha, fechando a porta do banheiro atrás de si. Lá, ele esperou o banheiro ficar quente e enfumaçado — do jeito que gostava — enquanto preparava seu café da manhã energético diário: *shake* de proteína de soja, iogurte sem gordura e três claras de ovo mexidas. Esse ritual irritava Leigh profundamente. *E todo esse desperdício de água?*, perguntara a ele várias e várias vezes, mas ele simplesmente a lembrava de que aquela água estava incluída no condomínio mensal que ela pagava, então não tinha muita importância. Era só uma das coisas a respeito dele que ela achava extremamente enlouquecedoras. Ela entendia totalmente sua necessidade de usar maquiagem completa uma vez por semana quando gravava o programa, mas odiava vê-lo tirá-la. Ele usava o removedor de maquiagem dela e lencinhos, e esfregava tão delicadamente debaixo dos olhos e em volta do nariz e, apesar de não poder explicar exatamente por quê, ela achava revoltante. Não tão revoltante quanto quando ele esqueceu de tirá-la e ela acabou com fronhas sujas com base de homem, mas, ainda assim, a coisa toda era simplesmente nojenta.

Ela se repreendeu por ser tão rígida e intolerante e respirou fundo para relaxar. Eram só 9h de uma manhã ensolarada de quinta-feira, e ela já se sentia como se estivesse acordada há 48 horas e vivido uma guerra mundial. Exausta, mas ainda assim fervendo com uma ansiedade de baixa intensidade, Leigh levantou-se da cama e se enfiou no banheiro ensopado pela fumaça.

Conseguiu vestir um par de jeans brancos e juntar tudo antes que Russell terminasse sua ducha, então soprou um beijo para ele e saiu rapidamente. Carregou sua pequena mala até a Hertz na Rua 13 e, depois de aceitar todos os seguros oferecidos — melhor prevenir do que remediar! —, Leigh pegou um café com leite grande e gelado do Joe, botou dois pedaços de Nicorette na boca e escorregou para o assento do motorista de seu Ford Focus vermelho. A viagem levou menos tempo do que ela planejara; em pouco menos de duas horas, ela parou no estacionamento de um restaurante chamado Estia's. Tinha o formato de um chalé de tábuas, exatamente como Jesse descrevera; ela entrou para usar o banheiro e beber mais uma xícara de café antes de ligar para ele.

Ele atendeu no quarto toque.

— Jesse? É Leigh. Estou no Estia's.

— Já? Eu só a esperava de tarde.

Ela sentiu sua pressão sanguínea subir ainda mais.

— Bem, não sei bem por quê, considerando-se que nos falamos ontem e eu lhe disse que chegaria entre meio-dia e meio-dia e meia.

Ele riu. Sua voz soava como se tivesse acabado de acordar.

— É, mas quem é que chega realmente na hora? Quando eu digo meio-dia, na verdade quero dizer 15h.

— Ah, é mesmo? — ela perguntou. — Porque, quando eu digo meio-dia, eu realmente quero dizer meio-dia.

Ele riu de novo.

— Entendi. Vou me vestir e estarei aí já, já. Tome um café. Tente relaxar. Vamos trabalhar assim que chegarmos, eu prometo.

Ela pediu mais um café e folheou a seção Estilo de quinta-feira que alguém deixara no balcão.

Ouviu sua entrada antes de vê-lo, já que estava olhando fixamente para o jornal, fingindo estar completamente absorta em uma matéria sobre escovas de pelo natural de javali. Ao seu redor, os fregueses do restaurante — todos locais e, pela cara, não adeptos de Billy Joel — acenaram e gritaram seus "olás". Um velho de aparência particularmente rude, vestindo macacão com uma etiqueta com seu nome bordado — a original, não uma dessas retrô à venda no departamento masculino da Bloomingdale's —, onde se lia SMITH, ergueu sua caneca de café e piscou para Jesse.

— Bom dia, senhor — falou Jesse, dando um tapinha nas costas do homem.

— Chefe — disse o homem com um aceno e um gole de café.

— Ainda está de pé para segunda-feira à noite?

O homem assentiu.

— Segunda-feira.

Jesse veio andando do balcão de café da manhã, cumprimentando cada pessoa pelo caminho antes de sentar-se no lugar vazio ao lado de Leigh. Apesar de não conseguir precisar exatamente por quê, Leigh pensou que ele estava melhor hoje do que em qualquer um de seus encontros anteriores. Ainda sem ser gostoso ou mesmo bonito no sentido convencional, Jesse mais uma vez parecia casualmente amassado e, por mais idiota que isso soasse, *descolado.* Em parte era pela forma como se vestia — uma camisa xadrez *vintage* de corte justo e uma Levi's que parecia ter sido feita sob medida para seu corpo —, mas também era algo além disso, algo no modo como se portava. Tudo a respeito dele gritava "sem esforço", mas, diferente dos *grunges* conscientes de si mesmos dos anos 1990 ou do cabelo deliberadamente com cara de dormido, o visual de Jesse era genuíno.

Ela percebeu que o estava encarando.

— O que vai acontecer na segunda-feira? — perguntou rapidamente; foi a primeira coisa que lhe veio à cabeça.

— Não gosta de amenidades, não é? — Jesse perguntou com um sorriso. — Eu também não. Segunda-feira é a noite do pôquer e é a vez de Smith ser o anfitrião. Ele mora em um conjugado minúsculo em cima da loja de bebidas da aldeia, então arranjou para todos nós nos encontrarmos no aeroporto de East Hampton — ele é mecânico de aviões lá. Vamos jogar no hangar e eu estou bem animado. Vai ser duplamente festivo, já que estaremos comemorando tanto o fim do verão quanto o fim da Grande Invasão dos Babacas — pelo menos até o ano que vem.

Leigh balançou a cabeça. Talvez todas as fofocas e os tabloides estivessem certos e Jesse realmente tivesse enlouquecido. Alguns anos antes ele estava fazendo viagens internacionais para promover livros, fartando-se com as melhores comidas, roupas e mulheres do mundo, usando sua recente fama literária para correr atrás de todas as festas badaladas, e agora estava isolado nessa região operária do Leste de Long Island, jogando pôquer com mecânicos em hangares vazios? Leigh só sabia que era melhor o livro novo ser *muito* bom.

Como se estivesse lendo sua mente, Jesse disse:

— Está desesperada para começar, não está? Fale.

— Eu *estou* desesperada para começar. Só vou ficar aqui dois dias e uma noite, e ainda não faço a menor ideia do que você está fazendo.

— Vamos, então — ele escorregou uma nota de dez dólares para a mulher atrás do balcão e guiou Leigh para fora. No instante em que seus pés pisaram no cascalho, ele acendeu um cigarro. — Eu lhe ofereceria um, mas algo me diz que você não é fumante.

Ele não esperou uma resposta; em vez disso, pulou para dentro do Jeep.

— Siga-me. A casa fica só a alguns minutos daqui, mas há muitas entradas.

— Tem certeza de que não é melhor eu fazer o check-in no hotel primeiro? — Leigh perguntou, enrolando um pedaço do seu rabo de cavalo em volta do dedo. Ela ia ficar no histórico American Hotel na aldeia de Sag Harbor, um lugar tão famoso por sua hospitalidade e paredes forradas de madeira à moda antiga quanto por seus martínis gigantescos.

Jesse inclinou-se para fora da janela.

— Você pode tentar, mas liguei no caminho para cá e eles insistiram que o check-in é só depois das 15h. Eu ficaria feliz em esperar até lá, acredite...

— Não, não, vamos começar. Farei uma pausa à tarde para fazer o check-in e depois podemos voltar ao trabalho.

— Parece um sonho. — Ele subiu o vidro da janela e passou a ré do Jeep, as rodas de trás levantando poeira em seu rastro.

Leigh correu para seu carro alugado e foi atrás dele. Ele virou à esquerda na Sagg Road e atravessou a aldeia, passando pelo hotel, que indicou para Leigh com um aceno pelo retrovisor. A rua principal era absolutamente adorável. Havia butiques pitorescas, restaurantes de família e mercados locais de alimentos frescos intercalados com uma ou outra galeria de arte e loja de vinhos. Pais puxavam filhos e legumes em carrinhos vermelhos. Os pedestres tinham a preferencial. As pessoas pareciam estar sorrindo sem motivo algum. Todo mundo tinha um cachorro.

Atravessaram a cidade em direção à baía, que possuía uma marina na frente, saída direto de um filme, e então por uma ponte antes de voltarem para a estrada arborizada e cheia de curvas. A entrada da casa de Jesse tinha quase um quilômetro e não era pavimentada, e os raios de luz que dardejavam através das árvores lhe davam uma sensação etérea. Conforme dirigiram um pouco mais além, Leigh vislumbrou o que parecia ser uma casa de hóspedes ao lado do caminho. Era um chalezinho branco com venezianas azuis e uma varandinha adorável para se balançar na cadeira e ler. Uns 500 metros mais além, havia uma área de recreação infantil elaborada — e nova em folha. Também não era das de plástico colorido berrante da Fisher-Price; em vez disso, parecia quase esculpida à mão em um mogno escuro e incluía uma parede de escalada, casa na árvore, torre com abóbada, caixa de areia, mesa de piquenique do tamanho das crianças e dois escorregas. Isso deixou Leigh momentaneamente sem fôlego. Ela sabia que Jesse tinha uma esposa (apesar de ter lhe dado a impressão de que ela não estava nos Hamptons), mas nunca, *jamais*, o imaginara como pai. É claro que fazia todo o sentido — seria quase estranho se ele não fosse —, mas algo em ver a prova disso fez com que ela se sentisse vagamente irritada e um pouco decepcionada.

Quando finalmente chegaram na casa, seu coração começara a bater mais rápido e sua respiração começou a ficar mais curta em sinais evidentes de ansiedade. À sua frente, Jesse saltou do Jeep e se aproximou do seu carro. Ela sentiu o suor na testa e desejou estar em seu sofá, lendo um original ou conversando com Russell sobre sua entrevista futura com Tony Romo. Valeria a pena mesmo que ele quisesse transar *e* assistir à SportsCenter *e* a vizinha de cima estivesse dando um baile cheio de convidados com aparelhos ortopédicos. Qualquer lugar, menos aqui, agora.

Jesse abriu a porta do carro para ela e a guiou por um caminho até a varanda da frente, uma extensão larga de espaço aberto decorada apenas com uma rede e um balanço de dois lugares. Ao lado do balanço havia uma garrafa vazia de Chianti e uma única taça de vinho suja.

— Seus filhos estão aqui? Eu adoraria conhecê-los — mentiu Leigh.

Jesse olhou em volta da varanda, parecendo confuso por um minuto e então sorriu astutamente, como se pudesse ler a mente dela.

— Ah, está falando do playground? É para meus sobrinhos, *não* para meus filhos.

Algo na forma como ele disse isso pareceu definitivo; mesmo que dissesse a si mesma que não ligava para nenhuma das duas alternativas — e apesar de ter total consciência de que era grosseiro e pessoal demais —, ela forçou o assunto.

— Isso significa que você por acaso não tem filhos ou que não quer ter nunca?

Ele riu e sacudiu a cabeça enquanto abria a porta da frente.

— Deus do Céu, você diz qualquer coisa que esteja pensando, não é?

Se é para ir, que seja com tudo.

— Bem?

— Não, eu não quero ter filhos. Nem agora, nem nunca.

Leigh ergueu as mãos fingindo se defender.

— Parece que toquei num ponto sensível.

Jesse tentou conter seu sorriso, mas Leigh viu um relance.

— Gostaria de saber mais alguma coisa? Como estou comendo, como estou dormindo?

— Bem, então tiramos a história das crianças do caminho. Então... como tem comido e dormido? — Ela deu um sorriso largo e sentiu sua ansiedade começar a se dissipar. Havia se esquecido de como era divertido provocá-lo.

Os olhos dele estavam vermelhos e seu rosto estava pálido e com a barba por fazer. Até mesmo seu cabelo parecia meio opaco — não sujo ou oleoso, exatamente; só sem graça. Ele fez uma pose exagerada de modelo — os quadris projetados para a frente e lábios franzidos — e disse:

— Fale você. Como você acha que eu estou comendo e dormindo?

— Mal para cacete — Leigh disse sem um momento de hesitação.

Jesse riu e empurrou a porta.

— Bem-vinda ao meu humilde lar.

Leigh olhou em volta. Ela notou o chão que rangia e a mesa de fazenda gigantesca e gasta e o cobertor de crochê jogado casualmente no sofá e, apesar de já ter se apaixonado pela casa inteira com base nesse primeiro aposento, suspirou alto para causar efeito e disse:

— Jesse, Jesse, Jesse... você realmente gastou *todos* os seus ganhos em cocaína e prostitutas, como os tabloides alegam?

Ele sacudiu a cabeça.

— Cocaína, *birita* e prostitutas.

— Falha minha.

— Muito bem, então, vamos começar? Normalmente, eu trabalho nos fundos, depois da sala de estar, então por que você não se acomoda lá e eu vou levar drinques — ele abriu a geladeira e se inclinou de lado para olhar dentro. — Vejamos, eu tenho cerveja, um vinho branco de merda, um rosé não tão merda e mistura para Bloody Mary. Acho que está um pouco cedo para tinto, não acha?

— Acho que está um pouco cedo para qualquer coisa. Eu vou tomar uma Coca diet.

Jesse estalou os dedos e puxou uma garrafa pela metade de Ketel do freezer.

— Excelente escolha. Um Bloody Mary saindo.

Ela já sabia que não adiantava discutir com ele e, além disso, ele parecia estar precisando de um drinque para rebater a ressaca da noite anterior. Leigh lembrava-se vagamente de como era. Na cidade, em seus anos pós-faculdade, quando seu corpo permitia que bebesse até as 3 da manhã e estivesse no trabalho às 9h, ela ocasionalmente tomava alguns goles de vinho no café-da-manhã para aliviar a dor. Lembrava-se de todas as noites na rua com Emmy e Adriana, vadiando pela cidade, do happy hour para festas de aniversário, bebendo demais, fumando demais e beijando garotos demais sem nome e sem rosto. Deus, isso parecia ter sido há séculos... os sete, oito anos pareciam uma vida. Agora os saltos nunca eram tão altos (como ela conseguira usar algo tão desconfortável?) e os bares lotados tinham dado lugar a restaurantes mais civilizados (graças a Deus), e ela não conseguia se lembrar da última vez em que ficara acordada a noite inteira a não ser por trabalho ou insônia. Mas, Leigh lembrou a si mesma, algumas daquelas lembranças felizes deviam ser uma edição revisada. Como poderiam não ser? Naquela época não havia um bom emprego, nenhum apartamento independentemente próprio e administrado e certamente nenhum noivo devotado.

Leigh passeou pela sala de estar iluminada por uma claraboia e abriu a porta de correr de vidro para revelar um dos espaços ao ar livre mais acolhedores que ela jamais vira. Era mais um oásis no meio da floresta do que um jardim. Carvalhos e bordos imensos e altíssimos criavam uma área cercada coberta com grama convidativa, mas não perfeita demais. Uma piscininha de concreto — tão pequena que talvez fosse uma Jacuzzi ou apenas para mergulhar — era ladeada por duas espreguiçadeiras, uma mesa e cadeiras, e parecia se confundir com o fundo, permitindo que a atenção pudesse se concentrar na verdadeira atração: um laguinho perfeito, de talvez seis por nove metros, com uma doca flutuante acolchoada e um barco a remo de madeira dos mais simples amarrado à borda. Atrás do lago, bem na fronteira da propriedade, enfiada debaixo de um ajuntamento de árvores frondosas, havia uma cama de teca em estilo balinês, do tipo em que cabem tranquilamente duas pessoas e fornece sombra com seu dossel preso em quatro postes. Leigh teve que se segurar para não se dirigir diretamente à cama e se jogar; ficou imaginando como, com uma casa tão linda e relaxante, Jesse conseguia fazer alguma coisa.

— Nada mau, não é? — ele perguntou, entrando no pátio de pedra e entregando-lhe um Bloody Mary completo com talo de aipo e limão.

— Meu Deus, este lugar não parece grande coisa da frente — ou de dentro, na verdade. Mas isso... *isso* é deslumbrante.

— Obrigado. Eu acho.

— Não, sério, já pensou em mandar fotografar? Posso ver isso claramente em uma daquelas revistas de design, como se chama? *Dwell*. É perfeita para a *Dwell*.

Ele passou as mãos pelo cabelo e tomou um gole de sua garrafa de Budweiser.

— Improvável.

— Não, sério, eu acho que poderia...

— Nada de repórteres ou fotógrafos na minha casa, *nunca.*

— Entendi — concordou Leigh, apesar de não poder deixar de se lembrar da página dupla do apartamento de Russel que ela vira na *Elle Décor* antes de se conhecerem. Estava incluída em uma matéria sobre os melhores apartamentos de solteiro da cidade e mostrava o loft ultramoderno de Russel em TriBeCa como a *pièce de résistance.* Na época, Leigh olhara atentamente as fotos da cozinha, que parecia industrial o bastante para servir como cozinha de bufê; a cama com plataforma de wengé, que era tão baixa que bem podia ser um colchão no chão; e o banheiro, que parecia ter sido retirado diretamente de um Hotel W e enfiado no meio do apartamento. Ela lera que o lugar tinha 204 metros quadrados de espaço completamente aberto, janelas imensas e piso de tábua corrida laqueado de preto, mas só no terceiro encontro Leigh o viu pessoalmente. Desde então, ela passara o mínimo de tempo humanamente possível lá; todo aquele aço e laqueado preto, e todos aqueles ângulos agudos a deixavam ainda mais nervosa do que o normal.

Jesse sentou-se à mesa e fez sinal para Leigh sentar-se à sua frente. Após mais um gole lento e deliberado em sua cerveja, ele respirou fundo, abriu o fecho de uma bolsa de carteiro surrada e puxou do meio um maço de papéis do tamanho de uma lista telefônica. Apresentou-o a Leigh com as duas mãos, da maneira que um garçom asiático poderia apresentar uma conta ou um cartão de visitas.

— Seja gentil — falou baixinho.

— Achei que você queria sinceridade, e não gentileza. — Ela pegou o manuscrito e o botou à sua frente, sem saber direito como poderia resistir e não começar a devorá-lo imediatamente. — "Ninguém é direto comigo, eu sou mimado e bajulado e só quero um editor que me diga a verdade" — ela imitou o discurso que lhe disseram que ele fizera em seu primeiro encontro na sala de Henry.

Jesse acendeu um cigarro e disse:

— Isso foi tudo bravata. Mentira. Eu sou um bebê que mal consegue aguentar críticas construtivas, muito menos uma crítica severa.

Leigh pressionou as palmas das mãos na mesa e sorriu.

— Bem, isso, Jesse Chapman, o torna exatamente igual a todos os outros autores que eu conheço. Ainda não peguei nenhum com complexo de Deus, mas uma falta debilitante de confiança combinada a dúvidas constantes e autoflagelação? *Isso* eu posso aguentar.

Jesse ergueu o cigarro num gesto de "pare".

— Opa, não vamos botar o carro adiante dos bois aqui. Isso — ele apontou para o original — é a maior contribuição deste ano, senão desta *década*, para a literatura, disso eu tenho certeza. Só estava pedindo um pouco de sensibilidade no caso improvável de você pegar um ou dois parágrafos de que não goste.

— Ah, sim, claro. Um ou dois parágrafos. Tenho certeza de que não haverá nem isso — Leigh assentiu, fingindo seriedade.

— Excelente. Fico feliz que tenhamos nos entendido. — Ele fez uma pausa, olhou para ela e então disse: — Bem?

— Bem o quê?

— Não vai ler?

— Vou, assim que me deixar sozinha.

Os olhos de Jesse se arregalaram.

— Sozinha? Não sabia que esse era o procedimento padrão.

Leigh riu.

— Sabe tão bem quanto eu que não há nada a respeito disso que seja o procedimento padrão.

Jesse fez cara de inocente.

— Não sei do que você está falando.

— Padrão seria meu chefe editar seu livro, não eu. Padrão seria me fazer ler seu original — ou um resumo e um capítulo de amostra — antes de dirigir duas horas e meia para me encontrar com você. Padrão seria...

Jesse ergueu as mãos como se para bloquear o ataque violento e se levantou.

— Estou cansado — anunciou. — Grite se precisar de alguma coisa. Vou estar lá em cima tirando um cochilo. — Sem mais palavras, ele desapareceu dentro da casa.

Levou um ou dois momentos antes de Leigh perceber que suas unhas estavam enterradas nas palmas das mãos. Ele havia tentado irritá-la ou era algo que fazia naturalmente? Estava brincando sobre ser supersensível a críticas ou pensar que seu livro — sobre o que quer que fosse — realmente era o segundo advento, ou isso tudo era fachada? Ele podia ser tão charmoso e irreverente e espirituoso e aí — *bam!* — um interruptor ligava e ele voltava direto a ser o babaca presunçoso que todo mundo dizia que era.

Ela verificou seu relógio e viu que ainda tinha uma hora para matar antes de poder fazer o *check-in* no hotel; então, com um gole de Bloody Mary e um olhar desejoso para o maço de cigarros que Jesse deixara para trás, começou a ler. O romance começava no Clube dos Correspondentes Internacionais em Phnom Penh e incluía um narrador americano deslocado e bebedor que Leigh não conseguia deixar de achar muito familiar. Não familiar plagiado, apenas um pouco banal: *Fim de caso, O americano tranquilo* e *Acts of faith* vieram imediatamente à cabeça. Isso não a preocupava muito — era bastante fácil de mudar —, mas conforme ela leu as páginas seguintes, e então as páginas depois dessas, sua preocupação aumentou. A história em si — sobre um garoto de vinte e poucos anos que cai na lista dos bestsellers com seu primeiro livro — era atraente de uma forma maravilhosamente voyeurista; não era de surpreender, considerando-se o conhecimento de primeira mão do autor. Era a escrita em si que a preocupava: era monótona, não original, até mesmo tediosa às vezes. Totalmente diferente de Jesse. Ela respirou fundo e lembrou a si mesma que poderia ter sido bem pior. Se a história fosse um desastre, ela nem saberia por onde começar.

Quando Jesse finalmente voltou uma hora depois, de olhos embaçados, mas tendo trocado sua cerveja por uma garrafa de água, Leigh estava começando a perceber o quanto não tinha qualificação para aquilo. Como diabos *ela*, Leigh Eisner, editora júnior e até o momento editora virgem em relação a qualquer escritor bestseller, deveria dizer a um dos escritores mais bem-sucedidos literária e comercialmente de sua geração que, nesta encarnação, seu mais recente trabalho não ia ficar no topo de nenhuma lista de bestsellers? A resposta, percebeu, era simples: ela não diria.

Jesse acendeu um cigarro e escorregou o maço para ela pela mesa.

— Viva um pouco. Você passou o dia inteiro de olho nele.

— Passei?

Ele assentiu.

Então ela tinha passado. Sem nem mais um segundo de consideração e só um pensamento passageiro de como Russell ficaria decepcionado se soubesse, ela tirou um do maço, colocou-o entre os lábios e inclinou-se ansiosamente para o fósforo que Jesse ofereceu. Ficou surpresa pelo primeiro trago ter queimado seus pulmões e ter tido um gosto tão desagradável, mas o segundo e o terceiro foram muito mais suaves.

— Um ano inteiro pelo ralo — disse ela pesarosamente antes de tragar novamente.

Jesse deu de ombros.

— Você não me parece alguém que abusa de bebida ou drogas ou comida ou... nada, na verdade. Se fumar um cigarro de vez em quando a faz feliz, por que não curtir?

— Se eu pudesse só fumar um de vez em quando, eu fumaria. O problema é que eu fumo um e, dez minutos depois, estou fumando o maço todo.

— Ah, então a sra. Certinha tem uma fraqueza, afinal de contas — Jesse sorriu.

— Ótimo, fico feliz que minha luta contra o vício o divirta.

— Acho mais encantador que divertido. — Ele fez uma pausa e pareceu pensar por um momento — Mas, é, acho que é divertido também.

— Obrigada.

Jesse fez um gesto em direção ao livro e disse:

— Alguma consideração até agora ou não é *procedimento padrão* discutir até você ter terminado? — Ele tomou um gole de sua garrafa de água.

Aliviada por ele ter lhe dado uma saída quando ela ainda não pensara em nenhuma, Leigh disse vagamente:

— Só li 70 páginas, então prefiro esperar até terminar — ela tossiu.

Jesse olhou para ela com uma intensidade que Leigh achou constrangedora. Ele parecia estar estudando seu rosto atrás de pistas e, depois de quase um minuto inteiro, ela podia se sentir começando a corar. Ainda assim, ele não disse nada.

— Então, provavelmente, hum, é melhor eu fazer o check-in no hotel — disse Leigh, jogando o cigarro no cinzeiro improvisado que Jesse havia feito com sua garrafa de Spring Poland.

— É.

— Devo voltar aqui depois ou você prefere me encontrar em outro lugar? No saguão do hotel? Um café? O que acha de 16h, 16h30? — A tensão era palpável e desconcertante. Leigh teve que lembrar a si mesma de parar de falar.

— Volte aqui, mas só quando tiver terminado de ler.

Leigh riu, mas rapidamente viu que Jesse não estava brincando.

— Vou levar no mínimo mais cinco ou seis horas para lê-lo até o final. Podíamos começar a falar sobre ritmo, pelo menos. — Quando Leigh percebeu que parecia que estava pedindo sua permissão, ela usou sua voz mais autoritária e falou: — Henry deixou muito claro que o prazo é inegociável.

— Leigh, Leigh, Leigh — ele disse, parecendo de certa forma decepcionado. — Todo prazo é negociável. Por favor, leia o livro. Volte quando tiver terminado. Como pode imaginar, eu não durmo cedo.

Ela deu de ombros em uma-meia tentativa de parecer casual e juntou suas coisas.

— Se quiser ficar acordado até altas horas, tudo bem para mim.

Ele acendeu outro cigarro e se recostou na cadeira.

— Não fique chateada, Leigh. Vamos levar algum tempo para encontrar nosso processo. Tenha paciência.

Leigh fungou e, sem pensar, falou:

— Encontrar nosso processo? Ter paciência? O quê, você aprendeu isso em um dos seus retiros espirituais pós-reabilitação? Espere, você ainda está em recuperação?

Por um breve instante, ele pareceu ter levado um tapa, mas recuperou-se rapidamente e sorriu.

— Fico feliz em ver que pelo menos você me pesquisou — disse com uma baforada de fumaça.

— Me desculpe, eu não pretendia...

— Por favor, Leigh, vá agora. — Ele acenou com o cigarro em direção à porta. — Não tenho editor há muitos anos, então perdoe-me se sou um pouco difícil de controlar no começo, por favor.

Leigh assentiu.

— Excelente. Estou ansioso para vê-la mais tarde. Não precisa ligar antes; só venha quando quiser. Boa leitura.

Enquanto dirigia seu carro alugado pela entrada não pavimentada de Jesse, Leigh percebeu que não fazia ideia se sua primeira reunião tinha sido um início decente ou um desastre total. Mas ela suspeitava, com uma sensação de afundamento na boca de seu estômago, de que provavelmente fora um desastre.

considere-o sul-americano

Emmy retirou a bandeja de seu forninho elétrico e virou cuidadosamente cada uma das torradas de pão árabe com as pontas dos dedos, alternadamente encantada com sua delicada qualidade crocante e irritada por não poder fazer uma fornada maior em um forno adequado. Suas amigas estavam vindo para sua visita bianual ao seu apartamento e, em vez de preparar um banquete para elas (provavelmente italiano, um bom escalopinho com um acompanhamento de pasta perfeitamente *al dente*), ela estava fazendo torradas de pão árabe em um forninho elétrico que ocupava todo o seu "espaço de bancada" e esmagando grão-de-bico em uma tigela em seu colo. Emmy sempre se reconfortara com a noção de que ela e Duncan um dia teriam uma casa nova juntos, um lugar com um grande fogão Viking e uma geladeira Sub-Zero e armários cheios de panelas de aço inoxidável de verdade, mas esse sonho desaparecera quando ele desapareceu.

Ela mal podia acreditar que haviam terminado há cinco meses inteiros. Mais estranho ainda era como eles — ou, se fosse ser completamente honesta, Duncan — haviam perdido completamente o contato. Apesar de Emmy não ter contado para Izzie ou para as meninas, ela telefonara para ele com bastante regularidade durante os primeiros meses e até aparecera em seu apartamento, pelo menos até ele trocar as fechaduras. Depois dessa humilhação, ela conseguiu baixar o tom e lá pelo meio do verão Emmy havia praticamente parado de telefonar, a não ser por uma pequena recaída depois da rejeição de Paris/Paul. Ah, e houve *aquele* e-mail. Era constrangedor, mas Emmy se assegurou de que essas coisas aconteciam. Ela não pretendia escrever para ele, mas chegara em casa uma noite logo antes de viajar para a Flórida, ligeiramente de pileque por causa de uma degustação de vinhos relacionada ao trabalho, e sentara na frente do computador para navegar um pouco antes de ir dormir. Lembrando-se que era o trigésimo aniversário de sua amiga Polly, ela abriu seu e-mail e digitou *P* no campo Para e, claro, o endereço do Duncan apareceu no lugar (ela o salvara em seu caderno de endereços como "Paixão"). Considerou isso apenas por um instante antes de ir em frente e criar um e-mail falso para Paul, o cara que ela conhecera no Costes e a rejeitara escancaradamente e cujo endereço de e-mail ela certamente não tinha.

> *Oi, amor,*
> *Fico feliz em saber que você está se divertindo tanto em St. Tropez, apesar de estar sentindo sua falta aqui. O trabalho está uma loucura no momento, mas acho que é de se esperar*

com uma nova função que exige tantas viagens. É só que é tão difícil ficar longe de você! Muito obrigada pelo lindo negligée *francês que você me mandou. É tão rendado e lindo e s-e-x-y. Mal posso esperar para desfilá-lo para você. Só mais uma semana até eu encontrá-lo aí...*

Beijos e abraços, E

Ela apertou Enviar e sentiu um arrepio de excitação quando viu o nome de Duncan na pasta Enviados: se isso não causasse uma reação, nada causaria. Ele levara dois dias inteiros para responder e, mesmo então, foi decepcionante. Ele simplesmente retrucara "Acho que você mandou isso acidentalmente para a pessoa errada" e se despedira com uma carinha sorridente. Um *emoticon*! Era insultuoso demais para palavras e ela imediatamente se arrependeu da história toda. Nenhuma pergunta ciumenta sobre a identidade do amante secreto de Emmy, nenhuma referência ao seu trabalho novo, nem mesmo um reconhecimento atravessado sobre a camisola sexy ou (suposta) visita ao Sul da França. Aquela era a gota d'água. Fazia quase dois meses desde aquela correspondência mortificante e Emmy não o havia contatado nem uma vez. Mais precisamente, ela estava feliz em perceber que não havia nem mesmo pensado nele nas duas semanas desde que fizera sexo selvagem e aleatório com George. O que obviamente significava apenas uma única coisa: era preciso mais sexo selvagem e aleatório.

Seu interfone tocou exatamente às 20h e Emmy se preparou para o crocito iminente de Otis. Como previsto, ele acordou e gritou "Quem é? Pode subir! Quem é? Pode subir!"

Ela suspirou, calçou os chinelos e caminhou em direção às escadas. O mecanismo que permitia que ela abrisse a porta estava quebrado e, apesar de o edifício ter um elevador de cerca de 1925, bastara apenas uma tarde presa dentro dele três anos antes para convencer Emmy de que as escadas eram uma opção muito melhor. Ela apreciava o fato de Adriana e Leigh fazerem o esforço de vir ao seu apartamento duas vezes por ano, mais ou menos — especialmente considerando-se que moravam no mesmo prédio e que seus dois apartamentos eram significativamente mais confortáveis que o dela —, mas só acabava se sentindo mais incomodada com o tamanho de seu conjugado e culpada por submeter todo mundo à subida de cinco andares, após a qual elas tinham que se sentar no chão e aturar uma noite inteira dos insultos horrorosos do papagaio.

— Oi — gritou alegremente, esquecendo-se de suas reservas quando abriu a porta do prédio com força e viu as garotas sentadas na escada da frente. O ar estava quente para outubro, mas estava cheio de fumaça. — Opa! O que eu estou vendo aqui?

Adriana cutucou Emmy do lado e, sorrindo, fez um gesto em direção a Leigh.

— Saca só isso.

Sem dúvida, Leigh estava apagando um cigarro no chão enquanto soltava a última baforada.

— Leigh! O que houve? Você estava indo tão bem! — gritou Emmy.

— *Estava* sendo a palavra principal.

— O que aconteceu?

— Jesse Chapman aconteceu — Adriana cantarolou com óbvio prazer.

As garotas começaram a longa caminhada para cima em fila indiana.

Emmy virou-se e olhou para suas amigas.

— Por que sua recaída é culpa de Jesse Chapman?

Leigh suspirou melodramaticamente.

— Sempre suspeitei de que vocês duas não ouviam uma palavra do que eu digo.

— Ah, poupe-nos do drama — falou Adriana. — Nós ouvimos cada um dos seus melodramas relacionados a trabalho. Mas é sorte nossa que Jesse Chapman seja um pouco mais interessante do que seus escritores malucos de sempre.

— Esperem! Vamos voltar a "Jesse Chapman aconteceu". O que isso quer dizer? — perguntou Emmy. Haviam finalmente chegado ao apartamento; Emmy ficou satisfeita em ver que mesmo que suas duas amigas estivessem ofegantes e sem fôlego, ela se sentia perfeitamente bem.

— Não aconteceu nada. Você fala como se estivesse acontecendo algo escandaloso, o que, eu lhe garanto, não está. Ele só dá trabalho.

Adriana sorriu maliciosamente.

— Aposto que sim.

Emmy fez um sinal para as garotas escolherem uma almofada e começou a servir o vinho tinto que havia aberto antes de elas chegarem.

— Falando em sexo com estranhos...

Adriana soltou um guincho tão alto que Otis começou sua própria série de gritos e crocitos, e Leigh tapou os ouvidos com as mãos.

— Emmy! Você não fez isso! — disse Adriana.

— Ah, fiz sim. — Era tão bom dizer essas palavras, ver a reação no rosto de suas amigas. Entre suas viagens para os Hamptons e LA, todo o mês de setembro havia desaparecido sem uma única chance de lhes contar cara a cara, mas Emmy estava feliz por ter esperado até agora.

— Nããããooo — Leigh falou ofegante, olhando por cima de sua taça de vinho com uma cara de choque total.

— Siiiiimmmm — Emmy disse alegremente.

— Gorda! Gorda! Garota gorda! — Otis guinchou. Adriana bateu na gaiola com o dorso da mão, a qual Otis imediatamente tentou bicar.

— Conte-nos tudo! Quem era ele? Onde? Quando? Como? Foi bom? Ele é o futuro pai dos seus filhos?

Emmy se jogou no chão e tomou um longo gole de vinho, saboreando a atenção.

— O nome dele é George. É estudante de direito em Miami. Obviamente, eu o conheci quando estava visitando Izzie e Kevin. E meio que aconteceu — disse Emmy, olhando para as mãos.

Adriana lhe deu um empurrão de brincadeira no ombro.

— Está mentindo descaradamente para nós. Você não acha, Leigh?

— Eu acredito que ela tenha realmente cumprido a façanha — falou Leigh pensativamente —, mas está faltando alguma coisa. Acho que não estamos ouvindo a história *verdadeira*.

— Está apaixonada, não é? — perguntou Leigh, inclinando-se para a frente. — É isso. Você se apaixonou perdidamente por esse cara e já o está imaginando como seu marido.

Adriana sacudiu a cabeça, concordando.

— Cem por cento correto. Advogado, amigo da sua irmã, provavelmente o cara mais legal da face da Terra. Bem, fico feliz por você, querida. Não surpresa, tenho que dizer, mas feliz por você. No entanto — Adriana balançou o indicador —, gostaria que nós reconhecêssemos que eu, como metade de um relacionamento sério que *prometo* que vai levar a um noivado nos próximos seis meses, ganhei oficialmente a aposta.

— Eu sou testemunha — concordou Leigh. — E é verdade. Eu também estou feliz por você ter encontrado o cara dos seus sonhos, Emmy, mas você entregou a disputa para Adriana.

Adriana pegou o fichário de menus de entrega em domicílio da mesa de centro e começou a folheá-los.

— Vamos pedir agora para que chegue aqui na hora de *Grey's*. Sushi?

— Esperem só um minuto — falou Emmy.

— Espere! Garota gorda! Espere! Garota gorda! — crocitou Otis.

— Não sei como você vive com essa criatura nojenta — disse Adriana.

Emmy agarrou o fichário que estava com a Adriana e então arrancou o controle remoto de Leigh. Desligou a TV e disse:

— Eu gostaria de sua atenção total, por favor.

Leigh suspirou.

— Você está noiva? Por favor, não me diga que você *já* vai se casar com esse cara.

Adriana e Leigh caíram na gargalhada.

— Vou informar a vocês duas que — Emmy ergueu um dedo: — um, eu fiz sexo completamente aleatório e livre de compromisso com alguém que eu nunca, jamais vou ver de novo.

Feliz por ver que isso chamara a atenção de suas amigas, ela continuou.

— E, dois, eu gostei.

A segunda declaração foi recebida com silêncio, o qual Adriana finalmente interrompeu.

— Gostou?

Emmy assentiu.

— E, quando eu lhes digo que ele foi inadequado, estou falando sério.

Emmy não soube a extensão do que havia feito até a manhã seguinte, quando mencionou casualmente o nome de George para sua irmã.

— Quem? — Izzie havia perguntado, fazendo ovos mexidos no fogão.

— Um cara chamado George. Eu desci para a piscina ontem à noite, para ligar para Leigh, e ele estava lá. Conversamos durante algum tempo. — Pausa. — Ele pareceu bem legal.

— George, George... não conheço nenhum George — disse Izzie.

— Talvez ele seja novo aqui. Que se dane, não é importante. — Emmy nunca omitira nada de Izzie antes, mas, tendo em vista o anúncio do bebê de sua irmã, ela não conseguia revelar o que acontecera com George. Parecia tão... tão insignificante, de certa forma. Bobo.

Kevin entrou na cozinha e se serviu de uma xícara de café.

— De quem estamos falando?

— Emmy conheceu um dos nossos vizinhos ontem à noite, na piscina. George. Mas eu não consigo descobrir quem é.

Kevin virou-se para Emmy e perguntou:

— Estudante de Direito?

Emmy assentiu.

— É, ele disse que estava na faculdade de Direito de Miami.

— Um garoto alto, bonitinho, sempre de shorts de malha?

— É ele mesmo — concordou Emmy.

— Jorge! Fico imaginando quando ele passou a se chamar George. O garoto é uma lenda por aqui.

Algo no modo como Kevin continuava falando "garoto" estava irritando Emmy, e toda essa história de lenda também não parecia muito boa.

— Como assim? — perguntou Emmy, apesar de não querer realmente saber.

— É um galinha inacreditável. Literalmente uma garota diferente a cada noite, às vezes duas. O cara já esteve com mais garotas aos 23 anos do que a maioria dos homens na vida inteira.

Emmy congelou, seu copo de suco de laranja suspenso no ar no meio do caminho entre a mesa e sua boca.

— Vinte e três?

Izzie se juntou a Emmy na mesa e mordeu delicadamente uma torrada.

— É, ele é um bebê. Mas as garotas o adoram. — Ela olhou para Emmy com um olhar estranho. — Por quê? Aconteceu alguma coisa?

Emmy concentrou-se em não engasgar e disse:

— Não seja ridícula! É claro que não. Você me conhece...

Kevin engoliu o resto do café e amarrou os tênis.

— Izzie, meu amor, por mais linda que Emmy seja, eu imagino que Jorge se concentre mais em meninas entre 18 e 25 anos.

Ai!

Emmy repetiu o conteúdo dessa conversa para suas amigas, que estavam literalmente chorando de tanto rir quando ela finalmente terminou.

— Você. Não. Pode. Estar. Falando. Sério! — Leigh falou engasgando. Ela apertou a barriga e rolou no chão.

— Ele tinha 23 anos, *querida*? De verdade?

— Não é como se eu soubesse disso! E eu certamente não fazia ideia de que seu hobby era fazer amorzinho gostoso na beira da piscina com mulheres que não suspeitam...

— Mulheres *mais velhas* que não suspeitam — acrescentou Adriana.

— Pode me gozar o quanto quiser — Emmy disse enquanto jogava uma toalha por cima da gaiola de Otis —, mas foi o melhor sexo da minha vida de velha.

Leigh ergueu a mão.

— Espere só um segundo aí. Não estamos reconhecendo um ponto crucial aqui. Devo presumir que Jorge é cubano?

Emmy deu de ombros.

— Provavelmente. Na verdade, acho que Kevin mencionou depois que sua família é muito conhecida como ativistas anticastro.

— Então... — Leigh curvou a cabeça e esticou o braço.

— Então? — Emmy perguntou, confusa.

— Então você acabou de pegar seu primeiro homem gringo! — disse Adriana. — Tudo bem, ele provavelmente nasceu nos Estados Unidos e, mesmo que não, o Caribe não conta de verdade. Mas eu voto, em um gesto de boa vontade e encorajamento, que ele conte.

— Eu assino embaixo. Considere-o sul-americano. Mas definitivamente considere-o.

Adriana esticou a mão e beliscou a bochecha de Emmy.

— Parabéns, *querida*. Um já foi; dois, se contarmos Duncan como América do Norte. Faltam cinco.

Emmy sentiu uma eletricidade no ar ao ouvir o som do nome de Duncan e podia jurar ter visto Adriana e Leigh trocarem olhares, mas ignorou. Emmy sabia que não acreditavam que ela o tivesse realmente esquecido e estava ficando cansada de tentar convencê-las.

— É, bem, a partir de agora estou curada do meu vício em monogamia. E agradeço a vocês duas por me encorajarem a seguir o caminho da putaria.

As garotas brindaram com suas taças de vinho. Emmy ligou pedindo o sushi de sempre (três sopas missô, duas entradas de sushi, uma entrada de sashimi e um balde de molho extrapicante para mergulhar os pedaços), e Leigh começou a ajustar o DVR para gravar *Grey's*, a fim de que não precisassem perder tempo com comerciais. Meia hora mais tarde, depois que Emmy havia descido as escadas novamente para deixar o entregador entrar e voltado para encontrar Adriana balançando a gaiola de Otis do lado de fora da janela do quinto andar, as garotas estavam alegremente comendo tudo à vista e esvaziando a garrafa de vinho número dois do *gewürztraminer* favorito de Emmy.

— Como vai o Russell? — Emmy perguntou a Leigh, esperando soltá-la um pouco. Elas se conheciam há tempo suficiente para Emmy aceitar a privacidade feroz de sua amiga, mas nunca parava de tentar.

— O quê? — Leigh perguntou, claramente distraída. — Russell? Ah, ele está bem. Ótimo. Vai entrevistar Tony Romo esta semana, então está muito preocupado.

Adriana mergulhou um pedaço de sushi de olho-de-boi no molho de soja e o jogou para dentro da boca.

— Emmy disse que vocês estão perto de escolher uma data para o casamento, certo?

Leigh assentiu.

— Abril.

— Abril? Sério? É tão perto! — Emmy ficou surpresa. Considerando-se que eles só se conheciam há um ano antes de ficarem noivos, ela pensara que esperariam pelo menos até o verão seguinte, mas ficou feliz por ver que Leigh finalmente estava se animando.

— É, definitivamente não era minha primeira opção, mas vai dar tudo certo.

— Por quê?

— Sei lá; sempre gostei da ideia de um casamento no outono, eu acho. Além do mais, me parece um pouco cedo. E o livro de Jesse está marcado para ser publicado bem por essa época, então vai ser uma loucura. Mas meus pais estão insistindo que é o único fim de semana livre nos próximos dois anos no clube, porque alguém cancelou, e funciona para a família de Russell em termos de viagem; então vamos aceitar. Não tem muita importância. — Ela deu de ombros.

— Falou como uma noiva entusiasmada — disse Adriana.

Leigh deu de ombros de novo.

— Por que eu deveria me estressar toda por causa de uma data? Nós vamos nos casar em algum momento, então qual é a importância de quando vai acontecer?

— Nossa, Leigh, você está me fazendo perder os sentidos com todo esse romantismo — Emmy falou. Ela pretendia aliviar o constrangimento, mas o comentário saiu fora do tom. Mudou rapidamente de assunto. — Então, como vão as coisas com o sr. Chapman? Já conheceu esposa dele?

Leigh largou os pauzinhos e dobrou as pernas debaixo de si, como se estivesse se preparando para uma longa conversa.

— Sabe, ainda não a conheci. Nem tenho certeza de que ela exista. Nunca li sobre ela em nenhum jornal ou revista, e nunca acreditaria que ele era casado se não tivesse mencionado uma vez, no almoço. É estranho, porém, porque ele nunca faz nenhuma referência a ela. Tipo, eu nem sei como se chama.

— Ele já paquerou você? — perguntou Emmy. Ela ficava imaginando quando Leigh iria acordar e ver o que estava acontecendo ali. Era óbvio que ela desenvolvera algum tipo de paixonite por esse cara — que, por falar nisso, parecia ser um babaca da melhor qualidade —, e Emmy achava que a situação não podia ser nada além de más notícias. Além disso, era irritante que Leigh tivesse encontrado um cara tão incrível quanto Russell e não parecesse apreciá-lo tanto quanto deveria.

Leigh olhou para cima.

— Me paquerou? Emmy, ele é meu *autor*. É claro que não.

— E você está noiva — acrescentou Emmy.

— É óbvio! Achei que nem precisava dizer isso.

Adriana serviu todo mundo de mais uma taça de vinho e disse:

— Meninas, meninas, acalmem-se. Tenho certeza de que o sr. Jesse Chapman está passando suas mãos lascivas em Leigh. Afinal de contas, ele não é conhecido exatamente por sua castidade, e Leigh é uma mulher bonita. Mas isso certamente não é culpa dela. Agora, podemos por favor falar sobre *mim*? Tenho algo para mostrar a vocês duas.

Ela enfiou a mão dentro de sua bolsona Chanel matelassê e puxou uma caixa de veludo.

— Vejam só isso. São de Toby. Ou melhor dizendo, de Harry Winston.

Ambas as garotas se inclinaram para a frente para ver os lindos brincos.

— São deslumbrantes — Leigh declarou, tocando-os reverentemente com a mão esquerda.

Emmy não pôde deixar de perceber a justaposição do resplandecente anel de noivado de Leigh e dos brincos de safira de Adriana. Enquanto suas amigas pareciam enamoradas pelas pedras, Emmy ficou imaginando se elas percebiam como tinham sorte em ter os homens amorosos por trás das joias. Ela renunciaria alegremente a todos os diamantes no mundo se pudesse encontrar aquela pessoa que estava destinada a ela. Ou, na verdade, *ficar* com aquele que estava destinado a ela. Se tudo tivesse saído da maneira como sempre haviam discutido, ela e Duncan estariam planejando o *seu* casamento agora.

— Toby se lembrou do quanto eu os admirei em uma velha foto de Salma Hayek no Oscar. São exatamente os mesmos que ela usou.

Emmy assoviou.

— Ele é para casar, Adi. Odeio o fato de que Leigh o conhece e eu não. Quando vou encontrá-lo?

— Ele está numa locação em Toronto pelas próximas semanas, mas quer dar um grande jantar de aniversário para mim no mês que vem. Eu lhe disse que trin... que essa idade não é motivo de comemoração, mas ele insiste. Onde seria um bom lugar?

As garotas conversaram direto durante todo o episódio de *Grey's*, uma reprise de *Entourage* e pedaços do programa do Dateline, *Para Pegar Um Predador.* Estavam prestes a ficar grudadas em *Notting Hill* no Oxygen Network quando Emmy anunciou que estava exausta e que tinha que acordar cedo no dia seguinte e, por mais que gostasse de todas terem vindo, talvez fosse hora de encerrar a noite. Leigh e Adriana pareceram surpresas, mas não muito preocupadas e, depois de alguns minutos juntando suas coisas e dando abraços de despedida, Emmy estava abençoadamente sozinha.

Ela simplesmente não estava com disposição para a tagarelice de sempre esta noite. Estava mal-humorada e um pouco triste por nenhum motivo. *Isso é completamente mentira*, Emmy disse a si mesma enquanto prendia sua franja para trás com grampos de cabelo e lavava o rosto descuidadamente. Izzie ligara algumas horas antes com a notícia de que ela e Kevin iam ter um menino. Quando Emmy se emocionou toda (genuinamente) e perguntou se eles ainda estavam pensando no nome Ezra, Izzie riu e disse que, por algum motivo, Kevin parecia ter cismado com Dylan. Dylan com um D. D como Duncan. Duncan, que — se você conseguisse que ele falasse sobre ter filhos — insistia que os seus seriam só meninos, e só meninos com seu nome. Ela fora *tão* boa por *tanto* tempo, havia resistido a todas as tentações anteriores, mas esta noite estava sentindo sua força de vontade arrefecer. A combinação do anúncio sobre o bebê da Izzie e o olhar que ela vira Leigh e Adriana trocarem à menção do nome de Duncan, e Emmy não conseguia parar de pensar nele. Percebeu que ele podia ter fugido para se casar com a professora de ginástica ou, pior, tê-la engravidado, e Emmy não faria ideia. Como isso havia acontecido? Como ela terminara solteira com quase 30 anos e Adriana e Leigh — nenhuma das quais parecia se importar especialmente — iam ambas se casar a qualquer minuto agora? Era tão injusto. Duncan podia não ser um diretor famoso ou um superastro âncora de TV, mas tinha sido bom para ela na maior parte do tempo. Emmy não era idiota; sabia que ele gostava de flertar e ela o ouvira todas aquelas vezes em que ele jurara que não estava pronto para sossegar, mas quem poderia prever isso?

Ela se aproximou do computador.

Sua mente a mandou não abrir o laptop, gritou *Não! Não! Não! Você vai se arrepender disso. Má ideia! Má ideia!*, e por um momento soou tão realista que ela ficou pensando se Otis estava na verdade gritando as palavras, mas só conseguiu se segurar por pouco tempo. Quatro segundos depois, seus dedos estavam voando pelo teclado. Dez segundos depois disso, ela estava cara a cara com a página de Brianna no MySpace.

E 17 polegadas de alta definição cheias de fotos de Duncan e da professora de ginástica. De férias. De roupa de banho. Com uma aparência absolutamente maravilhosa.

Emmy olhou rapidamente as fotos do feliz casal em uma praia de areias brancas, relaxando no que parecia ser uma piscina particular e sorrindo por cima de pilhas de patas de siri devoradas e copos vazios de coquetéis. Não havia nenhuma legenda, porém — o que era enlouquecedor. Onde eles estavam? Quando? Era uma *lua de mel*? Ela passou os olhos pelos e-mails do lado direito, pequenas cartinhas petulantes das amigas de Brianna, cheias de *emoticons* e reticências e pontos de exclamação demais para contar. Uma das insípidas mensagens incluía um link para o site da Kodak Gallery, e Emmy sentiu que sua tortura estava apenas começando.

— Ah, Deus, não — ela gemeu alto, esticando-se para trás na cadeira e olhando cautelosamente para o computador, como se ele pudesse explodir. Ela sabia que não devia clicar, mas não tinha como voltar atrás. Sentou-se ereta, com os ombros para baixo e o peito projetado para a frente, respirou fundo e moveu o cursor até o link. Estava prestes a clicar quando, graças a Deus, lembrou-se do temido livro de visitas. Se tivesse clicado no link, o Kodak Gallery teria automaticamente se lembrado dela, da última vez em que tinha estado lá e salvado seu nome no livro de visitas de Brianna, junto com uma data e um horário úteis. Pesadelo! Aliviada por ter evitado o desastre, Emmy rapidamente foi para a página inicial, saiu e fez um log-in com o pseudônimo e e-mail falso que usava para essas atividades de e-bisbilhotagem. Quando abriu o link desta vez, a saudação do álbum dizia "Bem-vinda, Lucy! Clique aqui para ver as fotos da Aventura Mexicana de Brianna e Duncan".

Aventura *Mexicana? Por favor! Eles estão numa porra de uma praia, não escalando o Kilimanjaro.* Respirando fundo mais uma vez, o que não a acalmou nem um pouco, Emmy clicou.

Antes que a tela entrasse no modo slide-show, Emmy viu que havia dúzias, possivelmente centenas de miniaturas de fotos. Ela sabia que isso era uma péssima ideia, que era burrice do ponto de vista intelectual, e tóxico do ponto de vista da sanidade, mas a essa altura estava fora do seu controle. As fotos de um a seis passaram rapidamente; só na sétima Emmy se controlou o suficiente para ajustar a velocidade. O ritmo mais lento a satisfez por mais meia dúzia de fotos, mas sua compulsão em estudar, *examinar*, cada centímetro quadrado de cada fotografia a consumia e, em segundos, ela havia desligado o slide-show completamente. Agora podia fazer isso direito, em seu próprio ritmo.

Infelizmente, a primeira foto que permaneceu congelada na tela era uma que devia ter sido tirada por Duncan. Mostrava Brianna brincando na água até os joelhos, inclinando-se para a frente para jogar água no espectador e, simultaneamente, olhando para cima, um movimento que fez com que suas costas se arqueassem quase pornograficamente. Emmy se aproximou da tela. A bunda dela poderia realmente ficar para cima desse jeito, por si só? E aqueles peitos! Apesar de a garota estar inclinada para a frente num biquíni fio-dental e parecer ter peitos bastante grandes, eles mal caíam! Emmy ficou olhando para eles por um minuto inteiro e chegou à pesarosa decisão de que não, eles não eram falsos; eram só muito, muito jovens. Além do mais, virgens de 22 anos não têm seios de mentira, têm?

Click.

Duncan encheu a tela. Estava deitado num colchão de ar na piscina, um braço bronzeado e recém-musculoso passado por cima da testa para proteger os olhos do sol. Usava um calção desconhecido de estampa havaiana (Emmy implorara a ele para trocar seu calção de velho com os jacarés bordados, sem sucesso) e, espere... isso era uma *barriga tanquinho*? Ela apertou os olhos. Era! Anteriormente pastoso, pálido, eu-fico-sentado-o-dia-inteiro, Duncan havia se transformado em um maldito Adonis de praia bem na frente de seus olhos. Emmy fechou os olhos bem apertado e os esfregou, mas o Duncan ainda parecia sarado — totalmente gostoso — quando ela os abriu novamente.

Click.

O feliz casal novamente... em um barco de mergulho! Estavam sentados juntos num banco de madeira, as mãos nos joelhos um do outro, parecendo esportivos e adoráveis em roupas de mergulho baixadas até a cintura. Estavam cercados por parafernália de um mergulho recente, prateleiras com tanques de ar e válvulas, máscaras e pés de pato descartados e, ao lado, um mexicano de uniforme de shorts brancos preparando-se para lhes servir frutas frescas e suco. Emmy implorara a Duncan — literalmente *suplicara*, ela agora se lembrava com raiva crescente — para fazer mergulho com ela nas Bahamas durante um Natal. Ele simplesmente se recusara, lembrando a ela que não ia gastar seu precioso tempo de férias em uma ocupação tão ativa e desafiadora como mergulho. Não aceitou nem mergulhar de peito, aquele desgraçado, porque "não estava nessa de espreitar flutuando".

Click.

Brianna sentada em cima da colcha de uma cama de dossel, lendo uma revista, usando uma calcinha do tipo shortinho, bem pequena e nada virginal, e um top quase inexistente. *Click.* Os dois em roupas de ginástica e iPods, inteiramente suados e com as bochechas coradas depois da corrida. *Click.* Duncan fazendo uma cara boba de mandar beijo para a câmera, apesar de Duncan não fazer caras bobas de mandar beijo *nunca*, usando a camiseta de Cornell que Emmy comprara para ele em sua reunião de cinco anos de formatura. *Click.* Vestidos para um jantar à luz de velas na areia, onde pareciam se esbaldar com peixes grelhados inteiros, muitos legumes frescos e vinho branco. *Click. Click. Click.* Emmy terminou de clicar no álbum inteiro, avaliou rapidamente seu nível de náusea e se curvou para começar de novo do começo.

Ia ser uma noite muito longa.

simpática na verdade significa disponível e desesperada

— Adi, o porteiro acabou de ligar para dizer que seu carro chegou — anunciou a sra. de Souza do vão da porta do quarto de Adriana.

— Está bem — resmungou Adriana, reunindo suas reservas de paciência para não ser agressivamente grossa com sua mãe.

— O que disse, querida? Você me ouviu? Eu disse que o porteiro...

— Eu ouvi! — Adriana disse mais asperamente do que pretendia.

Sua mãe suspirou, o suspiro longo, prolongado e dramático que quase sempre precedia uma conversa longa, prolongada e dramática.

— Adriana, eu tentei ser compreensiva — realmente, tentei —, mas a situação se tornou insustentável.

Adriana sentiu seu corpo inteiro tensionar mas, antes que pudesse reagir, o *babyliss* havia escorregado de sua mão e caído no chão, fazendo uma breve mas dolorosa parada em sua coxa.

— Merda! — ela gritou, dando um pulo e esfregando o alto de sua coxa direita.

— Adriana! Olha a boca! Não vou permitir que fale assim nesta casa! — A sra. de Souza baixou a voz e se aproximou de um tom tranquilizador. — Venha cá. Você está bem?

— Eu me queimei. Vai fazer uma bolha!

— Vou lhe trazer um Neosporin já, já. Mas antes eu gostaria de discutir algo com você. Soube que você...

— Mamãe, por favor, *por favor*, podemos ter essa conversa quando eu voltar para casa? Já estou atrasada e, como você pode ver, não estou nem perto de estar pronta. Sinto muito pelo palavrão. Sério, sinto mesmo. Mas será que isso pode esperar?

— Não é só o palavrão, Adi, é esse tom que você tem usado comigo e com seu pai ultimamente. Não tenho que lembrá-la de que este é o *nosso* apartamento e que podemos usá-lo quando bem entendermos. Você deixou bem claro que não está feliz com nossa presença, mas pensou em como isso nos faz sentir?

— Mamãe...

— E é claro que há as despesas. Eu lhe garanto, estou tão cansada dessa conversa quanto você, mas nada muda. É simplesmente inaceitável.

Adriana podia sentir o nó em sua garganta começar a crescer. Determinada a não chorar e arruinar 45 minutos de preparação cuidadosa, respirou fundo e andou em direção à mãe.

Ela tinha toda a intenção de pegar as mãos da mãe nas suas e explicar calmamente que essa não era uma boa hora — sério, tinha mesmo —, mas a raiva e a frustração a consumiam. Nada no mundo podia inspirar tamanho ódio nela quanto o olhar superprotetor no rosto de sua mãe. Então, fez o que havia feito sua vida inteira quando se sentia encurralada pela mãe: ela gritou.

— POR QUE ESTÁ TENTANDO ARRUINAR A MINHA VIDA? EU LHE PEDI EDUCADAMENTE SE PODÍAMOS TER ESSA DISCUSSÃO OUTRA HORA E VOCÊ SE RECUSOU A ME OUVIR! — Ela se aproximou da mãe, que estava lentamente se retirando para o corredor. — EU VOU TERMINAR DE ME ARRUMAR E VOU SAIR E VOCÊ VAI TER QUE ATURAR. AGORA DEIXE-ME. SOZINHA!

Ela pontuou sua diatribe com uma vigorosa batida de porta e imediatamente sentiu uma onda de alívio. É claro que era ridículo gritar e berrar e bater portas na sua idade; era absolutamente infantil. Mas aquela mulher podia ser tão inacreditavelmente irritante, e sua noção de momento era horrível. Era insuportável que seus pais tivessem chegado ontem do nada, sem nenhum aviso prévio maior do que o tempo que se levava para chegar do JFK ao apartamento e planejassem ficar até o final do Dia de Ação de Graças, um feriado que eles nem comemoravam! O único consolo era que Toby não havia chegado ontem também, como planejado (o horror de ter todos eles socializando na portaria era indescritível); então ele tivera tempo para encontrar um hotel.

— Um hotel? Sério? — perguntara ele, parecendo surpreso quando Adriana perguntou se gostaria que ela fizesse a reserva ou se ele mesmo faria.

— Ora, sim, *querido*, é claro que um hotel.

— Posso entender por que não ficaria confortável comigo hospedado no seu quarto, *per se*, mas você realmente...

— Toby, por favor! — Adriana interrompera frustrada. — Você ficar aqui com *eles* está fora de questão.

Ele cedeu, naturalmente, e se hospedou no Carlyle; Adriana não conseguia explicar que seu lindo apartamento era na verdade o lindo apartamento *deles*, um fato que ele certamente descobriria se ficassem debaixo do mesmo teto. Não, isso simplesmente não era aceitável.

Determinada a se acalmar pelo bem de sua aparência, Adriana sentou-se à sua penteadeira e passou *bronzer* nas bochechas e na testa. Contornou cuidadosamente os lábios com um lápis cor de pele, preencheu-os com um batom opaco ligeiramente mais escuro e passou um gloss transparente por cima, para dar brilho. Uma única pressionada num lencinho de papel e estava pronta.

A roupa já era outra questão. O que se devia usar para um jantar de negócios? Ah, como ela odiava isso! Era uma noite de sábado surpreendentemente quente em novembro, e todos os restaurantes certamente poriam suas mesas do lado de fora, e todo mundo estaria entusiasmado com o veranico inesperado, correndo para ir às danceterias e às festas nos lofts aquela noite, e *ela* ia a algum apartamento abafado no Upper East Side. Com certeza estaria cheio de antiguidades emboloradas e coleçõezinhas preciosas que davam náuseas só de pensar. Antiguidades a faziam espirrar. E Limoges! Só olhar para aquelas caixinhas a fazia querer vomitar. Havia reclamado um pouco quando Toby anunciara os planos para a noite, mas não estava inclinada a forçar a barra; Toby podia ser meio chato, além de ser um pouquinho bobo, mas era seu namorado, e ela planejava enfrentar a noite como uma namorada amorosa e cumpridora de seus deveres, mesmo que isso a matasse.

Com muito menos empenho do que o normal, Adriana rapidamente escolheu um suéter-envelope de cashmere agarrado no corpo e de mangas curtas e o combinou com uma saia-lápis extremamente justa. Meias com costuras — a sra. de Souza defendera sua sensualidade eterna desde que Adriana era menina — e um par de saltos 10 completavam o visual.

Ela se sentia como uma freira.

— Estou saindo — gritou para ninguém em particular.

Sua mãe se materializou do nada; seus olhos avaliaram habilmente a aparência de Adriana. Houve um assentimento de aprovação quase imperceptível antes de ela falar:

— Ele não vem buscá-la?

— Seu hotel é no Upper East Side e a festa também. Ele mandou um carro em vez disso.

Ninguém insistia mais em cavalheirismo do que Adriana, mas até ela reconhecia o absurdo de um homem dirigir oitenta quarteirões no centro da cidade só para dar meia-volta e retornar. A sra. de Souza não.

— Ah — murmurou vagamente, sugerindo, sem dizer uma palavra, que desaprovava.

— Não me espere acordada. — Adriana amarrou o cinto de um *trench coat* Burberry, seu casaco mais conservador, e beijou a bochecha da mãe.

— A que horas acha que vai estar em casa?

— Mamãe...

A sra. de Souza ergueu as mãos.

— Tem razão, peço desculpas. Vá, divirta-se. É só que seu pai e eu gostaríamos de conhecer o sr. Baron em breve. Não é mesmo, Renato?

O sr. de Souza olhou por cima de seu *O Globo* só tempo suficiente para assentir e dizer a Adriana que ela estava linda e lhe desejar uma noite maravilhosa.

Adriana escapou do apartamento sem mais perguntas e segurou a respiração enquanto esperava o elevador. Realmente, já era demais. Ela era uma mulher adulta e ainda tinha que aturar o mesmo interrogatório e envolvimento paterno que uma adolescente.

Saiu para o saguão elegante de mármore tão envolvida em sua raiva que, a princípio, não percebeu a presença de alguém.

— Adi, aqui — uma voz a chamou.

Adriana virou-se para ver Leigh de pé na minúscula sala de correspondência ao lado da portaria, procurando em uma pilha de papéis.

— Oi — Adriana suspirou dramaticamente, aproximando-se dela.

Leigh não olhou para cima, só jogou um catálogo da Victoria's Secret no lixo.

— Nada faz você se sentir uma merda mais rápido do que essa porcaria — falou. — Bem, não *você*, obviamente, mas o resto de nós.

— Ah, por favor, você é linda — Adriana disse automaticamente, apesar de estar satisfeita, e concordar inteiramente com a avaliação de Leigh.

— Aonde você vai esta noite?

Mais um suspiro.

— Com Toby para algum jantar horroroso de negócios. Executivos do estúdio ou produtores ou algo assim, no centro, por algum motivo do qual eu não consigo me lembrar.

— Talvez não seja tão ruim. Onde é?

— Do outro lado da cidade.

Leigh enrugou o nariz.

— Ah. Que saco.

— O que você vai fazer? — Adriana já sabia qual era a resposta, mas achou que devia perguntar de qualquer maneira. Leigh era muitas coisas maravilhosas, mas divertida não era uma delas.

— Eu? — Leigh olhou para baixo, para suas calças de pijama de flanela e riu. — Tenho um encontro com o meu TiVo e meio litro de Tasti D-Lite. Inacreditável, eu sei.

Adriana balançou a cabeça.

— E onde está seu noivo? Não, espere, deixe-me adivinhar. Ele está na rua como uma pessoa normal, se divertindo e sendo sociável, e você se recusou a ir com ele?

— Eu não me *recusei*, só preferi não ir. Além do mais, tenho uma tonelada de trabalho para fazer.

— Está bem, está bem, *querida*, eu tenho que ir. Se ficar aqui um minuto a mais, vou ficar muito chateada com você. Vou parecer sua mãe e perguntar por que alguém tão jovem e bonita e encantadora como você insiste em hibernar em vez de florescer.

— *Florescer*? Você disse isso mesmo? — Leigh olhou para a capa do catálogo da Sharper Image e também o descartou.

— Argh! — Adriana jogou as mãos para cima, frustrada. A garota era impossível. E que desperdício de um namorado perfeitamente bom. O pobre do Russell provavelmente só queria sair, relaxar um pouco, se divertir, e sua namorada não conhecia o significado da palavra — Você devia ir a esse jantar chato hoje à noite e eu devia sair com o Russel, me divertir.

Leigh revirou os olhos.

— Vá! Diga oi para o Toby por mim. E comporte-se, está bem? Não apronte no jantar.

— O que foi, está preocupada que a gente transe no banheiro? — Adriana perguntou com um sorriso malicioso.

— Estou mais preocupada que você transe no banheiro com alguém *que não seja* o Toby.

Adriana fingiu considerar isso.

— Hum. Eu nem tinha pensado nisso. Muito interessante...

A viagem até a esquina da 74ª e Park Avenue foi interminável. Ela era jovem demais para jantares formais naquela parte da cidade! Jovem demais para enterrar sua silhueta linda debaixo de saias até o joelho e *trench coats*! Jovem demais para ficar com um homem só pelo resto da vida! Era tão idiota essa corrida para encontrar um marido só porque ia fazer 30 anos em breve. Tanta pressão! De seus pais, mas de suas amigas também: por que estavam tão convencidas de que seu caminho era o correto? Adriana foi ficando mais irritada a cada quarteirão que passava; quando finalmente passaram pelo edifício MetLife, havia resolvido terminar com essa farsa de uma vez por todas. Então ela ia perder uma aposta — grande coisa.

O carro voou pela Bear Stearns e Adriana não pôde deixar de pensar no Duncan de Emmy, como sempre fazia quando passava pelo prédio onde ele uma vez, famosamente (na cabeça dela, pelo menos), alegara "gerenciar merda". Nunca havia gostado dele, mas Adriana tinha que admitir que ele era um típico banqueiro nova-iorquino razoavelmente atraente, excessivamente confiante, que praticamente podia escolher quem quisesse quando o assunto era garotas. Não seria bastante seguro presumir que, se Duncan trocara Emmy por alguém oito anos mais nova, seus amigos e colegas fariam o mesmo? É claro que seria. E sempre havia Yani. Nos últimos meses, ela aumentara seus esforços para flertar com ele, fazer com que ele a notasse, até que tudo terminara numa manhã devastadora, quando ela o viu beijar outra garota depois da aula. Não uma que fosse mais bonita do que ela ou estivesse em melhor forma, atenção, mas com uma vantagem clara e inegável: não podia ter um dia a mais que 20 anos. E finalmente havia Toby. Sua mãe podia ter dito primeiro, mas Adriana não discordava: apesar de não haver falta de homens bem-sucedidos, bonitos e ricos, nem *tantos* assim eram hétero ou solteiros. Dos que sobravam, quantos escolheriam se casar com uma mulher de 30 e poucos anos em vez de uma garota com rosto fresquinho de 22, uma que olhasse para eles com olhos grandes e admirados, e uma expressão que diz "Eu o venero e acho que cada sílaba que você pronuncia é a palavra de Deus"? Adriana sabia que podia fingir um pouco no começo, mas seus dias de veneração a homens haviam acabado há muito tempo — se valessem sua atenção, podiam venerá-*la*.

Toby estava esperando por ela do lado de fora do edifício quando ela chegou. Adriana quase disse a ele que deveria ter posto um par de calças sociais com aquele blazer, em vez de jeans — Park Avenue e Hollywood Hills não partilhavam exatamente do mesmo código de vestimenta —, mas lembrou-se de incorporar sua garota interior de 22 anos, inclinou-se para perto e sussurrou em seu ouvido:

— Você está um gato esta noite. Mal posso *esperar* até mais tarde.

O rosto dele se iluminou com uma alegria sem vergonha.

— Sério?

Deus do Céu, era fácil demais. O sr. Diretor Superstar podia exalar petulância e confiança quando estava fazendo filmes, mas obviamente não estava acostumado a esse tipo de elogio. Adriana fez uns cálculos rápidos e concluiu que provavelmente havia tirado um mês inteiro da Caça à Aliança 2008.

— Sério — ela ronronou.

O porteiro os saudou pelo nome e os guiou até o elevador ricamente estofado.

— Leve-os até o topo — falou, sem o menor traço de ironia. Adriana revirou os olhos e Toby riu. *Isso não é tão ruim*, ela pensou, permitindo que ele a abraçasse por trás enquanto a porta do elevador se fechava. *Ele é carinhoso e doce, e me ama. Eu posso me acostumar com isso, se for necessário.*

O que durou precisamente mais dez segundos, só tempo suficiente para que o elevador se abrisse direto dentro do apartamento de cobertura, e o olhar de Adriana grudasse no da primeira pessoa que viu.

— Ora, vejam só quem é — Toby gritou, soltando Adriana e indo em direção ao homem para cumprimentá-lo com um aperto de mão. — Querida, quero apresentá-la a alguém. Dean Decker, esta é Adriana de Souza. Adriana, Dean.

A mente de Adriana começou a trabalhar rápido. Como Dean e Toby se conheciam? Ela mencionara Toby para Dean no avião aquele dia? Estava prestes a ser pega por alguém por alguma coisa? Concluiu rapidamente que não, até o momento ela não fizera nada errado, mas ainda estava chocada demais para reagir de alguma forma adequada. Felizmente, Dean parecia muito mais controlado. Divertido, até.

— Adriana, não é? Lindo nome. Bem, ei, é um prazer conhecê-la. — Ele ofereceu a mão.

— Todo meu — ela conseguiu dizer. Podia sentir os pelos de seus braços se arrepiarem quando sua mão tocou a dele. Era impossível negar o quanto ele era delicioso, especialmente quando estava usando exatamente a mesma roupa (blazer preto, camisa branca e jeans) que Toby. Apenas alguns momentos antes, Toby parecera razoavelmente atraente, mas agora, em comparação direta com Dean, ele parecia assustadoramente com um *troll*. A mente de Adriana teve um flash de uma imagem perturbadora: fotos de Toby e Dean lado a lado na página "Quem Veste Melhor" da *US Weekly*, com todos os cem por cento dos entrevistados no Rockefeller Center votando em Dean. Ela nunca vira uma votação de cem por cento antes — nem mesmo quando haviam posto Rosie O'Donnell contra Petra Nemcova —, mas, em seu cenário imaginário, o resultado era claro como água.

Parecendo não perceber nem suas roupas iguais nem sua derrota impressionante, Toby passou possessivamente um dos braços em volta dos ombros de Adriana e a puxou mais para perto de Dean; então todas as três cabeças estavam a centímetros de distância.

— Acabamos de contratar Dean para o papel principal de *Around Her* — anunciou numa voz conspiratória.

Os olhos de Adriana se voltaram como um raio para Dean.

— É verdade — Dean assentiu e sorriu largamente.

Adriana se sentiu tonta de surpresa.

— Sério? — ela guinchou. *Controle-se!*, Adriana se repreendeu. Ela respirou fundo e então abriu um sorriso, o mais deslumbrante, que normalmente guardava para ocasiões especiais (conhecer a esposa de um amante atual, pedir um carro novo para o papai etc.).

— Que *maravilha*! Parabéns a vocês dois! — Pronto. Assim era melhor.

Uma mulher alta e linda, com um vestido Chanel clássico, se aproximou deles.

— Bem-vindos à nossa pequena *fête* — ela trinou, beijando o ar na área geral em torno do grupo. — Estamos encantados por vocês, garotos da Califórnia, terem podido vir.

— Catherine — Toby falou, segurando suas mãos e beijando-a em ambas as bochechas.

Adriana queria vomitar. Por favor! A única coisa pior do que europeus sendo europeus era *americanos* sendo europeus!

— Quero apresentar-lhe minha namorada, Adriana de Souza. — Ao ouvir a palavra começada com n, Adriana deu uma olhada para Dean, que já estava olhando para ela com as sobrancelhas levantadas e um olhar divertido. — E também Dean Decker. Adriana, Dean, essa mulher adorável é nossa anfitriã esta noite.

Adriana virou-se para a mulher, que, numa inspeção mais detalhada, era mais velha do que ela havia pensado originalmente, provavelmente mais perto dos 60 anos. Forçou os chavões de sempre sobre que apartamento lindo, estou tão feliz por estar aqui, adorei seu colar, blá-blá-blá, mas a mulher só ficou olhando para ela. Depois de permitir que Adriana tagarelasse dessa maneira um pouco, Catherine segurou o queixo dela e, lentamente, com muita delicadeza, virou seu rosto de um lado para o outro.

— Minha Nossa, você é linda — disse Catherine, olhando para Adriana. — Molares excelentes e olhos grandes, lindos. Mas sua pele! — a mulher gemeu. — Uma pele de anjo.

Bem, assim era melhor. Adriana viu-se dando seu segundo sorriso vencedor-de-prêmios daquela noite.

— Obrigada! Quanta gentileza sua dizer isso. — Ela tentou fazer uma expressão envergonhada ou pelo menos humilde, mas não tinha certeza do resultado.

— Catherine... — Toby falou numa voz de aviso.

— Desculpe, eu sei: nada de trabalhar na festa. Prometo não incomodá-la esta noite, apesar de não prometer nada na segunda-feira.

A mulher olhou para cima enquanto mais dois convidados apareciam no saguão.

— O bar é por aqui, na sala. — Ela fez um gesto em direção a um par de imponentes portas francesas. — Por favor, me deem licença por um instante.

— Acho que vou traçar uma reta até a birita — anunciou Dean, enquanto Catherine flutuava para receber seus convidados. — Vejo vocês dois depois?

— Até mais, cara — disse Toby, tentando parecer descolado, mas só parecendo velho.

Adriana mal sabia por onde começar. Devia interrogar Toby primeiro sobre Dean ou Catherine?

— Precisa tomar cuidado ou pode acabar nas páginas da *Marie Claire* — disse Toby, pegando duas taças de champanhe da bandeja de um garçom que passava e empurrando uma na direção de Adriana.

— Catherine trabalha na *Marie Claire*?

— Catherine *trabalhava* na *Marie Claire*. Ela foi a editora de *booking* durante décadas e é conhecida por descobrir montes de modelos famosas hoje em dia. Então, foi um belo elogio o que ela lhe fez. Não que eu já não soubesse... — Ele se inclinou para perto o suficiente para Adriana poder sentir seu hálito de champanhe.

— Interessante — falou Adriana. — Muito, muito interessante. — Ela teria que perguntar a sua mãe a respeito de Catherine. Se a mulher realmente era a guru do *booking* da *Marie Claire*, então certamente a sra. de Souza a teria conhecido.

— Venha, querida. Deixe-me exibi-la.

Quando chegou a hora do jantar, Adriana localizou seu cartão com o lugar, apenas para descobrir que estava sentada entre uma editora da *Marie Claire* e Dean. Catherine havia — como todas as boas anfitriãs fazem e todos os convidados as odeiam por fazerem — separado todos os casais e os espalhara pela mesa, para encorajar conversas novas entre estranhos. Não era o ideal, mas também não era um completo desastre. Ela podia ter sido colocada entre Dean e Toby; isso não teria sido divertido. Adriana avaliou a cena, delineou seu plano de jogo e sentou-se em seu lugar. Acenou com a cabeça para Dean e então, como planejado, virou-se rapidamente para a esquerda. Adriana se inclinou para perto da mulher, tão perto que quase tocavam as testas, e disse:

— Percebe a sorte que tem? Você está sentada ao lado de um dos homens mais bonitos na sala.

A mulher, a quem Toby havia apresentado mais cedo como Mackenzie Michaels, *a* mulher para se conhecer na *Marie Claire*, ficou olhando inexpressivamente para Adriana por um momento, indecisa quanto a sua reação. Adriana simplesmente assentiu, como se dissesse *Bem, é verdade*, e Mackenzie deu uma espiada furtiva para sua esquerda. Adriana ficou observando enquanto seus olhos se arregalavam e ela engasgava. Sentado do outro lado de Mackenzie estava um homem ainda mais bonito que Dean. Ele estava usando um terno justo, com um riscado moderno à moda Thom Browne, sem gravata. Seu cabelo era cortado rente atrás e dos lados, mas a parte de cima ligeiramente mais longa era espetada na medida certa; descolado, mas sem se esforçar demais. Mas o melhor de tudo era como ele simplesmente parecia *cintilar*. Sua pele parecia recém-lavada e barbeada, bronzeada de sol de verdade, não do salão; suas unhas eram cortadas curtas e retas com um brilho sutil que conseguia não parecer nem um pouco efeminado; até mesmo seus mocassins de couro com franjinhas reluziam na luz.

Mackenzie virou-se de volta para Adriana e gemeu:

— Você tem razão. Ele é um deus — sussurrou.

Adriana inspecionou as mãos de Mackenzie e, não encontrando aliança, disse:

— Vá com tudo, *querida*. Pegue-o para você.

Mackenzie riu, uma espécie de fungada que não era nem de perto tão delicada ou feminina quanto a de Adriana.

— Certo, sei. Tenho mais chances de voltar para casa com o Matt Damon esta noite.

— Ele está aqui? — Adriana perguntou, esquecendo-se de sua promessa de não olhar na direção de Dean. Ela varreu a mesa com o olhar, examinando cuidadosamente os rostos de todos os 12 convidados.

— Não, ele não está *aqui* — Mackenzie disse com uma risada. — Eu só estava exemplificando: nunca no mundo esse cara lindo vai gostar de mim.

Mais uma vez, Adriana avaliou sua nova amiga. Altura mediana. Rosto melhor do que a média, com uma graça de narizinho e um belo sorriso. Silhueta bastante decente, ela adivinhou, apesar de ser impossível saber *o que* estava acontecendo debaixo daquele vestido baby-doll. Como ela odiava vestidos baby-doll! Qualquer mulher na face da Terra, incluindo ela mesma, parecia ou obesa mórbida ou grávida de oito meses com vestidos baby-doll e, ainda assim, eles eram a última moda. Adriana suspeitava que Mackenzie podia até estar escondendo belos peitos debaixo daquele mumu... um crime dos mais graves. Felizmente, a mulher de certa forma fora salva pela produção impecável. Fizera escova no cabelo solto, parecia ter sido maquiada por um profissional e tinha um conjunto de sapato e bolsa que a maioria das mulheres mataria para ter. Sua aparência, combinada ao seu sucesso como uma das editoras de revista mais requisitadas de Nova York, como Adriana ficaria sabendo mais tarde, deveria ter mandado Mackenzie para a estratosfera das mulheres confiantes; sua insegurança não fazia o menor sentido.

Antes que Adriana pudesse fazer algo para detê-la, Mackenzie virou-se para o gato, cutucou insistentemente seu braço e limpou a garganta. Ela não pareceu perceber que estava interrompendo a conversa dele com a mulher à sua esquerda, nem viu o olhar surpreso e ligeiramente irritado em seu rosto. Ele girou e olhou para Mackenzie.

— Olá — falou numa voz neutra, mas Adriana podia ver que o que ele realmente queria dizer era "Sim? Posso ajudá-la em alguma coisa?".

Mackenzie colou um enorme sorriso forçado no rosto e esticou a mão, um gesto um tanto constrangedor, considerando-se o quanto todos estavam apertados em volta da mesa. Ela acabou parecendo ligeiramente espasmódica, um fato que não passou despercebido ao homem.

— Oi. Eu queria me apresentar. Sou Mackenzie Michaels, editora de pauta da *Marie Claire*. Provavelmente não é sua leitura típica, já que é uma revista feminina. Mas na verdade, pensando bem, temos bastantes leitores homens. E, surpreendentemente, não são todos gays, o que...

— Mackenzie, *querida*? Será que você tem uma pastilha de hortelã ou talvez um chiclete? — perguntou Adriana, agarrando o braço da mulher. Não era brilhante, mas era o melhor que podia fazer com essa mulher que ela mal conhecia. Além do mais, ela não se importava com o que fosse dito, desde que Mackenzie parasse de falar. Era doloroso de ver, como sentar-se na primeira fila e ver um comediante se atrapalhar, ou o padrinho de casamento estragar seu brinde. *Ela* ficava desconfortável, e somente por esse motivo Adriana se intrometeu.

Ela olhou para o homem e lhe ocorreu, só por um momento, que seria uma possibilidade deliciosa. Se

Mackenzie ia se sabotar... Mas não! Ela tinha tido bastante sorte por encontrar seu futuro marido e não ia permitir que esse playboy de um centavo a tentasse. A missão era estritamente de necessidade, não de prazer.

— Alô! — Ela aumentou alguns níveis o sotaque brasileiro. — Eu sou Adriana. Incomoda-se se eu roubar minha amiga só por um minuto?

Mackenzie abriu a boca para falar, mas Adriana tomou a liberdade de lhe dar um beliscão no braço.

O homem sorriu, assentiu e voltou para sua conversa inicial.

Adriana podia sentir a frieza irradiando do corpo inteiro de Mackenzie, mas estava ainda mais consciente da presença de Dean à sua direita. Ele observara a história toda e, pelo canto do olho, ela podia ver que ele estava sorrindo. E ainda, havia Toby, que, do outro lado da mesa, estava dizendo o nome dela na conversa alto o suficiente para que ela pudesse ouvir cada palavra. Ela devia estar enrolada em um reservado escuro com uma caipirinha e um garoto e, em vez disso, estava passando por um constrangimento social depois do outro.

— Se você o queria para si mesma, por que me encorajou a dar em cima dele? Só para me fazer passar por idiota? — Mackenzie sibilou na direção de Adriana enquanto olhava direto para a frente. Ambas as mulheres sorriram para a garçonete quando ela botou as saladas de endívia na mesa.

Adriana suspirou e checou para se assegurar de que Dean estava envolvido em uma conversa diferente antes de continuar.

— Eu não queria — não quero — ele para mim, *querida.* Eu só não conseguia ver aquilo. Pareceu tão, tão...

— Adriana tentou pensar em outra palavra, uma palavra mais gentil, mas já estava se sentindo tão exausta!

— Tão o quê? — insistiu Mackenzie.

Adriana encarou-a no mesmo nível.

— Tão *desesperado.*

Mackenzie respirou profundamente e Adriana sentiu uma pontada de compaixão antes de se lembrar que estava fazendo um favor a ela. Se ninguém ainda lhe havia dito isso, ela estava praticamente fadada ao fracasso. Então ia odiá-la. Adriana tinha coisas mais importantes com que se preocupar do que com mais uma mulher que a odiava.

— Não foi *desesperado* — sussurrou Mackenzie. — Eu só estava sendo *simpática.*

Ah, a jogada da simpatia. Adriana foi instantaneamente transportada de volta à adolescência, quando sua mãe estava tentando lhe ensinar essas lições importantes e Adriana levantara exatamente os mesmos argumentos. Ela quase sorriu com a lembrança.

— Simpática, extrovertida, interessante, charmosa, como você quiser chamar, ainda é traduzido como "disponível e desesperada" quando é você que inicia o contato.

Mackenzie pareceu meditar sobre isso, abrindo a boca a certa altura para discordar e então mudando de ideia.

— Você acha? — perguntou finalmente.

Adriana assentiu. Era chato, de tão óbvio. Por que as mulheres americanas não entendiam isso? Por que ninguém as ensinava? *The Rules*, a série de livros sobre relacionamentos, havia ajudado um pouco, mas não chegara nem perto de ser o suficiente; ele instruía as mulheres em como negar os homens, mas não como seduzi-los. Se ela não tivesse testemunhado pessoalmente durante os últimos dez anos, nunca teria acreditado que existiam mulheres adultas que achavam que a forma de conseguir um homem era correndo atrás dele. Vira exatamente a mesma coisa com suas amigas — Leigh num grau ligeiramente menor, por causa de sua personalidade mais reservada, mas Emmy era completamente humilhante iniciando conversas, telefonando primeiro, sugerindo planos e tornando-se constantemente disponível.

— Então eu não devia ter me apresentado?

— Não. — Adriana bebericou seu vinho.

— Bem, e de que outra forma iríamos nos conhecer?

Adriana olhou para ela e tentou não se sentir frustrada; tinha que se lembrar que não era realmente culpa de Mackenzie.

— Vocês teriam se conhecido, provavelmente em minutos, quando *ele* se apresentasse a *você*.

— Ah, por favor! Qual é a diferença de quem...

Adriana continuou como se não tivesse escutado nada.

— Momento no qual você teria recompensado a educação dele com um sorriso e olhos ardentes, e então evitaria imediatamente todas as suas perguntas diretas, daria as costas e se envolveria completamente em uma conversa que não o incluísse.

— Mesmo que...

— Mesmo que ele estivesse no meio da frase, mesmo que ele lhe fizesse uma pergunta, mesmo que ele parecesse encantado com você. *Especialmente* se ele parecesse encantado com você. A única hora em que é permitido continuar é se ele for feio, porque, bem, aí não estamos muito preocupadas com o resultado, estamos?

Mackenzie assentiu, parecendo mais arrebatada por Adriana do que chateada por seu tom ligeiramente superprotetor. Isso era tão básico que era elementar; como essa mulher atraente e bem-sucedida podia não saber?

— Então, basicamente o que você está dizendo é que nós todas deveríamos ser a encarnação de *As Regras*? O que, na minha opinião, é completamente irreal.

— Eu concordo — Adriana falou. — *É* completamente irreal. *As Regras* é um bom lugar para começar, para adolescentes. Mas não é para mulheres adultas. Quer dizer, qualquer livro que trata o sexo só como algo que você deve evitar ou negar não tem a menor relevância.

Adriana ficou satisfeita por Mackenzie parecer paralisada. Continuou:

— Porque, sério, para que servem os homens, para começo de conversa, se você não pode usufruir deles?

Mackenzie continuou assentindo veementemente com a cabeça, concordando, então Adriana continuou a falar. Fazia algum tempo que não fazia algo para alguém por pura bondade; estava na hora de partilhar algumas de suas lições com alguém menos afortunado.

— É totalmente mito que, uma vez que um homem tenha transado com você, ele vai perder o interesse. Na verdade, devia ser exatamente o oposto: se você está fazendo seu trabalho direito, isso vai fazer com que ele a queira mais. A questão toda é encontrar o equilíbrio entre misteriosa, indisponível e desafiadora, e sensual, sedutora e sexy. Você os faz batalhar por aquilo — não só a primeira vez, mas de novo e de novo e de novo —, e eles vão amá-la para sempre.

— Você parece tão segura... — A voz de Mackenzie sumiu, mas Adriana podia ver que ela acreditava.

— Eu *sou* tão segura. Sou brasileira. Nós conhecemos os homens e conhecemos sexo.

Adriana começou a comer sua salada enquanto Mackenzie olhava para ela. Praticamente no mesmo instante, Adriana pôde ver o cara lindo terminar sua conversa e se virar para Mackenzie.

— Com licença? — ele perguntou.

Mackenzie fez uma pausa por um momento antes de se virar para ele e lhe oferecer um sorriso radiante.

— Sim?

— Acho que não me apresentei adequadamente. Meu nome é Jack. É um prazer conhecê-la.

Como uma profissional, Mackenzie olhou para ele apenas o tempo suficiente antes de lhe oferecer outro sorriso — só que ligeiramente mais provocador, com lábios franzidos e recém-lambidos.

— É um prazer conhecê-lo, Jack — Mackenzie ronronou.

— Então, de onde conhece Catherine? — ele perguntou.

— Ah, quem não conhece a Catherine? — Ela riu confiantemente e deu as costas para ele. — Adriana, querida, você estava me contando a história mais divertida sobre aquelas compras desastrosas na semana passada. Pode terminar para mim? Por favor?

Caramba, Adriana pensou, *a mulher é um talento nato.* Adriana entrou na brincadeira e inventou uma historinha para continuar a conversa, apenas tempo suficiente para Jack pedir licença e usar o banheiro masculino.

— Você foi perfeita — Adriana declarou assim que ele se levantou.

— Sério? Sinto como se o tivesse ofendido. Eu fui tão grossa que ele saiu!

— Absolutamente *perfeita.* Você não o ofendeu e não foi grossa, você foi misteriosa. Continue com isso pelo resto da noite e ele vai para casa com você hoje. Dê um pouco de atenção, então ignore-o. Flerte, e então contenha-se. Ele vai ficar maluco tentando pegá-la.

E, dito e feito, quando Jack voltou, passou todo o jantar, a sobremesa inteira e uma hora completa de drinques pós-jantar tentando manter a atenção errante de Mackenzie. O homem estava *se esforçando,* e Mackenzie claramente adorava cada minuto. Adriana podia ver sua confiança aumentando com cada flerte e se deu os parabéns por um trabalho bem-feito. Era uma delícia de se ver, principalmente porque ela estava ocupada desempenhando as jogadas avançadas do que acabara de ensinar a Mackenzie, tentando equilibrar, ela própria, dois homens muito diferentes, alternando desprezos e bater de cílios.

Um pouco depois da meia-noite, Toby finalmente concordou que podiam ir embora. Dean escapara um pouco mais cedo com pedidos profusos de desculpas porque tinha que ir à festa de um amigo que simplesmente não podia perder (desgraçado!), Mackenzie agora estava fingindo desinteresse por Jack num sofazinho em um canto escuro e Adriana estava, mais uma vez, extremamente entediada. Já tentara todos os truques existentes para fazer com que Toby a levasse para dançar, mas ele não queria saber daquilo. Estava exausto pelo trabalho e pela viagem; ia direto para o hotel e esperava que sua namorada fosse com ele.

Toby tagarelou sobre algo enquanto ajudava Adriana a vestir seu casaco, mas não era difícil bloqueá-lo. O que se provou mais difícil foi se lembrar de que ela tinha só 30 anos — uma menina, praticamente! —, e não 50, como se sentia. Pelo menos a noite não fora uma perda total; parecia que Mackenzie, tocando em Jack e rindo com ele, era outra mulher. Adriana esperou que ela olhasse e deu um aceno de despedida.

Mackenzie fez um sinal para ela esperar um minuto e, como uma profissional experiente, roçou os lábios de Jack de leve com a ponta do dedo e afastou-se dele, indo em direção a Adriana.

— Já está indo? — perguntou Mackenzie, olhando para o casaco de Adriana.

— Já passa da meia-noite. Estou exausta — mentiu. *Não exausta, só entediada*, pensou. — Mas parece que você está fazendo um ótimo trabalho.

— Você. É. Uma. Deusa! — Mackenzie sussurrou, inclinando-se para perto e agarrando o braço de Adriana. — Ele já me convidou para ir ao seu apartamento para tomar um drinque. Eu disse a ele que ia pensar.

Adriana estava impressionada. Nada funcionava com mais eficiência do que um talvez. Não era uma rejeição completa, mas definitivamente mandava a mensagem de que ele teria que se esforçar um pouco mais.

— Apenas lembre-se, se for para a cama com ele, nada de dormir lá. Não me interessa se são cinco da manhã, você tem que ser a que se levanta e vai embora. Fique enquanto estiverem transando. No momento em que estiver na hora de dormir, você sai fora — Adriana aconselhou sua nova aluna e tentou não pensar no quanto soava como sua mãe.

Mackenzie assentiu, agarrando-se a cada palavra.

— E se ele...

— Não há exceções.

Mais um assentimento.

— Divirta-se! — Adriana cantarolou. Ela deu um puxãozinho na mão de Toby para tirá-lo de um círculo de pessoas que o haviam encurralado. — Querido, é melhor irmos...

— Ah, e mais uma coisa — Mackenzie sussurrou. — Quero lhe falar sobre uma ideia para um artigo, como foco para nossa próxima edição. Ainda não tenho certeza de qual seria o ângulo, mas você tem um dom e acho que nossas leitoras adorariam saber a respeito.

Bem. Esse era um desdobramento interessante — e inesperado. Adriana estava acostumada a ter turistas aleatórios que a achavam exoticamente linda, pedindo para tirar sua foto, e esta noite não fora a primeira vez que a editora de uma revista a considerara bonita o suficiente para ser incluída em uma edição. Mas uma matéria centrada em suas habilidades natas com os homens e seu talento para ensinar outras mulheres como laçá-los? Isso não acontecia todo dia.

Ela fingiu indiferença, apesar de sua voz tremer ligeiramente com a emoção da história toda.

— Ah, bem, isso pode ser legal — disse em tom neutro.

— Espero de verdade que você pense a respeito e concorde. Posso ver uma matéria de página dupla com uma entrevista completa e muitas fotos lindas. Vamos fazer algo fenomenal, eu prometo — Mackenzie falou efusivamente. Ela não parecera ser uma pessoa efusiva mais cedo, mas também não parecera ser alguém que podia laçar um cara com tanta habilidade.

Adriana teve que se segurar para não dar gritinhos de felicidade.

— Bem, hum, Catherine sabe como me achar — ou, pelo menos, como achar Toby —, então provavelmente essa seja a melhor forma...

Mas Mackenzie já começara a andar em direção a Jack.

— Eu telefono na semana que vem! Foi ótimo conhecê-la. E obrigada... por tudo. — Ela acenou e continuou a caminhar de volta ao sofazinho no escuro.

— Espero que tenha se divertido, querida — Toby disse enquanto fazia sinal para um táxi do lado de fora do prédio.

— Foi tão mais que divertido, Toby. Tive uma noite *maravilhosa* — Adriana disse com mais sinceridade do que achava ser possível antes da ideia de Mackenzie. — Uma noite incrível, esplêndida, maravilhosa.

A batida na porta acordou Leigh de um sono profundo, algo que ela raramente conseguia à noite, que dirá no meio da tarde, quando nem intencionava adormecer. Havia algo no ar ou na água dali, algo que ela precisava mandar engarrafar; toda vez que seu carrinho alugado entrava em Sag Harbor, seu corpo inteiro ficava mole de relaxamento.

— Entre — ela gritou depois de uma verificação rápida para se assegurar de que estava vestida e não coberta de baba. Ficou chocada ao ver que já estava escuro do lado de fora.

Jesse abriu a porta e enfiou só a cabeça para dentro.

— Eu a acordei? Me desculpe, achei que você trabalhava pesado 24 horas por dia.

Leigh fungou.

— Estou aprendendo em primeira mão que tomar dois Bloody Marys antes do almoço não ajudam muito a produtividade.

— É verdade. Mas você não se sente bem?

— Bastante bem — ela admitiu. Apesar dos pedacinhos de seu sonho que estavam voltando à sua mente, algo a ver com entrar nua e tremendo na igreja, ela ainda se sentia descansada e em paz.

— Espere só um minuto — Jesse disse enquanto atravessava o quarto em três passadas largas. Sentou-se na beirada da cama onde Leigh estava sentada completamente vestida, apoiada em meia dúzia de almofadas, em cima da colcha. — O que estou vendo aqui?

Leigh seguiu os olhos dele até o livro que estava aberto sobre sua barriga. Tinha uma capa azul-bebê com uma foto de um presente lindamente embrulhado e era a continuação de *Something Borrowed*, um livro que ela acabara de ler e adorara.

— Isso? — ela perguntou, dobrando uma página e entregando para ele. — Chama-se *Something Blue*. O primeiro era sobre uma garota que se apaixona pelo noivo de sua melhor amiga e não sabe o que fazer. Bem, eles acabam juntos e agora, neste aí, vemos a história pela perspectiva da melhor amiga, que perdeu o noivo. Não que ela seja tão inocente, porque dormiu com um dos padrinhos do ex-noivo.

Jesse leu a contracapa enquanto sacudia a cabeça.

— Inacreditável — ele murmurou.

— O quê?

— O fato de que *você* lê *isso.*

— O que isso quer dizer?

— Ah, qual é, Leigh. Não acha engraçado que a srta. Formada-em-Inglês-em-Cornell-eu-só-edito-trabalhos-sérios-de-literatura esteja lendo *Something Blue* em seu tempo livre?

Leigh arrancou o livro de volta e o apertou contra o peito.

— É muito bom — ela disse, franzindo o cenho.

— Tenho certeza de que sim.

Leigh queria dizer que, pelo menos nesse momento, *Something Blue* era muito mais bem escrito do que o último rascunho do romance de Jesse. Que tinha uma estrutura sensata e uma linguagem coerente. Que talvez não estivesse explorando muitos temas intelectuais grandiosos, mas e daí? Era sagaz, inteligente e divertido de ler — algo que o sr. Bambambam Literário podia usar em dose tripla neste exato momento.

Mas é claro que Leigh não disse nada disso. Simplesmente falou:

— Não vou justificar minhas escolhas de leitura por prazer.

Jesse ergueu as mãos em derrota.

— É justo. Mas percebe que isso muda tudo, não é? Eu agora tenho provas reais de que a editora nazista é, na verdade, um ser humano.

— Só porque eu leio literatura para meninas?

— Isso mesmo. O quanto alguém pode ser durona se lê e se identifica com *O diário de Bridget Jones*?

Leigh suspirou.

— Eu adorei esse livro.

Jesse sorriu.

— Qual foi o outro... *O diário da babá*?

— Um clássico absoluto.

— Hum — Jesse murmurou, e Leigh podia ver que ele estava perdendo interesse rapidamente. Ela conhecia seus gestos agora, suas expressões, podia decodificar o significado de uma sobrancelha franzida ou um meio-sorriso. Estivera nos Hamptons quatro vezes nos últimos três meses, e a cada encontro as coisas pareciam menos constrangedoras. Na segunda vez ela ficara de novo no American Hotel, apesar de mal ter passado um punhado de horas lá — um fato que dizia muito, considerando-se que a visita acontecera numa Segunda-feira Sem Contato Humano (ela ignorou a regra por uma noite). Na terceira e na quarta visitas ela aceitou a oferta de Jesse para ficar na casa de hóspedes que ele havia construído para seus sobrinhos — era tão mais conveniente —, e só ontem, na quinta visita, Leigh percebera a sabedoria de se alojar num dos quartos de hóspedes no segundo andar da casa principal. Afinal de contas, eles frequentemente trabalhavam até tarde da noite, e o caminho para a casa de hóspedes era sinuoso e escuro.

Era tudo muito inocente e, para surpresa de Leigh, parecia extremamente natural. Ela ficou feliz por serem capazes de trabalhar tão bem juntos e ainda manter uma distância profissional, mesmo estando dormindo em aposentos um tanto próximos. Henry não havia achado estranho quando Leigh mencionara que parara de se hospedar no hotel; ele tinha outros editores que viajavam para se encontrar com autores — alguns para lugares mais distantes que os Hamptons —, e eles frequentemente ficavam alojados em algum lugar da propriedade. Quando Leigh contara a seu pai, durante o jantar na semana anterior, que passava de dois a três dias por semana trabalhando com Jesse em sua casa, ele dissera algo do tipo "não é o ideal mas, se eles não vêm até você, você vai até eles". Todas essas atitudes blasé só aumentavam a convicção de Leigh de que Russell não precisava saber.

— Fiquei imaginando o que você iria querer para o jantar — Jesse estava dizendo. — São quase 18h e estamos na baixa temporada; então, se não nos mexermos logo, vamos nos dar mal. Quer comer um hambúrguer em algum lugar ou eu devo preparar alguma coisa?

— Quando diz "preparar alguma coisa" você realmente quer dizer "despejar cereal numa tigela"? Porque, se for o caso, eu prefiro um hambúrguer.

— Ah, doce Leigh, encantadora como sempre. Essa é sua forma de dizer "Obrigada, Jesse, eu adoraria uma comida caseira, só sou uma bruxa muito difícil para dizer isso"?

Leigh riu.

— É.

— Eu tive essa sensação. Está bem, então vamos cozinhar. Vou dar um pulo no Schiavoni's para comprar comida. Algum pedido?

— Lucky Charms? Ou Cinnamon Toast Crunch. Com leite semidesnatado, por favor.

Jesse jogou as mãos para cima fingindo desgosto e saiu do quarto. Leigh esperou até ouvir a porta da frente fechar e o carro ser ligado antes de pegar seu telefone.

Russell atendeu no primeiro toque.

— Alô?

Ele sempre fingia não saber que era ela, mesmo tendo identificador de chamadas como o resto do mundo civilizado.

— Ei — ela disse. — Sou eu.

— Oi, amor, como você está? Como está o maluco ultimamente? Está ficando sóbrio o bastante para fazer algum trabalho substancial?

Russell começara a falar mal de Jesse basicamente em toda oportunidade que tinha, independente do quanto Leigh lhe assegurasse que Jesse não tinha nada a ver com sua reputação ou de quantas vezes ela lhe dissesse que ele era só mais um escritor, alternadamente confiante a ponto de ser arrogante ou inseguro a ponto de ficar debilitado. Isso não parecia importar, e Leigh percebeu que, quanto mais defendia Jesse, mais isso inflamava Russell. Ele estava com ciúmes —, ela certamente ficaria se ele passasse tanto tempo com outra mulher — mas ela não conseguia tranquilizá-lo. Mesmo que Jesse tivesse mencionado sua esposa (e Leigh ainda tinha que detectar alguma prova real da existência dela), o fato era que Jesse era casado e Leigh estava noiva, e eles haviam desenvolvido uma bela amizade além de sua relação de trabalho. Uma bela amizade *platônica* — algo que Russell alegava, para grande irritação de Leigh, ser uma impossibilidade entre homens e mulheres.

— Ele realmente não é assim, Russel. Não é um bêbado, ele é só... só diferente. Não é tão controlado quanto nós.

Droga. Essa definitivamente não era a abordagem certa. Qualquer conversa que ela permitisse levar na direção de Jesse definitivamente terminaria em briga, algo que, apesar de seus melhores esforços, parecia estar acontecendo bastante ultimamente.

— *Controlado*?

— Você sabe o que eu quero dizer.

— Parece que você acha que ele é todo relax e zen, e que eu sou estressado e... e... *controlado*.

— Somos pessoas diferentes, Russell. E, na minha opinião, somos nós que vivemos como adultos responsáveis enquanto ele está perdido e sem rumo, está bem? — Leigh não confessou a Russel que, apesar de essa ter sido sua opinião há apenas um mês, o estilo de vida de Jesse não lhe parecia mais tão desagradável. — Olhe, por que estamos falando nele? Quem se importa? Eu liguei para saber como você está. Como foi a reunião de pós-produção hoje?

— Foi boa. Nada fora do comum.

— Russell, não fique emburrado. Não fica bem.

— Obrigado pela lição de etiqueta, *minha cara*. Vou me lembrar disso.

— Por que está fazendo isso? — Leigh suspirou. Ela só queria ver como ele estava, trocar algumas amenidades e voltar para seu livro, mas parecia que Russell estava preparando uma grande conversa sobre o "estado da relação". Eram a especialidade dele e o pior pesadelo dela.

— Leigh, o que está acontecendo com a gente? — A voz dele ficou mais suave, mais gentil. — Sério, acho que devíamos conversar sobre isso.

Leigh respirou fundo e soltou o ar silenciosamente. Procurou ficar calma, apesar de seu interior estar gritando

Não, não, não! Estou cheia de falar sobre isso. Não vamos conversar sobre coisa alguma. Não podemos apenas contar um para o outro como foi nosso dia e ir em frente? Por favor, não faça isso comigo!, e disse:

— Como assim, Russ? Não há nada errado com a gente.

Ele ficou em silêncio por um minuto.

— Você realmente acha isso? Não parece que há uma distância enorme? E o que eu devo dizer quando as pessoas me perguntam por que ainda não fizemos nossa festa de noivado? Que minha noiva parece não ter tempo, apesar de estarmos noivos há cinco meses?

Ah, Deus, por favor, isso de novo não.

— Você sabe como isso é importante. Por que não pode ser compreensivo?

— É, bem, pode me chamar de louco, mas acho que pensei que se casar seria um lance importante para você também.

— É claro que é. Por isso quero esperar até tudo poder ser perfeito.

Isso não era completamente mentira. Leigh sabia que estava se arrastando com os planos. Uma parte era um desinteresse geral por todas as coisas relacionadas a casamento — ela não era a garota que escolhera seu vestido aos 12 anos —, e outra era o terror de ter que lidar tanto com sua mãe quanto com a do Russell, mas quando era completamente sincera consigo mesma, Leigh sabia que era mais do que isso.

Por algum tempo ela pôde dizer a si mesma que tudo estava acontecendo rápido demais. Afinal de contas, parecia que fora ontem que eles haviam se beijado pela primeira vez na Union Square. Também gostara muito de

Russell naquela época — ela o achava doce e bonito, e estava lisonjeada por seu interesse nela. Esperava que eles namorassem e que o relacionamento se desenvolvesse ou se desintegrasse naturalmente. Ou duas pessoas se aproximam mais e prosperam, ou a conexão lentamente esmorece e é hora de terminar. Ela gostava de estar com Russell e não ficar toda estressada a respeito do que o futuro traria. O que funcionara bastante bem, até ele ter *pedido sua mão*. E não só pedido sua mão, mas enfiado aquele anel em seu dedo enquanto Leigh ficava ali sentada, congelada pelo choque, e então beijado sua boca enquanto estava aberta de choque. Ela nunca estivera tão despreparada para alguma coisa em toda a sua vida, e não era preciso ser um gênio para ver que estava sendo assombrada por dúvidas nesses últimos meses. O que ela não sabia como explicar a Russell — nem a mais ninguém — era o quê, exatamente, estava errado. Nada havia mudado entre eles desde que haviam se conhecido; ele ainda era tão carinhoso, gentil e compreensivo quanto antes. O problema era que Leigh ainda estava esperando ficar loucamente apaixonada por ele, e todo mundo — suas amigas, seus pais e, pior do que tudo, Russell — achava que ela já estava. Tendo isso em vista, será que era realmente tão estranho que ela só quisesse ir com calma?

Foi a vez de ele suspirar.

— Eu entendo. Só queria que houvesse, sei lá, um pouco de *entusiasmo* na sua voz. Você conversa sobre isso com as meninas?

— É claro que sim — Leigh mentiu. Emmy e Adriana perguntavam sem parar sobre os planos para o futuro casamento — queriam desesperadamente dar uma despedida de solteira — mas Leigh sempre se pegava mudando de assunto. Por que não entendiam que isso tudo estava indo rápido demais? Só pensar nisso, porém, a fazia sentir-se culpada; então ela abrandou a voz e disse: — Amor, eu estou entusiasmada com tudo. Nós vamos nos casar e, quando isso tiver terminado, vamos para algum lugar exótico e muito, muito distante, como as Maldivas, e vamos relaxar e curtir um ao outro, está bem? Eu prometo.

— Vai usar aquele biquíni que eu adoro? Aquele com os círculos de metal nos quadris e no meio da parte de cima?

— Com certeza.

— E não vai levar seu laptop ou um único original, nem mesmo para ler no avião?

— Nem um único — ela disse com segurança, apesar de isso ter feito com que hesitasse. — Vai ser perfeito.

— Fechado — disse Russell, soando como se o problema tivesse sido totalmente resolvido.

— Eu ligo para você mais tarde para dizer boa-noite, está bem?

— Você definitivamente vai estar de volta amanhã, certo? Precisamos de pelo menos uma noite sozinhos antes do grande Dia de Conhecer os Pais no Ação de Graças.

— É claro que precisamos, amor. Eu definitivamente vou estar em casa amanhã à noite — Leigh se forçou a dizer. Ela não estava temendo particularmente o Dia de Ação de Graças em Connecticut, apesar de provavelmente dever, considerando-se que a família inteira de Russell estava vindo passar o feriado com a dela, mas seu desespero para desligar o telefone superava tudo o mais naquele momento.

— Mmmmwah! — Russell fez um som alto de beijo dentro do fone, uma coisa particular que eles sempre haviam feito quando estavam longe.

Leigh fez de volta, sentindo-se idiota e ligeiramente irritada, e então culpada por sentir-se idiota e ligeiramente irritada. Eles desligaram e ela se sentiu aliviada, depois exausta, cansada demais até para reabrir seu livro.

Acordou com a sensação desconcertante de que alguém a observava. Olhou pela janela e pôde ver alguns flocos de neve espalhados, realçados pela luz acima da porta da frente. O quarto estava quase totalmente escuro, mas ela podia sentir a presença de outra pessoa.

— Jesse?

— Ei. Me desculpe. Eu a assustei?

Conforme seus olhos se adaptaram, ela o viu sentado do outro lado do quarto, na cadeira de balanço de mogno. Suas mãos estavam cruzadas em cima do peito e sua cabeça descansava no encosto da cadeira. O cheiro de alho fresco e pão assando entrou como uma lufada de algum lugar.

— O que está fazendo aqui?

— Só admirando você dormir.

— Eu dormir?

— Vim acordá-la para jantar, mas você parecia tão tranquila. Eu não durmo de verdade praticamente nunca, então é sempre agradável ver outra pessoa. Provavelmente assustador, mas espero que não se importe.

— Na verdade, é irônico, porque eu não durmo em nenhum lugar, só aqui. Há algo em estar aqui que é melhor do que Bambien.

— O nome desse sonífero não é Ambien? Sem o *B*?

— Banheira mais Ambien é igual a Bambien. Mas mesmo isso só funciona de vez em quando.

Jesse riu e Leigh sentiu uma onda de alegria. E, pela primeira vez em 30 anos de vida, Leigh fez algo sem pensar duas vezes sem nenhuma consequência ou reação em potencial. Com a mente completamente em branco e absolutamente nenhuma ansiedade, ela desceu da cama e andou até a cadeira de balanço. Nem ficar acima dele a deixou nervosa; ela esticou a mão e, quando ele a aceitou com apenas uma ligeira confusão no rosto, ela o puxou para cima. Estavam cara a cara, algo que parecia estranho porque Russell era tão mais alto. Leigh olhou para suas mãos, entrelaçadas com as dele, um momento de intimidade que era inegável, indiscutível. Ele desenlaçou as mãos e as botou atrás do pescoço dela e enrolou os dedos em seu cabelo e seus lábios se apertaram um contra o outro e se abriram; a língua de Jesse na dela era mais surreal do que excitante, estranho ou exótico.

A partir dali tudo aconteceu rápido. Eles caíram na cama e em segundos estavam nus. Foi um sexo violento, carente, que Leigh raramente havia experimentado. Apesar de ele ter brincado com o cabelo dela, pego seu rosto entre as mãos, beijado a ponta de seu nariz, massageado suas costas, ele não hesitou em empurrá-la para baixo bruscamente, as mãos em cima de sua cabeça. Depois, Jesse a puxou para perto, ainda em cima da colcha, e passou os dedos de leve pelos ombros de Leigh até a parte de trás dos braços dela se arrepiar. Perguntou se ela estava bem e se queria um pouco de água. Quando Leigh ficou em silêncio por alguns minutos, ele levantou o queixo dela e a beijou com tanta suavidade que ela pensou que podia morrer. Beijaram-se dessa forma durante minutos, muitos minutos, preguiçosa e languidamente e, quando Jesse pressionou a parte chata da língua por seu lábio inferior, Leigh teve a sensação de que podia desaparecer inteiramente dentro de sua boca. Nenhum dos dois ergueu a cabeça do travesseiro; eles se viraram e se beijaram, carinhosa e suavemente, até que algo explodiu e a urgência se tornou avassaladora; seus dentes se chocaram e suas unhas se enterraram e suas mãos mais uma vez agarraram e puxaram.

Depois Leigh descansou a cabeça no peito dele e, através dos olhos semicerrados, espiou para ver Jesse olhando para ela. Não com curiosidade ou amor, porém; ele parecia estar tentando se lembrar de cada detalhe. Contato visual durante o sexo era supostamente o máximo de intimidade, um vislumbre da alma, blá-blá-blá. Mas, independente do quanto ela se sentisse próxima de Russell ou dos outros caras antes dele, olhar nos olhos sempre pareceu forçado ou planejado, como se os dois tivessem lido a mesma matéria insistindo que *fazer amor* incluía contato visual. Isso sempre a fizera sentir-se desconfortável, a tirava do momento, mas agora era diferente. Quando os olhos de Jesse encontraram os dela, foi difícil respirar; ninguém nunca olhara para ela daquele jeito antes. Era tirado de um filme, e Leigh se sentia como uma estrela de cinema. Não tinha mais importância ter uma pequena assadura na barriga devido a uma reação alérgica a um hidratante novo, ou que a pele de Jesse fosse um pouco pálida demais para pelos tão escuros no peito, ou que ambos estivessem vermelhos e suados e ofegantes; eles haviam se tornado as duas pessoas mais sensuais da Terra. Haviam, de uma maneira muito real, se encontrado.

Em algum momento eles adormeceram, porque, quando Leigh abriu os olhos, o céu estava começando a clarear. Ela deslizou para fora da colcha que Jesse havia puxado por cima deles e foi, na ponta dos pés até o banheiro do outro lado do corredor, esperando pela enxurrada de arrependimento, culpa e autoflagelação. Nada aconteceu. Em vez disso, ela fez xixi e se preparou para a pontada de uma infecção urinária, mas, miraculosamente, sentia-se bem. Jogando água no rosto, ela se viu no espelho e quase desmaiou. Seu queixo e suas bochechas estavam em carne viva, e algumas partes estavam sangrando levemente pelo roçar da barba; seus lábios estavam inchados; a pele de seu pescoço estava manchada de vermelho, com marcas de dentes; seu cabelo estava emaranhado como um ninho de rato; havia escoriações no lado de dentro de suas coxas onde ele havia se empurrado contra ela. Sua cabeça latejava por bater na cabeceira da cama, seu osso pélvico doía e a pele sensível entre suas pernas parecia ter sido lixada. Até seus pés doíam por enrijecer os dedos tantas vezes.

Nunca antes ela se sentira tão mal, se por *mal* alguém quiser dizer *absolutamente fantástico*. Voltou para o quarto de hóspedes e encontrou Jesse sentado na cama, ainda nu debaixo do lençol. A luz da janela ao lado da cama iluminava seu rosto, e Leigh agora podia ver o relógio: 7h23. Ele olhou para cima e, pela primeira vez em horas, ela teve consciência de si mesma. Estava de pé completamente nua à luz do dia na frente desse homem que ela mal conhecia, seu *autor*, pelo amor de Deus. Havia realmente *feito* isso?

— Leigh.

Ela se forçou a olhar diretamente para ele. O quarto estava frio e ela podia sentir os pelos em suas pernas começarem a formigar.

— Leigh. Querida. Venha cá. — Ele ergueu a ponta do cobertor e fez um sinal para que se juntasse a ele.

Ela subiu para a cama ao lado dele. Ele passou os braços em volta dela e puxou as cobertas para cima dos dois. Beijou-a na testa como seu pai costumava fazer quando ela estava doente. E o que seu pai pensaria se pudesse vê-la agora... não só na cama com alguém — ruim o suficiente para um pai —, mas com o homem que ela havia sido designada para editar... e quanto a Russell... seu noivo... ela ainda estava usando o lindo anel que ele colocara em seu dedo havia apenas cinco meses. Era uma vagabunda suja e nojenta, indigna de todos eles.

— Você parece estar à beira de um avassalador ataque de pânico — Jesse sussurrou em seu ouvido. Ele a puxou ainda mais para perto, mas era protetor, não sexual.

— Sou uma vagabunda, suja, nojenta e indigna — ela falou antes de poder se conter mas, no segundo em que as palavras saíram, ela se arrependeu.

Esperando uma negação ou, no mínimo, outro abraço e alguns arrulhos solidários — a especialidade de Russell —, Leigh ficou horrorizada, e depois extremamente furiosa, quando Jesse começou a rir.

Ela afastou seu corpo do dele e ficou olhando, emudecida.

— Você acha isso engraçado? Acha divertido que eu tenha basicamente acabado de destruir minha vida?

Ele a abraçou mais apertado e, em vez de sentir-se sufocada como normalmente se sentia, Leigh se permitiu relaxar. Jesse beijou seus lábios e sua testa e cada uma das bochechas antes de dizer:

— Só estou rindo porque você me lembra tanto de mim mesmo.

— Ah, que ótimo — Leigh resmungou.

— Mas nós não fizemos nada errado, Leigh.

— Como assim, não fizemos nada errado? Eu nem saberia por onde começar. Talvez pelo fato de que eu estou noiva? Ou que você é casado? *Ou que nós trabalhamos juntos?*

Ela enfatizou a parte do trabalho juntos, mas só quando listou tudo Leigh admitiu algo para si mesma. Estivera esperando Jesse oferecer uma explicação razoável para seu casamento, algo mais no estilo "Na verdade, estamos divorciados" ou "Não sou realmente casado". Ela sabia que era improvável. Mas isso não impedira Leigh de esperar.

Ele pressionou o dedo nos lábios dela e fez "ssshhh", o que ela ficou surpresa em descobrir que achava bonitinho, e não irritante.

— O que aconteceu entre nós aconteceu naturalmente. Nós dois queríamos. O que há de errado nisso?

— O que há de errado nisso? — ela disparou, sua voz assumindo um tom maldoso, quase cruel. — E quanto à sua *esposa*?

Jesse rolou para cima de um cotovelo, pairando acima de Leigh, e olhou diretamente em seus olhos.

— Não vou contar a historinha de sempre, de como nós somos infelizes e como ela não me entende e como estou prestes a deixá-la, porque não é verdade e eu não quero mentir para você. Mas isso não significa que não haja circunstâncias atenuantes. E certamente não significa que eu não a queira desesperadamente agora.

Bem, *isso* definitivamente não era o que ela esperava ouvir. No que lhe dizia respeito, não havia problema nenhum com a historinha eu-odeio-minha-esposa-ela-não-me-entende. O fato de não terem sido apresentadas a deixou ainda mais agudamente consciente do quanto isso tudo era errado, algo que ficava ainda mais confuso pelo fato de parecer tão certo. Tão *certo*? O que diabos ela estava pensando? Isso era loucura... Não havia nada de certo em trair Russell ou fazer sexo com o homem com quem ela deveria estar trabalhando. Fora um lapso horroroso de juízo, imperdoável, e seria um milagre se eles todos passassem por isso incólumes. É claro que não poderia mais editar Jesse, pelo menos isso estava claro, mas parecia um preço insignificante a pagar por sua estupidez avassaladora.

Estava na hora de ir embora. Imediatamente.

— O que você está fazendo? — Jesse perguntou enquanto Leigh saía de debaixo dele e se enrolava na colcha. Ela agarrou sua mala e, com uma das mãos segurando a colcha para garantir que continuasse coberta, ela meio correu, meio mancou até o banheiro. Só depois de trancar a porta atrás de si permitiu que a colcha caísse, mas desta vez ela não podia encarar seu corpo no espelho. Sabendo que só iria chorar caso se permitisse o luxo de uma ducha, vestiu calcinhas limpas, jeans e uma camisa de botão, e amarrou seu cabelo emaranhado e arrepiado em um coque. Só gastou tempo escovando os dentes e, com essa única tarefa completa, Leigh apertou o maxilar para não chorar e abriu a porta.

Ele estava no vão da porta usando uma camiseta e cuecas samba-canção, parecendo infeliz. Leigh só queria abraçá-lo, um desejo que considerava tão repulsivo quanto atraente, mas conseguiu se espremer para o outro lado sem nem mesmo roçar o braço dele.

— Leigh, querida, não faça isso — ele disse, seguindo-a pelo corredor e então pelas escadas. — Sente-se comigo por um minuto. Vamos conversar sobre isso.

Ela entrou voando na cozinha para juntar seus papéis e cadernos e viu o que restara do jantar que nunca tinham chegado a comer. Uma travessa com lasanha endurecida descansava em um fogareiro elétrico entre dois lugares postos e dois copos servidos de vinho tinto; dois castiçais simples de prata estavam cobertos de cera marfim derretida.

— Não quero conversar. Quero ir embora — Leigh disse baixinho, sem nenhuma entonação.

— Eu sei e estou pedindo para esperar. — Leigh olhou para ele e percebeu que a barba por fazer estava salpicada de cinza e que as sombras embaixo de seus olhos estavam tão escuras que podiam ser confundidas com hematomas.

— Jesse, por favor — ela suspirou de costas para ele, enquanto colocava suas pastas na bolsa. Lembrou-se de que deixara *Something Blue* no quarto de visitas lá em cima, mas de forma alguma ela iria voltar para buscá-lo agora.

Ele colocou a mão no ombro dela e puxou-a suavemente para virá-la de frente.

— Olhe para mim, Leigh. Quero que saiba que eu não me arrependo de nada de ontem à noite.

Pela primeira vez desde que saíra da cama, Leigh olhou nos olhos dele. Ela ficou olhando para ele de olhos apertados com seu olhar mais frio e disse:

— Ah, estou tão aliviada! Graças a Deus *você* não se arrepende do que aconteceu. Vou dormir melhor esta noite sabendo disso. Enquanto isso, *tire suas mãos de cima de mim.*

Ele se afastou.

— Leigh, eu não quis dizer isso. Por favor, sente-se comigo por um minuto...

Algo no modo como a voz dele foi sumindo disse aos dois que seu convite, ainda que sincero, não era algo que ele quisesse na verdade. Ele parecia cansado e abatido, como um homem que está exausto com a ideia de ter que lidar com mais uma mulher histérica após o coito.

Ela daria tudo para que ele dissesse que a amara desde o momento em que a conhecera, e que essa não era mais uma conquista extramatrimonial para o lendário Jesse Chapman — que ela, Leigh Eisner, era diferente —, mas sabia que não aconteceria. Passou a bolsa por cima do ombro e atravessou orgulhosamente a porta da frente com a cabeça erguida, tão surpresa quanto triste quando Jesse não foi atrás.

três homens não transformam ninguém em uma *femme fatale*

Adriana literalmente não conseguia se lembrar da última vez em que esperara tão ansiosamente o telefone tocar. No ginásio, antes da puberdade, quando, como todas as outras garotas, tinha que imaginar se seria convidada para o baile da escola? Talvez. Ficara bastante ansiosa para receber um telefonema da clínica da faculdade algumas vezes, sobre o ocasional teste de gravidez, e houve aquele pequeno incidente em Ibiza com aquele pouquinho de cocaína que necessitara da presença de um advogado decente... esperar também não fora fácil na época. Mas isso era diferente: ela queria tão desesperadamente que a *Marie Clare* ligasse com boas notícias, que mal podia pensar em outra coisa.

Não que estivesse esperando nada além de boas notícias, é claro — se o encontro de ontem com a editora-chefe fosse alguma indicação, ela tinha certeza de que deixara uma boa impressão —, mas esses editores de revistas eram imprevisíveis. Não era a roupa de Adriana que a deixava nervosa (que mulher em sã consciência não adoraria o contraste entre um vestido Chloé esvoaçante, saltos Sigerson de couro e um casaco de carneiro perfeitamente gasto, que apertava só o suficiente na cintura?), ou como fora a reunião (as duas haviam partilhado Pellegrinos e opiniões a respeito dos melhores cirurgiões plásticos da cidade); ela só não conseguia deixar de imaginar por que Elaine Tyler a quisera conhecer para começo de conversa.

Como prometido, Mackenzie telefonara para Adriana alguns dias depois do jantar, para ver se ela estaria interessada em escrever uma amostra de uma coluna de conselhos sobre sexo e relacionamentos, à qual Mackenzie então acrescentaria seu próprio texto descrevendo o talento nato de Adriana com os homens. Se tudo corresse como esperado, Elaine aprovaria um período de testes para a coluna no website da revista, e elas esperariam para medir a reação dos leitores. Adriana levara apenas uma tarde para compor meia dúzia de redações (quem é que podia reduzir para apenas uma?), missivas com títulos que iam de "Transar sim, dormir não" a "Eu só estava sendo simpática e outras desculpas idiotas". Ela estava bastante confiante de ter conseguido transmitir sua sabedoria conseguida a duras penas enquanto mantinha o tom leve e divertido. Então, por que diabos Elaine insistira em conhecê-la? Mais precisamente, por que o escritório de Elaine ainda não havia ligado? Estupidamente, Adriana dera seu telefone de casa quando a assistente de Elaine pedira informações para contato e, quando tentara se corrigir e fornecer o número do celular, a garota a dispensara com um gesto. Eram quase 18h, e numa sexta-feira! Em apenas algumas horas ela teria que se arrastar para fora de seu cobertor de marta favorito e se preparar para encontrar Toby. Realmente esperavam que ela simplesmente ficasse sentada e esperasse o telefone tocar?

— Cha-to! — Otis gralhou. — Muito cha-to! — Ele estava empoleirado no joelho coberto de Adriana, olhando para ela enquanto ela olhava para a TV.

— Está bem, está bem, era só um comercial. Pronto, olhe. Está começando de novo. — Otis girou a cabeça na direção da televisão e começou a assistir a *The Hills* com atenção absoluta.

Adriana esticou a mão em sua direção e acariciou suas costas sedosas. Otis se empurrou contra sua mão, adorando a massagem. Adriana sorriu para si mesma, satisfeita com o progresso do pássaro. Depois de gritos intermináveis, noites demais sem dormir e não menos do que meia dúzia de telefonemas internacionais para Emmy nos quais Adriana ameaçara mutilar e desmembrar Otis se não fosse dispensada de suas obrigações imediatamente, pássaro e garota haviam ficado amigos.

Deus abençoe a epifania — sem ela, quem sabe qual poderia ter sido o fim do pobre Otis. Acontecera só na semana passada e fora uma surpresa muito bem-vinda. Adriana acabara de tirar a roupa e estava salpicando sais em seu banho matinal de banheira quando, de seu poleiro perto da privada, Otis gritou "Garota gorda!". Instantaneamente os olhos de Adriana voaram para o espelho, procurando se assegurar de que ela não havia inchado como um balão da noite para o dia. Quando garantiu que suas coxas continuavam tão firmes quanto sempre, ela se virou para olhar para Otis. Ele estava empoleirado na barra de sua gaiola de metal, a cabeça pendurada para baixo, o bico fixo e uma expressão que só podia ser descrita como infeliz. Mais notavelmente, estava olhando para si mesmo no espelho e, no momento em que Adriana entendeu a importância disso, Otis soltou um suspiro longo e triste e gralhou "Gorda" baixinho, com resignação.

Foi então que Adriana percebeu que Otis achava que *ele* era gordo, não ela.

Esse tempo todo Otis estivera gritando "garota gorda" e "gorda", e eram pedidos de ajuda! Ele devia saber que Emmy sempre oferecia comida demais, numa tentativa desesperada de acalmá-lo. Pobrezinho! Como podiam esperar que ele se controlasse com as quantidades ilimitadas de alpiste processado que passavam constantemente por sua gaiola? Adriana imediatamente entrou online e passou os olhos em alguns sites a respeito de nutrição adequada para papagaios africanos, ficou horrorizada ao descobrir que os alpistes comerciais em caixa praticamente garantiam obesidade mórbida e morte prematura por colapso dos rins. Sem falar no dano emocional que estava lhe causando! Olhar para si mesmo dia após dia — passar a vida engaiolado na frente de um espelho! — e reconhecer que você está acima do peso, mas não ser capaz de fazer nada a respeito... bem, Adriana não tinha certeza se a vida poderia ser pior!

Isso mudou tudo. A partir do momento em que entendeu que a raiva e os insultos de Otis não eram dirigidos a ela, Adriana foi tomada de simpatia pela criaturinha rechonchuda. Naquela mesma tarde, ela deu um telefonema para Irene Pepperberg, a lenda viva dos papagaios em pessoa, e perguntou o que a mulher dava de comer para

Alex, seu mundialmente famoso africano cinza, que tinha um vocabulário maior do que a média dos estudantes americanos de 8ª série. Mobilizada pelo conhecimento recém-descoberto e encorajada por uma sensação muito estranha de querer ajudar, Adriana imediatamente foi ao Whole Foods, a feira da Union Square, a uma *pet shop* chique e a um veterinário especializado em pássaros exóticos. Levara quase uma semana de trabalho constante, mas a mudança no estilo de vida de Otis estava quase se completando.

Era difícil dizer o que fizera mais efeito, mas Adriana achava que provavelmente era a nova casa de Otis. Sua gaiola raquítica de alumínio com o cheiro horroroso e as cruéis barras de arame que pareciam — e soavam — como algum tipo de cela de tortura medieval fora banida. Em seu lugar havia uma casa adequada para uma ave: uma gaiola de madeira feita à mão do tamanho de um armário, desenhada por um dos melhores arquitetos nova-iorquinos e construída por um empreiteiro de reputação que executara a visão perfeitamente. A estrutura era de carvalho sólido, que Adriana mandou escurecer para cor de café, para combinar com a mobília de seu quarto; o chão e o teto eram de granito; os lados consistiam de malha de aço inox de alta qualidade; e o painel da frente era feito de um acrílico inquebrável que parecia vidro, do chão ao teto. Ela encomendara uma impressão magnífica em alta resolução de uma foto da selva feita por um renomado fotógrafo da National Geographic e mandara plastificá-la e instalá-la como pano de fundo, para que Otis pudesse se sentir mais próximo da natureza, e pediu que instalassem um sistema de luz de espectro inteiro, para que ele não tivesse tanta dificuldade com o dia e a noite. Seguindo o conselho de um especialista em comportamento de papagaios, Adriana equipou o interior com uma variedade de plataformas de descanso, balanços, prateleiras, alimentadores e poleiros, apesar de mais tarde ter removido alguns acessórios por se preocupar que o espaço ficasse entulhado demais. Eram, sem dúvida, 8 mil dólares bem-gastos, como provado pelo fato de Otis ter literalmente cantado quando a viu pela primeira vez. Adriana jurou que podia vê-lo sorrindo enquanto olhava para o panorama da selva, de seu poleiro de bambu.

Ela achava que a nova dieta de Otis, que incluía apenas cereais ricos em nutrientes, frutas e vegetais, também ajudara muito a aliviar alguns de seus problemas de autoimagem. Adriana comprou um suprimento enorme de quinoa altamente nutritiva e o suplementava com frutas silvestres orgânicas, cenouras e — para o cálcio — duas porções semanais de iogurte grego. Quando Adriana descobriu que Otis preferia o gosto de água artesiana de Fiji, tanto a Evian quanto a Poland Spring, ela passou a encher a garrafa dele três vezes por dia, para garantir que estava eliminando todas as suas toxinas. Uma ida ao aviário para um banho, uma névoa de hidratação e uma cortada nas unhas dos pés haviam completado seu regime de rejuvenescimento.

Que diferença um pouco de mimo não fazia! Adriana tomou nota disso mentalmente, se algum dia duvidasse da importância de mimar a si mesma (por mais improvável que fosse). Otis era um novo pássaro. Ele cantava, gorjeava, balançava a cabeça no ritmo das músicas de bossa nova que tocavam constantemente no apartamento. Em apenas uma semana, deixara de ser um animal agressivo banido para o banheiro e passara a ser um companheiro de brincadeiras de natureza doce, que gostava de se enroscar em cima do sofá. Esta manhã, demonstrara o quanto havia evoluído quando, finalmente, reagiu corretamente ao treinamento incansável de Adriana.

— Muito bem, Otis, agora tente se concentrar, *querido* — ela arrulhou enquanto puxava um espelho de mão de sua mesinha de cabeceira. Eles foram para a sala de estar e se sentaram juntos no chão, onde Otis alegremente beliscou uma cenoura e Adriana treinou com ele suas novas palavras do vocabulário.

— Agora, eu vou lhe mostrar o espelho e você vai me dizer o que vê, está bem? Lembre-se, você é um pássaro inteligente e lindo, que não tem nada do que se envergonhar. Está pronto?

Otis continuou a mastigar.

Adriana colocou o espelho na frente do rosto dele e prendeu a respiração. Estavam perto, ela podia sentir, mas até agora Otis não fora capaz de deixar de gritar "Gorda!" ao ver seu próprio reflexo. Ela segurou o espelho bem parado e esperou, encorajando-o a dizer as palavras certas.

Ele estava claramente hipnotizado por si mesmo — um bom sinal —, conforme as penas de suas asas inchavam um pouco e seu bico se abria muito ligeiramente. Parecia estar satisfeito com o que via, apesar de, é claro, não haver maneira de saber.

Vamos lá, Adriana estimulou mentalmente, *você consegue!* E aí, como previsto, com a cabeça erguida e os olhos brilhando, Otis gralhou:

— Garota bonita!

Adriana quase desmaiou de emoção.

— Ah, isso, bom garoto! — falou entusiasmadamente com voz de bebê. — Que bom garoto você é! O bom garoto quer um agradinho?

Ela decidira dar a Otis uma folga quanto a sua confusão de gênero — por enquanto, pelo menos. Havia tempo suficiente para tudo e era a esmagadora falta de autoestima dele que a havia deixado mais preocupada.

— Uva! — Otis gralhou, claramente feliz. — Garota bonita! Uva! Garota bonita! Uva! — Ele dançava para cima e para baixo na panturrilha de Adriana enquanto gritava as palavras.

— Uma uva livre de pesticidas para... para quem? Quem vai ganhar a uva? O garoto bonito ganha a uva! — Adriana o içou para o braço do sofá e foi para a cozinha. Estava enfiando a mão na geladeira para pegar a tigela quando o telefone tocou.

— Alô? — Adriana disse ligeiramente irritada com a interrupção. Encaixou o sem fio entre o ombro e o pescoço enquanto arrumava algumas uvas em um prato de aperitivos.

— Adriana? — uma voz ofegante de mulher perguntou pelo fone.

Pessoas que se recusavam a se identificar antes de perguntar seu nome eram uma das coisas que mais irritavam Adriana, mas ela se forçou a ser educada.

— É ela. Posso perguntar quem está falando?

— Adriana, é Mackenzie. Oi, querida! Ouça, eu tenho notícias fenomenais. Está sentada?

Notícias fenomenais parece bom, Adriana pensou com expectativa. "Notícias fenomenais" soava como se Elaine tivesse decidido publicar um (ou talvez mais!) de seus textos no website da *Marie Claire.* Notícias fenomenais podia até significar que Elaine adorara tanto Adriana que planejava tê-la como contribuidora mensal regular no site, com um link chamativo na home page e (naturalmente) uma boa foto em close da própria autora. Autora! Quem um dia imaginaria que ela, Adriana de Souza, estaria prestes a embarcar numa carreira... como escritora! E uma que certamente receberia milhares, senão milhões de acessos todos os dias. Garotas enviariam o link de sua coluna para as amigas, anexando bilhetinhos que diriam "saca só isso" e "tão verdadeiro" e "como isso é engraçado", enquanto os homens visitariam o site em segredo, para ficar adorando a foto de Adriana e, talvez, pegar uma ou duas dicas no campo inimigo. Era quase fabuloso demais para imaginar.

— Estou sentada, estou sentada — disse ela, tentando fazer a voz não soar aguda.

— Bem, eu acabei de sair de uma reunião com Elaine. — Pausa. — Ela ficou muito impressionada com você.

— Ficou?

— Muito. Trabalho aqui há quase nove anos e acho que nunca a vi gostar tanto de uma apresentação.

— Sério? Então isso quer dizer que ela vai publicar uma das colunas no site? — Obviamente era verdade, mas Adriana precisava ouvir as palavras. Ela já estava pensando em para quem contaria primeiro? Para as garotas? Toby? Sua mãe?

Houve outra pausa, só tempo suficiente para aumentar a ansiedade de Adriana, antes que Mackenzie dissesse:

— Hum, na verdade não era nisso que ela estava pensando.

Não era o que ela estava pensando? Mas ela amou!, Adriana queria gritar. *Você mesma disse! Como posso ter avaliado mal a situação?*, pensou enquanto se juntava de novo a Otis no sofá e equilibrava o prato de uvas nos joelhos. Acariciou suas costas enquanto ele atacava alegremente a fruta. Então começou a desconstruir toda a ideia idiota. As mulheres americanas nunca iam mudar — diabos, elas já estavam nessa onda de mulheres poderosas há décadas —, então qual era o sentido? Além do mais, quem é que precisa desse tipo de exposição? Publicidade era uma coisa, mas exposição na internet, e todos aqueles sites cafonas e pessoas indesejáveis perseguindo-a... eca. Sua pele se arrepiava só de pensar naquilo. Estava na hora de acabar com essa tolice de uma vez por todas.

— Ah, não? Que pena — sua voz pingava falsidade. — Bem, agradeço por ter ligado para...

— Adriana! Cale a boca um segundo e escute. É verdade que Elaine não está interessada nos artigos para o site, mas é só porque — está pronta para isso? — ela quer torná-la colunista regular! Pode acreditar nisso?

— Uma o quê?

— Uma colunista regular.

— Colunista? — Adriana perguntou de novo. Seu cérebro se recusava a processar a palavra.

— É! Na revista impressa!

— Qual ela escolheu?

— Adriana, não sei se você está me entendendo. Ela escolheu todos eles! Acho que quer começar com "Eu estava só sendo simpática", mas vamos publicar todas.

— Todas?

— Uma por mês. Todo mês. Dependendo da reação dos leitores, que ela e eu achamos que será fantástica, vamos transformar em uma matéria regular todos os meses. Vamos chamar de "O guia brasileiro das garotas para lidar com os homens".

— Aimeudeus. Ai. Meu. Deus — Adriana havia abandonado completamente qualquer tentativa de parecer impassível, mas não se importava.

— Eu sei! É fenomenal. Ouça, eu tenho que correr para uma reunião, mas vou mandar minha assistente ligar para você para fazer todos os arranjos para sua sessão de fotos. Vamos fechar a edição de março em duas semanas, então vai ser uma correria, mas em termos de tempo não é nada que já não tenhamos feito. Parece bom?

— Perfeito — Adriana murmurou.

— Ah, e Adriana? Jack me ligou ontem à noite para me convidar para sair este fim de semana e...

Isso tirou Adriana imediatamente de seu devaneio.

— Ontem à noite? Uma quinta-feira? Quem ele pensa que você é? Alguma fracassada que fica sentada em casa esperando ele ligar? Você não pode de jeito nenhum...

Mackenzie riu.

— Pode calar a boca por um minuto? Eu disse a ele que estava completamente ocupada o fim de semana todo, apesar de a única coisa no meu cronograma inteiro ser almoçar com minha mãe no sábado e — ela fez uma pausa e respirou — ele disse que não ia desligar enquanto eu não lhe desse uma noite na semana que vem. Vamos sair na terça. Ele já fez as reservas.

— *Querida*! Estou tão orgulhosa de você. Está pronta para escrever, você mesma, a coluna! — Adriana estava genuinamente feliz com essa evolução. Não só dizia muito sobre suas próprias habilidades e conselhos mas, pelo pouco que conhecia Mackenzie, ela parecia ser uma mulher que merecia um homem sólido e apaixonado. Eram todas boas notícias.

Mackenzie riu, parecendo tão feliz e entusiasmada que Adriana quase ficou com um pouquinho de inveja. Ela se lembrava de como era ficar tão entusiasmada assim com um cara novo.

— Não, eu ainda vou deixar isso para a profissional. Mas pode dar uma boa introdução para sua primeira coluna: uma vinhetinha com uma história verdadeira sobre como sua mágica funciona até com a editora de revista mais cínica e teimosamente solteira de toda Manhattan.

— Editora de revistas anteriormente cínica, prestes-a-não-ser-mais-solteira — Adriana a lembrou.

— É justo. Está bem, vou correr. Nos falamos depois?

— Parece bom. Muuuito obrigada, *querida*. Tchau!

Adriana caiu no sofá e fez sinal para Otis se juntar a ela. Ele soltou um arrulho de gratidão e pulou para o colo de Adriana. Cutucou a mão dela para ganhar uma uva, mas Adriana já estava discando de novo.

— Escritório de Leigh Eisner — a assistente com voz entediada falou.

— Oi, Annette, é Adriana. Pode me passar para a Leigh, por favor?

— Ela não se encontra agora. Posso pedir para ela retornar?

Adriana não estava com disposição para lidar com a assistente.

— Bem, meu amor, você vai ter que achá-la. É uma emergência.

— Aguarde, por favor — Annette disse rudemente.

A voz exasperada de Leigh surgiu um instante depois.

— Uma emergência? — perguntou. — Por favor, não me diga que está ligando porque seu sabonete líquido Molton Brown está em falta em todos os lugares de novo. Não era essa a "emergência" da semana passada?

— Você não vai acreditar nisso — Adriana cantarolou, ignorando Leigh completamente. — Você realmente não vai acreditar nisso.

— Aimeudeus! As velas perfumadas deles também acabaram? O que uma garota pode fazer? — Leigh guinchou.

— Quer fazer o favor de calar a boca? Estou ligando como amiga, não como uma compradora frustrada. A boboca aqui achou que você estaria interessada em ouvir que eu posso estar na edição de março da *Marie Claire.*

Leigh bocejou audivelmente do outro lado.

— Hum, é mesmo? Isso vai ser o quê, a milionésima centésima vez que eles escolhem uma de suas fotos como modelo? Ou está falando das páginas das festas? Neste caso, deve ser a bilionésima centésima vez.

— Você está sendo uma bruxa — declarou Adriana. — Se parasse de falar, eu lhe diria que isso não tem nada a ver com closes ou fotos de festas. Eu vou ser colunista.

Leigh parou de dar instruções sussurradas para sua assistente no meio da frase e ficou absolutamente em silêncio por uns vinte segundos.

— Você vai o quê? — perguntou finalmente.

— Você me ouviu. Vou ser colunista. Uma colunista regular, na edição impressa. Vai se chamar "O guia brasileiro das garotas para lidar com os homens" e vai dar conselhos sobre como tratar os garotos.

— Você quer dizer seduzi-los.

— Sim, é claro que eu quero dizer seduzi-los! O que mais as mulheres querem saber? Não vai ser fácil e eu, só para constar, não acho que poderiam ter encontrado alguém melhor para a tarefa.

— Eu também não — Leigh murmurou. Ela parecia não só sincera como impressionada, e Adriana não conseguiu conter o sorriso. — Adriana, querida, acho que não é cedo demais para dizer isso e nunca tive tanta certeza de algo na minha vida inteira: nasceu uma estrela.

Emmy suspirou profundamente enquanto desligava a torneira com o pé e fechava os olhos, permitindo que seu peito e suas pernas submergissem completamente. Ela já estava na banheira do hotel havia meia hora, alternadamente adormecendo e lendo debaixo de uma corrente relaxante de água quente que esvaziava e refrescava a cada poucos minutos. Ela não se importava de as mãos estarem se enrugando, ou que a camada de suor em sua testa tivesse começado a escorrer pelos lados do rosto, ou de estar sendo bastante irresponsável, falando em termos ambientais. Qual era a importância de qualquer uma dessas coisas quando ela podia ficar ali no dia de Ano-novo, depois de uma noite longa e maravilhosa bebendo e fazendo amor, e se sentir tão tranquila e relaxada?

O nome dele era Rafi alguma coisa, e ele era um sonho. Emmy ficara chocada ao ver quantas coisas haviam mudado nos 15 anos desde que ela estivera em Israel pela última vez, mas felizmente a magnificência de seus homens não era uma delas. No mínimo, eles eram muito mais adoráveis agora, todos os jovens soldados sadios de uniforme, e seus lindos irmãos mais velhos que pareciam estar em muito melhor forma aos 30 ou mesmo aos 40 do que a contrapartida americana. Para todo lugar que ela se virava, encontrava espécimes de pele cor de oliva, cabelos escuros e músculos lindos e, no meio dessa fartura, Rafi era um dos melhores.

Haviam se conhecido dois dias antes, numa quinta-feira, em um restaurante em Tel Aviv chamado Yotvata. Era uma instituição em Israel, um lugar informal e alegre bem no calçadão, de frente para o mar, especializado em saladas enormes e criativas, e deliciosas vitaminas de fruta com iogurte. Todos os ingredientes do restaurante vinham diretamente do kibutz homônimo na fronteira Jordânia–Israel, no Vale Aravah.

Emmy não precisara pensar duas vezes quando o *chef* Massey pedira que apresentasse uma lista de áreas e culinárias menos conhecidas que pudessem servir de inspiração para o novo lugar que ele estava abrindo em Londres. Ela não comia no Yotvata desde a última vez em que estivera em Israel — aos 13 anos, para seu próprio bat mitzvah, e dois anos depois, para o de Izzie —, mas ainda se lembrava dele como a comida mais fresca e saborosa que jamais experimentara. Ela destacou o foco do restaurante em laticínios e a insistência do *chef* em usar apenas frutas e vegetais plantados organicamente.

Chef Massey adorou e pediu a ela que o acompanhasse em uma viagem de reconhecimento a Israel, onde iriam se concentrar em expandir todas as opões do atual menu de saladas além do trio Caesar/Grega/Folhas no vinagre balsâmico de sempre, e também explorar diferentes tipos de culinária do Oriente Médio. No que dizia respeito a Emmy, qualquer coisa que a tirasse de Nova York na noite de Ano-novo estava bom e, se seu destino fosse Israel, isso era um bônus enorme. Ela não havia contado com o *chef* Massey pular fora da viagem no último minuto, alegando que precisava estar com sua família, quando todo mundo sabia que ia se encontrar com sua namorada modelo paquistanesa em St. Barths. Emmy temera que sua viagem estivesse em perigo, mas ele a mandou de qualquer modo.

Emmy entrara no restaurante esperando ter que aturar um almoço tardio com a versão israelense de uma típica garota de RP americana: bem-vestida, de fala rápida, irritantemente animada. Em vez disso, foi acompanhada a uma mesa perto da janela onde juntou-se a ela um clone de Josh Duhamel com olhos verdes e o andar sexy comum aos homens israelenses. Emmy levou três segundos para perceber que ele não estava usando aliança de casado — uma investigação obrigatória, mas que não indicava nada — e mais cinco minutos para estabelecer que não tinha namorada.

— Sem namorada? — Emmy arrulhara, consciente mas sem se importar em soar predatória. — Deve haver tantas jovens lindas andando pelo kibutz.

Rafi rira e Emmy sabia que iria dormir com ele.

O que fizera, naquela noite, e na manhã seguinte, e na noite depois disso. Eles haviam feito sexo exatamente seis vezes no último dia e meio, com tanta frequência e entusiasmo que Emmy insistira em ver a carteira de motorista de Rafi com seus próprios olhos.

— Meu Deus, você não está brincando. Mil-novecentos-e-setenta-e-oito. Nunca na minha vida eu conheci um homem acima de 21 anos com esse tipo de energia.

Ele riu de novo e beijou a barriga dela.

— É uma habilidade especial — falou com um sotaque saído direto de um filme.

— Eu que o diga — Emmy falou, espreguiçando-se como um cachorrinho satisfeito em cima do edredom macio, alegremente inconsciente de si mesma, apesar da nudez. — Quer pedir café na cama? Eu estou por conta da empresa.

Ele fingiu horror e sacudiu o dedo em reprimenda.

— O Dan Hotel é bom para muitas coisas... tapetes, travesseiros, uma linda piscina, não? Mas é um crime pedir café de sua cozinha quando o Yotvata fica só a alguns passos.

— Eu sei, mas esses passos exigem que eu tome banho e me vista e saia em público. — Emmy esticou o lábio inferior para fora e esbugalhou os olhos no biquinho mais dramático que conseguiu fazer. — Quer que eu saia da cama?

— Não, não. Espere aqui.

Ele desapareceu para dentro do banheiro.

Emmy ouviu a água correndo e não pôde deixar de se sentir ligeiramente decepcionada por não ter sido convidada para se juntar a ele. Acabara de pegar o fone para pedir serviço de quarto quando Rafi reapareceu.

Estava segurando um roupão macio do hotel e o passou em volta dela com um grande abraço, antes de guiá-la até o banheiro.

— Para a senhora, madame — ele disse, fazendo um gesto amplo. A banheira estava cheia com água pelando e bolhas com aroma de baunilha; uma meia dúzia de velas acesas circundavam o mármore.

Sem um momento de hesitação, Emmy deixou que o roupão caísse de seus ombros para o chão e entrou na banheira. Ela deixou seus pés se aclimatarem e então agachou-se lentamente até estar sentada. Quando finalmente foi capaz de submergir o corpo inteiro na água quente, ela fechou os olhos e gemeu de prazer.

— Isso é incrível. Venha me fazer companhia.

— Não, não. — Ele sacudiu o dedo e inclinou-se para beijá-la de leve nos lábios. — Isso é só para você. Eu volto em meia hora com um banquete. — Mais um beijo e ele se foi.

E então ela relaxou. E ficou de molho. E encheu a banheira de novo. Ele levou mais de meia hora, mas Emmy não se importou. Isso lhe deu tempo de passar um pouco do hidratante de baunilha fornecido pelo hotel e de se arrumar lindamente com a chemise que comprara no dia anterior em uma lojinha de *lingerie* na rua Sheinken. Ela não conseguia se lembrar quando fora a última vez que comprara algo sexy, ou até mesmo bonitinho, mas não pôde resistir quando a viu na vitrine. A sensação da maciez do jérsei rosa quando se agarrava ao seu corpo era incrível, e a renda verde transparente em torno do decote a fazia ser confortável, casual e sexy, tudo de uma vez. *Adriana ficaria orgulhosa*, pensou, sorrindo. Ela recebera 2008 nos braços de um desconhecido sensual, e sentia-se muito bem em relação a isso. Quando Rafi finalmente reapareceu com sacolas na mão, ela estava de certa forma, miraculosamente, pronta para mais uma rodada.

— Volte para a cama — ela ronronou, deixando-o largar as sacolas antes de puxá-lo para cima de si.

— Emmy, você precisa de comida — ele falou, mas beijou suas costas.

Eles transaram de novo e, apesar de estarem ambos exaustos demais para terminar, ainda assim foi maravilhoso. Rafi não a deixou sair da cama para ajudar a desembrulhar a comida; então ela apenas caiu de volta nos travesseiros — a cama era macia demais, quase como uma rede, mas quem era ela para reclamar? — e o observou servir cuidadosamente diferentes saladas, pães e iogurtes em seus pratos. Ele arrumou tudo na cama e colocou um milk-shake de frutas e uma xícara de café na mesa de cabeceira, e entregou a Emmy talheres de prata embrulhados num guardanapo de pano.

— *Bon appétit* — falou, erguendo seu café.

— *B'tayavon* — ela respondeu com um sorriso largo.

Os olhos do Rafi se arregalaram de surpresa.

— Nós passamos dois dias inteiros juntos e você não me disse que falava *ivrit*!

— É porque eu não falo *ivrit*. Fiz curso de hebraico como qualquer outra criança americana judia, e minha professora era uma mulher gigantescamente gorda que nos ensinou várias palavras relacionadas a comida, além das orações.

— Que outras palavras você sabe?

— Hum, vejamos. Eu sei *m'tzi-tzah*.

Rafi riu e quase cuspiu o que tinha na boca.

— Sua professora de hebraico lhe ensinou a palavra para *boquete*?

— Não, essa foi com Max Rosenstein — Emmy deu um gole em seu *milk-shake*. — Como é que você fala inglês tão bem? E, por favor, me poupe do "americanos-são-os-únicos-que-não-aprendem-outro-idioma", por favor.

— Mas é verdade — Rafi protestou.

— É claro que é verdade; só estou cheia de ouvir isso. E então? Como você aprendeu a falar assim?

Ele deu de ombros e pareceu um pouco tímido.

— Minha mãe é americana. Ela conheceu meu pai enquanto estava estudando no exterior e aí acabou ficando. Se levar isso em conta, eu devia falar muito melhor, mas ela quase nunca falava em inglês conosco, já que meu pai não entendia muito bem, e ela queria aprender hebraico.

— Incrível — disse Emmy.

— Na verdade, não. Você devia ouvir minha irmã. Ela mora na Pensilvânia agora. Inglês, hebraico e um sotaque holandês da Pensilvânia, tudo misturado...

Emmy puxou as cobertas em volta de si enquanto Rafi explicava os meandros de sua família, como ele era o único que ainda vivia em Israel. Tentou prestar atenção total, mas, a cada palavra adicional que ele pronunciava, ela se convencia mais e mais de que gostava dele. Não servia para marido, é claro — ela nem pensava mais nisso —, mas parecia ser um cara bastante legal. E, com essa percepção, vieram as antigas e assustadoras inseguranças. Será que ele gostava das costas dela? Será que eles se veriam de novo nos Estados Unidos? Será que ele ia mudar de ideia quanto a tudo e desaparecer, como Paul havia feito aquela noite em Paris?

— Muito interessante — Emmy murmurou. — Tudo faz muito sentido, mas como virou o RP local? Porque eu tenho que dizer, você não se encaixa exatamente no papel.

— Me formei em Inglês.

— Já disse tudo.

— E você? — perguntou Rafi, espetando uma garfada de salada de queijo de cabra.

— Governo.

Ele fez uma cara que dizia "qual é" e a cutucou no lado.

— Sei lá, nada tão interessante — Emmy disse, e estava falando sério. Ela odiava quando as pessoas lhe pediam para resumir sua vida, porque realmente não havia muito o que contar: Nascida e criada em Nova Jersey, em um bairro residencial perfeitamente agradável, com boas escolas públicas e futebol e o resto todo. Meu pai morreu quando eu tinha cinco anos, então não me lembro realmente dele, e depois disso, minha mãe meio que desligou. Ela estava sempre lá, mas não estava realmente, sabe? Casou-se de novo há alguns anos e se mudou para o Arizona, então não a vemos muito. Minha irmã mais nova, agora grávida de seu primeiro filho, é médica em Miami. Vejamos, o que mais? Fiz faculdade em Cornell e decidi que queria ser *chef*, fiz o curso de culinária e, então, decidi que não queria ser *chef*, por isso saí. Uma história fascinante, não é?

— É claro que é.

— Mentiroso.

— Bem, mas parece que você tem um emprego bacana.

— É verdade. Só estou nele há seis meses, mas até agora estou adorando.

— O que há para não adorar em viajar pelo mundo todo, ficar em hotéis lindos e ter casos com homens estrangeiros?

— Eu não faço isso! — Emmy protestou.

— Agora é você que é a mentirosa.

— Nem todos os hotéis são lindos...

Rafi riu, uma risada gostosa e masculina, e a cutucou de novo.

— Bem, eu não estou reclamando. Fico honrado em ser o cara número 612, ou qualquer que seja seu número atualmente.

Mais para só o bom e velho seis, Emmy pensou. O que, considerando-se que Duncan havia sido o terceiro, era bastante respeitável: desde que o Tour de Puta começara, em junho passado, ela havia dobrado o número que levara quase trinta anos para alcançar. Depois de um certo esforço, ela ultrapassara a lombada, por assim dizer, mas George fora o começo perfeito. Havia ainda o australiano da semana passada, atualmente morando em Londres, que havia crescido no Zimbábue porque seus pais tinham uma empresa de safáris — ele era todo rústico e esportivo e, apesar de não ser louro nem metade tão bonito, depois de algumas vodcas-tônicas podia definitivamente lembrar Leo em *Diamante de Sangue*. Emmy estava lá só por um fim de semana prolongado, e atolada de trabalho a um nível extremo, mas que garota no mundo podia dispensar seu próprio Mick Dundee? Agora Rafi era um acréscimo positivamente delicioso a sua lista. Todos os três haviam sido totalmente respeitosos, se não absolutamente reverentes, e Emmy não conseguia se lembrar de quando se sentira mais sexy ou confiante. Enquanto ela estivesse segura, o que estava — usando tanto pílula quanto camisinha — e não tivesse expectativas irreais para o que viria a seguir — geralmente absolutamente nada —, teria muito o que aproveitar. O que era o motivo pelo qual a incomodava tanto que Leigh e Adriana estivessem subitamente dando uma de superiores quanto ao tipo de diversão enlouquecida que haviam encorajado com tanto entusiasmo.

Quando ela lhes contara sobre o australiano, ambas haviam rido e aplaudido sua conquista intrépida. Adriana pressionara para saber os detalhes tamanho/posição/fetiche de sempre, e parecera absolutamente invejosa quando Emmy os forneceu com prazer. Havia sido dada a largada oficial do Tour de Puta. Emmy esperara o mesmo entusiasmo, ou talvez ainda mais, em relação a Rafi, principalmente quando atendera a ligação de Adriana no dia anterior, mas sua amiga parecia mais calada.

— Ei, feliz Ano-novo! — Emmy dissera ao celular. — Como é estar em casa?

Adriana suspirou.

— São Paulo é ótimo, e é bom ver todo mundo, mas acho que uma semana inteira entre o Natal e o Ano-novo é um pouco demais.

— Mas seu pai está feliz?

— Ele está no Céu. É a única hora no ano que consegue ter todos os filhos em um lugar; então, o que se pode fazer? É tudo ensaiado mas, enquanto todos nós entendermos isso e aparecermos e sorrirmos, não é insuportável.

Emmy riu para si mesma com a ideia de Adriana do que era insuportável: clima tropical, um complexo familiar equipado com mais empregados que um hotel comum e uma semana inteira sem fazer nada além de comer, beber e visitar velhos amigos. Ela decidiu mudar completamente o assunto antes que dissesse alguma coisa grosseira.

— Então adivinhe. Eu posso ter conhecido — no sentido bíblico — um cara israelense muito gato ontem à noite. E vamos passar a noite juntos hoje.

Adriana assoviou.

— Uau, *querida*. Isso foi rápido. Como um raio.

— Ah, qual é, não me diga que você não pularia na cama com um soldado!

— É claro que pularia. Mas o Crocodilo Dundee não foi só na semana passada? Ou eu estou confusa? Meu Deus, Emmy, nunca achei que teria dificuldades para me lembrar dos seus homens.

Isso que Emmy estava ouvindo na voz de Adi era irritação? Crítica? Será que ela ousaria pensar que era inveja?

— O Rafi é gatinho e inteligente, e totalmente gentil. Foi tão divertido!

— Não vamos esquecer, judeu — Adriana falou, e Emmy quase a podia ver sacudindo o indicador. — Sabemos o que isso quer dizer... serve para marido!

Emmy suspirou dramaticamente.

— Você e Leigh estavam gritando e berrando há apenas seis meses que eu tinha que parar de caçar um marido, que tinha que expandir meu repertório sexual. Aí, quando eu faço exatamente isso, vocês só conseguem falar em se casar!

— Está bem, querida, acalme-se. É claro que eu quero que você se divirta. Vamos falar de outra coisa, tipo eu.

Emmy riu enquanto zapeava pelos canais da televisão emudecida do hotel.

— É justo. Como vai o sr. Baron? Um sonho, como sempre?

— Ele está bem. Voltou para Toronto, para filmar. Mas eu tenho novidades.

— Não me diga que...

— Não, nós não estamos noivos. No entanto... — Ela pausou para criar um efeito dramático, e Emmy queria esganá-la. — A *Marie Claire* vai publicar minhas colunas!

— Suas colunas? — Emmy sabia que não estava exatamente encorajando-a, mas era a primeira vez que ouvia falar disso.

— É, você acredita nisso? Conheci uma das editoras num jantar para o qual Toby me arrastou, em novembro, e ensinei a ela as regras para conquistar um homem. As quais, devo acrescentar, funcionaram tão bem que ela ainda está namorando o homem que conheceu naquela noite, e ela quer publicar meus conselhos!

Emmy mal conseguiu disfarçar seu choque. Adriana, uma colunista? Adriana sendo paga por alguém por trabalho entregue era quase demais para entender.

— Adi, parabéns! Vai poder dividir sua sabedoria com toda uma nova geração de jovens mulheres. Incrível.

— Deus sabe que elas precisam. Mulheres americanas... Deus que me perdoe... mas eu vou tentar. Ouça, eu tenho que me arrumar para o almoço. Papai convidou toda a vizinhança para a festa de Ano-novo. Aonde você vai com o garoto israelense hoje à noite?

— A algum restaurante em Tel Aviv e aí, se eu puder dar minha opinião, diretamente de volta ao meu quarto de hotel.

Adriana suspirou.

— É como ouvir uma nova Emmy. Isso me emociona, *querida*, de verdade. Só tenha cuidado, está bem? Não precisa dormir com todos os caras que encontrar.

— Você realmente acabou de dizer isso? O que diabos quis dizer com isso? Será que preciso lembrá-la...

Adriana a interrompeu com uma risada melodiosa.

— Tenho que correr, *querida*! Divirta-se hoje à noite e feliz Ano-novo! Eu falo com você no ano que vem!

A conversa deixara Emmy se sentindo estranha, um pouco indisposta, como costumava se sentir no ginásio quando via suas amigas roubando batom na Kmart: não cem por cento culpada, mas nervosa e ligeiramente envergonhada. Ela não estava fazendo exatamente o que haviam mandado? Não estava tentando transformar ninguém em marido — não tivera um único sonho de casamento em meses! — e, ainda assim, podia sentir sua desaprovação. Parecia tão injusto. Até mesmo o anjo da Leigh estivera com 12, talvez 15 caras antes de Russell, e ninguém achou que isso era particularmente notável. E Adriana! Pelo amor de Deus. A garota dormira com homens (no plural) que conhecera no táxi a caminho de casa, voltando de festas no final da noite, sem nunca ter posto os olhos neles antes, e tinha a audácia de agir como se estivesse chocada quando Emmy conhecia um cara através de uma função relacionada a trabalho e tomava a decisão sóbria e madura de ter um casinho. *Me desculpe, Adi*, pensou para si mesma revirando os olhos, um *caso*. Transar com três homens perfeitamente educados e lindos não transformavam ninguém em uma *femme fatale*.

Jurando não deixar que a lembrança do recém-encontrado puritanismo de sua amiga a chateasse, Emmy empurrou seu prato para o lado e se aninhou no abraço musculoso de Rafi.

— Quer ver um filme hoje à noite? — ela cantarolou, cobrindo o antebraço dele de beijinhos. — Ou talvez só pagar um *pay-per-view*?

Rafi acariciou o cabelo dela e inclinou-se para beijar sua testa.

— Eu adoraria, querida, mas tenho que voltar para casa. — Ele deu uma olhada para o relógio na mesinha de cabeceira. — Na verdade, é melhor eu começar a me mexer.

— Agora?

Emmy pulou de pé, quase batendo no queixo dele com seu ombro. Eles não iam passar a tarde toda na cama, fazendo amor e tomando banhos de banheira e bebendo milk-shakes de iogurte? Ela achava que iam curtir isso pelo menos até a noite cair, quando poderiam vestir qualquer roupa que estivesse jogada e se arrastar para algum barzinho obscuro com ótima comida e conhecido apenas pelos locais. Eles se fartariam de falafel e hummus, e beberiam vinho tinto barato, e então voltariam aos tropeços para o hotel, rindo e andando de mãos dadas e caindo um em cima do outro por todo o caminho. Saciados e exaustos, despencariam nos lençóis frescos e dormiriam por dez horas seguidas, só para acordar e fazer mais amor antes que ele a levasse para o aeroporto e beijasse suas lágrimas, jurando ir visitá-la em Nova York no Natal, se não antes. Certamente ela também conheceria seus pais então — normalmente seria cedo demais, mas considerando-se que ele estaria vindo lá de Israel e eles estariam na Filadélfia, seria extremamente idiota não se encontrar para uma refeição, nem que fosse apenas um almoço rápido no...

— Emmy? Querida, eu lhe disse ontem que eu ia para o Sul hoje. Não se lembra? — A voz dele parecia preocupada, mas Emmy estava convencida que havia detectado uma pontinha de irritação.

É claro que ela se lembrava de ele ter falado que precisava viajar, mas ela certamente não acreditara.

Emmy se aninhou no pescoço dele.

— Eu me lembro, Rafi, mas isso foi... isso foi ontem. Você ainda tem que ir? — Ela odiava o som de sua voz, suplicante e um pouco patética. Acabara de dizer para quem quisesse ouvir que só estava nessa para ter um pouco de diversão casual e sem compromisso, e lá estava ela se agarrando ao desconhecido mais próximo, como um parasita. *Por favor, não dê uma de Paul!*, ela pensou ardentemente. *Por favor, por favor, por favor.*

Ele se afastou só um pouquinho e olhou para ela de um jeito estranho. "É, eu ainda tenho que ir" foram as palavras pronunciadas, mas o que Emmy ouviu era mais parecido com "as últimas 24 horas foram ótimas, mas não tão ótimas que eu vá mudar meus planos e ficar com você".

Ferida, Emmy enfiou o lençol debaixo dos braços e rolou, assegurando-se de cobrir o máximo possível de pele. Sentia-se exposta e vulnerável, sim, mas era mais que isso: acontecera de uma hora para a outra, mas agora ela estava extremamente consciente de que era provável que nunca mais visse Rafi. E daí que a partida dele só confirmava que estavam apenas se divertindo? Era só o que ela queria, de qualquer maneira. Rafi era gentil e lindo, mas ela mal o conhecia e, se fosse totalmente honesta, não podia vê-los passando o resto da vida juntos. Então por que ficar chateada por ele ir embora, quando ele dissera o tempo todo que iria? Era bastante simples, tão simples que Emmy suspeitava que todas as mulheres no planeta entendiam instintivamente o conceito mesmo quando nenhum homem conseguia compreender: ela não necessariamente queria que ele ficasse, só queria que ele *quisesse* ficar. Seria realmente pedir muito? E apesar de que ela nunca, jamais concordaria em ir com ele — para falar a verdade, bem que podia passar algum tempo sozinha, e não havia como negar que tinha que botar o trabalho em dia —, ele não podia ter tido a decência de perguntar? Um simples convite para ir com ele? Isso era realmente tão exagerado?

Ele desceu da cama e se dirigiu ao banheiro.

— Vou pular no chuveiro — gritou, a porta já se fechando. — Espero que saiba que pode vir comigo, se quiser.

Vir para onde? O chuveiro? A viagem para o Sul? O resto de sua vida como sua noiva amada?

Isso era exaustivo. Se ela ia fazer esse tipo de investimento emocional em alguém, ele devia pelo menos ser um namorado de verdade. Mas por um casinho à toa? Ela podia ficar maluca. As dúvidas voavam por sua cabeça (*só admita que não foi feita para esse estilo de vida. No fundo, você é uma monógama. Pare de agir como uma baladeira imatura* e assim por diante).

Controle-se, Emmy ordenou a si mesma enquanto vestia resolutamente um par de calcinhas de algodão confiáveis e um de seus sutiãs que cobriam tudo, com muito enchimento, do tipo onde-o-sexo-vai-para-morrer. Um conjunto de calça e blazer azul-marinho e uma camisa social branca vieram em seguida e, no instante em que ouviu o chuveiro ser desligado, Emmy escolheu seus mocassins clássicos em vez do escarpin de salto alto que vinha usando nas últimas semanas. Quando Rafi finalmente apareceu, totalmente vestido com um jeans limpo e uma camisa branca, Emmy estava meticulosamente empoleirada na cama, folheando sua Filofax enquanto tentava parecer desinteressada e preocupada.

Rafi ficou por cima dela, puxou seu cabelo num rabo de cavalo e beijou seu pescoço. Era um gesto íntimo, sugestivo de pessoas que haviam passado muito tempo juntas, e por um momento Emmy ficou satisfeita. Satisfeita, isto é, até Rafi soltar seu cabelo e, depois de lhe dar um beijo um tanto paternal na testa, começar a pegar seu relógio e a carteira e a mochila de lona. Ele coletou suas coisas em um minuto e não pareceu incomodado pelo fato de Emmy parecer tão silenciosa e absorta em seu cronograma.

— Sei que deve ter muita coisa para fazer, querida; então não vou transformar isso em um adeus longo e meloso. — Ele catou os óculos escuros na mesinha de cabeceira e os empurrou para o alto da cabeça.

— Hum — foi só o que Emmy falou. Ele realmente ia se levantar e ir embora?

— Venha cá, me dê um abraço. — Ele apertou o braço dela para indicar que devia se levantar; quando cedeu, ela se viu no meio de um abraço tão morno, tão sem paixão, que só poderia ser dado em um avô ou cabeleireiro íntimo. — Emmy, isso foi ótimo. Muito, muito bom.

— Ahã — ela resmungou de novo. Ou ele não percebeu ou não ligou.

Rafi lhe deu mais um beijo paternal e o abraço obrigatório, e então dirigiu-se para a porta.

— Faça uma boa viagem amanhã. Vou estar pensando em você.

— Você também — ela disse automaticamente, sem sentimento, apesar de isso evocar nele um sorriso aliviado, que parecia dizer: *Graças a Deus você não vai fazer disso algo mais complicado que o necessário.*

Um segundo depois, ele havia partido. Emmy levou apenas mais um minuto, se tanto, para perceber que ele não tinha se dado ao trabalho de pedir o e-mail ou o telefone dela. Ela nunca, jamais o veria novamente... e ele, obviamente, não estava nem aí.

a relação perfeita-para-agora

A sensação das mãos da terapeuta trabalhando nos nós de seus ombros era sensacional mas, mesmo com a música suave e a luz baixa e a aromaterapia de óleos de lavanda, Leigh não conseguia acalmar sua mente. O mês desde que ela dormira com Jesse havia sido uma tortura e, para alguém que estava acostumada a pensamentos obsessivos e comportamentos compulsivos, bem, isso dizia muito. Não houvera um único segundo — literalmente, nenhum — que não tivesse sido gasto vendo e revendo o que acontecera com Jesse, o que iria acontecer com Russell ou alguma combinação distorcida dos dois. Estava preparada para contar tudo a Russell imediatamente, mas então tivera um tempinho para pensar durante a volta dos Hamptons para casa e reconsiderara. Não seria justo com Russell nem com os pais de nenhum dos dois estragar o Dia de Ação de Graças com um anúncio dramático — e que muito provavelmente terminaria a relação. Receber um telefonema de Jesse dizendo que estava partindo no dia seguinte para uma viagem de férias para a Indonésia e não voltaria até depois do Ano-novo ajudara muito as coisas. Era quase como se ele estivesse lhe entregando um passelivre numa bandeja de prata e, apesar de sua consciência implorar para ser limpa, ela decidira aguentar a culpa e fingir que estava tudo bem até todos terem passado por aquelas semanas horríveis de Ação de Graças, Natal e Ano-novo.

De alguma forma, Leigh sobrevivera às últimas semanas sem ter um colapso nervoso completo, mas estava mais descompensada do que o normal. Com Emmy em Israel e Adriana no Brasil, ela nem tivera a oportunidade de dividir com suas amigas o que fizera, apesar de que, se fosse ser sincera consigo mesma, também estava aliviada por não ter que dizer aquilo em voz alta. Até aguentara uma festa de Ano-novo especialmente dolorosa no apartamento de um dos colegas de Russell — um *loft* quase idêntico ao dele, só que no SoHo —, mas quando chegou a hora de voltar ao trabalho no dia 2 de janeiro, simplesmente não conseguiu. Ligou dizendo que estava doente naquele dia e no seguinte, um acontecimento tão raro que justificou um telefonema desconfiado de Henry.

— Você está realmente doente, Eisner, ou aconteceu alguma coisa que eu deva saber? — ele perguntara. Ela havia ligado para deixar um recado na caixa postal dele às seis da manhã, mas ele atendera no segundo toque. A vida inteira Henry tivera insônia nas noites de domingo, então criara o hábito de chegar ao escritório às quatro ou cinco da manhã às segundas-feiras, alegando que aquelas poucas horas de isolamento eram o único tempo decente de trabalho que tinha a semana inteira. Em sua angústia, Leigh esquecera-se disso.

— Do que você está falando? — Leigh perguntara com uma irritação toleravelmente crível. — É claro que estou realmente doente. Por que acha que não?

— Ah, sei lá, talvez porque você nunca ficou doente em todos os anos que trabalha aqui, combinado ao fato de que Jesse Chapman, recém-saído do avião vindo da Ásia, já me deixou três recados ontem e mais dois hoje de manhã. Pode me chamar de intuitivo.

— O que ele disse? — Leigh perguntou. Ela sabia, no fundo do coração, que seu relacionamento profissional havia basicamente acabado, mas queria ter a oportunidade de comunicar isso a Henry ela mesma, quando estivesse pronta.

Leigh podia ouvir Henry bebendo alguma coisa e depois dando uma risadinha.

— Ele não disse nada. Falou que só estava "dando notícias" e "fazendo contato" e "dando um oi", o que, vindo do sr. Chapman, pode muito bem ser um sinal de fumaça para "algo está completamente errado e estou tentando averiguar se você sabe o que é ou não".

Leigh respirou fundo, ao mesmo tempo impressionada com a perceptividade de Henry e zangada com a transparência de Jesse.

— Bem, não posso falar pelo Jesse, mas no que me diz respeito, não há nada a relatar. O livro ainda não está do jeito que eu quero que esteja, mas isso não é motivo de preocupação — falou com uma firmeza que não sentia.

Henry fez uma pausa por um momento, começou a falar e então mudou de ideia.

— Então essa é a sua história e você vai mantê-la, não é? Está bem. Eu não acredito, mas vou aceitar, por enquanto. Mas, no instante em que acontecer qualquer coisa que ponha nossa data de lançamento em perigo, vou querer saber o que é. Não me interessa a hora do dia ou da noite, se vai vir por FedEx ou pombo-correio, eu quero saber. Está bem?

— É claro! Henry, você não precisa me convencer do quanto isso é importante, eu prometo, juro. Estou cuidando de tudo. E odeio interromper a conversa, mas parece que estou engolindo cacos de vidro no momento.

— Vidro, é?

Leigh assentiu, apesar de ninguém poder vê-la.

— É, estou achando que é estreptococo, então provavelmente não irei amanhã também. Mas estou com o laptop em casa e é claro que estou sempre no celular.

— Bem, melhoras. E fico feliz que tenhamos tido essa conversinha.

Uma pontada de dor em seu pescoço a trouxe de volta à massagem que marcara logo depois de desligar com Henry. Ela se encolheu.

— Ah, me desculpe. Foi forte demais?

— Não, de jeito nenhum — Leigh mentiu. Ela sabia que era aceitável dar retorno durante uma massagem, que era idiotice pagar uma fortuna e não usufruir ou, pior ainda, aguentar um hora de dor mas, por mais que reafirmasse esses fatos para si mesma, Leigh não conseguia dizer nada. Toda vez ela jurava para si mesma que ia reclamar, e toda vez ela cerrava os dentes durante massagens fortes demais, música alta demais ou uma sala fria demais. Ficou imaginando se estava preocupada em não magoar a massagista. Isso seria irônico. Nenhum pingo de hesitação em trair seu noivo, mas é melhor não dizer à assalariada desconhecida que você prefere um toque mais suave! Leigh sacudiu a cabeça com desgosto.

— Eu a estou machucando, não estou? — a garota perguntou em resposta ao movimento de Leigh.

— Machucando é um eufemismo, na verdade. É mais como ser esmurrada por um boxeador profissional — Leigh disse sem pensar.

A garota começou a pedir desculpas profusamente.

— Aimeudeus, eu não fazia ideia. Sinto muito. Posso ser mais suave.

— Não, não, sinto muito. Eu, hum, não queria dizer isso. É só que, hum, saiu errado. Está tudo ótimo — Leigh apressou-se em dizer. Por que não conseguia controlar sua própria boca?

A massagem parecera uma boa ideia naquela manhã — se em algum momento ela precisara relaxar era agora, e um de seus autores havia lhe mandado um vale-presente de Natal, portanto não precisava se sentir culpada sobre gastar o dinheiro —, mas até agora só servira para dar a Leigh um tempo solitário e silencioso durante o qual não podia fazer nada além de pensar.

Ela e Russell tinham planos de discutir o casamento durante o jantar naquela noite, e Leigh não podia pensar em nada que temesse mais.

— Seu pescoço está todo cheio de nós. Tem se sentido muito estressada ultimamente? — a garota perguntou, trabalhando um músculo com a palma aberta no mesmo movimento circular doloroso.

— Hum — Leigh murmurou descompromissadamente, rezando para que a garota intuísse seu desinteresse em conversar.

— É, dá para ver. As pessoas sempre ficam imaginando como sabemos onde estão carregando suas tensões, e eu sempre falo "Qual é, pessoal, é para isso que somos treinadas", sabe? Claro, qualquer um pode fazer uma massagem nas suas costas e fazê-la sentir-se bem, mas definitivamente é necessário um profissional para localizar aqueles pontos de pressão específicos e alisá-los. Então, o que foi? — ela perguntou. Sua voz era baixa e não especialmente dissonante, mas a velocidade com que falava a fazia parecer ansiosa.

— O que foi o quê? — Leigh perguntou, irritada por estar sendo forçada a participar da conversa.

— O seu estresse é relacionado a quê?

Para alguém que deixara de ir ao analista porque achava revelador demais, Leigh não estava feliz com essa linha de interrogatório. Ou qualquer interrogatório, sobre qualquer coisa, feito por qualquer um. E, ainda assim, foi inteiramente incapaz de pronunciar algumas palavras simples, algo do tipo "Estou com um pouco de dor de cabeça; incomoda-se se eu só ficar deitada aqui em silêncio?". Em vez disso, Leigh inventou uma história sem pé nem cabeça sobre prazos apertados no trabalho e a pressão de planejar o casamento perfeito em Greenwich. A garota concordou solidariamente. Leigh ficou imaginando que tipo de reação induziria se descrevesse a verdadeira fonte de sua tensão, ou seja, o fato de que havia dormido com um de seus autores (e por "havia dormido" ela realmente queria dizer "tivera o melhor sexo da sua vida em todas as posições e variações possíveis, durante o curso de dez horas inacreditáveis") enquanto ainda interpretava o papel de parceira amorosa e entusiasmada para seu noivo doce, generoso e totalmente por fora.

Quando a massagem finalmente terminou, Leigh sentia-se ligeiramente mais ansiosa e significativamente menos relaxada. Vestiu suas roupas — sem nem se dar o trabalho de tomar uma ducha para tirar os óleos aromáticos — e tentou se preparar mentalmente para lidar com a confusão que havia criado. Ela só queria voltar para a casa da sua infância, se enrolar debaixo dos cobertores e se perder em um pouco de TiVo. Queria tanto isso que podia sentir, e estava prestes a dirigir o carro de Russell até a casa de seus pais quando outra imagem surgiu em sua mente. Essa também tinha um edredom macio e seus romances favoritos, mas incluía a visão de seus pais chegando em casa e atacando-a com perguntas. *Por que você está aqui no meio da semana? Onde está Russell? Como vai o trabalho? Quando vai escolher o cardápio para a recepção? O que está acontecendo com o livro de Jesse? Onde você vai fazer a lista de presentes? Por que está com essa cara tão infeliz? Por quê? Onde? Quando? Diga-nos, Leigh, diga-nos!* Sua dor de cabeça latejante agora tinha uma qualidade especial de furador de gelo e, de repente, ela se sentiu nojenta com uma camada de óleo de massagem pegajoso entre sua pele e as roupas.

Pagou rapidamente e conseguiu manter pé firme quando pediram que preenchesse uma pesquisa sobre sua experiência no spa.

— Tem certeza? — a recepcionista perguntou, estourando o chiclete em explosões rápidas e irritantes. — Você ganha um cupom de desconto de quinze por cento para seu próximo tratamento.

— Obrigada, mas estou com pressa — Leigh mentiu, quase sorrindo para si mesma (quase) quando calculou que provavelmente metade do que dizia ultimamente era completamente falso. Rabiscou uma assinatura irreconhecível no vale-presente, entregou uma gorjeta de vinte e cinco por cento em dinheiro por se sentir culpada por não conversar mais com a massagista, e saiu pela porta da frente antes que mais uma bola de chiclete estourada a levasse a um ato homicida.

Mesmo com o trânsito pesado da hora do rush, o percurso de táxi do spa no Upper East Side até TriBeCa pareceu levar apenas 30 segundos. O taxista a estava deixando na frente do prédio de Russell quando o telefone dela tocou.

— Ei — Russell falou quando ela abriu o telefone. De alguma forma, ele parecia diferente, mais distante, mas Leigh disse a si mesma que estava só imaginando isso.

— Oi! Eu estou encostando na frente do seu prédio neste momento. Você está em casa? — sua voz também soava forçada e *faux*-alegre, mas Russell não pareceu notar.

— Não. Vou demorar pelo menos mais uma hora, mas queria que você me esperasse. Só entre e talvez peça uma comida para nós? Mal posso esperar para vê-la hoje à noite.

— Eu também — Leigh disse e ficou aliviada quando percebeu que não era totalmente mentira.

Acabara de pagar ao motorista e saltar do táxi quando seu telefone tocou de novo. Ela o abriu sem nem olhar.

— Esqueci de perguntar, você quer sushi ou comida italiana? — perguntou.

— Eu voto pela italiana — uma voz feminina disse com uma risada.

— Emmy! Está ligando de Israel? Como você está? — Leigh não se sentia especialmente a fim de conversar com ninguém naquele momento, mas não podia desligar o telefonema de sua melhor amiga quando não se falavam há mais de uma semana.

— Não, acabei de aterrissar. Estou em um táxi voltando do JFK. O que vai fazer hoje à noite? Eu tinha esperanças de conseguir arrastá-la para jantar, estou com saudade das minhas amigas!

— Eu vou terminar com Russell — Leigh disse baixinho, sem absolutamente nenhuma entonação. Levou um segundo até ela ter certeza de que havia pronunciado as palavras, mas a engasgada de Emmy confirmou isso.

— O que você disse? A AT&T está uma merda. Acho que não ouvi...

— Ouviu, sim. Você me ouviu — Leigh disse com mais tranquilidade do que sentira em 72 horas. — Eu disse que vou terminar com Russell.

— Onde você está? — Emmy perguntou.

— Emmy, eu estou bem. Agradeço a sua...

— Onde diabos você está? — ela gritou tão alto que Leigh teve que afastar o telefone da orelha.

— Estou prestes a entrar no prédio dele. Ele ainda não está em casa, mas vou pedir o jantar para nós e vou terminar quando estivermos comendo. Emmy, eu sei que isso parece saído do nada, mas... — Sua voz sumiu e um soluço sacudiu sua respiração.

— Estou indo para aí. Me escute, Leigh Eisner. Eu estou indo para aí, está bem? — Leigh ouviu o som abafado de Emmy redirecionando o taxista para o cruzamento da casa de Russell. — Você ainda está aí? Já passamos pelo túnel e estamos seguindo pela FDR. Estarei aí em dez, doze minutos. Está me ouvindo?

Leigh assentiu.

— Leigh? Diga alguma coisa.

— Eu estou ouvindo — Leigh guinchou através de um soluço.

— Muito bem, não se mexa. Não. Se. Mexa. Entendeu? Estarei aí em um instante.

Leigh ouviu Emmy desligar, mas não conseguia fechar o telefone. Por que ela acabara de dizer que ia terminar com Russell? Não tinha nada a ver com o que andara pensando nos últimos dias, durante sua massagem, no caminho de volta para a cidade. Ela simplesmente chegara à conclusão de que tinha que ser honesta com ele — a qualquer custo — a respeito de Jesse. Que mesmo que fosse apenas para amenizar egoisticamente sua própria culpa, começar um casamento baseado numa traição provavelmente não era uma ideia brilhante, e Russell merecia saber toda a verdade desde o começo. Dito isso, ela também tinha quase certeza de que Russell — se restabelecesse sua confiança — podia ser convencido a lhe dar uma segunda chance. Não seria bonito nem agradável para nenhum dos dois, mas se ela se esforçasse bastante para lhe garantir que fora um completo acaso com Jesse (o que fora) e que nunca aconteceria de novo (não era mentira), achava que tinham boa chance de superar aquilo. O que nem passara por sua cabeça era que ela podia *não querer* superar isso... até soltar essas exatas palavras há apenas alguns instantes.

Leigh comprou uma xícara de café de uma lojinha de produtos naturais minúscula na esquina, sem o pingado adequado ou adoçantes artificiais — onde estavam todos aqueles malditos Dunkin' Donuts quando ela precisava de um? — e amarrou a echarpe mais apertada em volta do pescoço. Estava prestes a entrar na portaria quando ouviu a voz de Emmy gritando atrás de si. Virou-se para ver um táxi parando bruscamente, e uma Emmy bronzeada e em pânico pendurada para fora da janela traseira.

Leigh parou e esperou calmamente na porta, olhando enquanto sua amiga jogava três notas de vinte para o motorista, pegava alguns dólares de troco e arrastava sua mala de rodinhas para fora do porta-malas.

— Quando ficou tão frio assim? — Emmy chiou enquanto tentava puxar a alça da mala para fora.

— Uns dois segundos depois que você foi embora — Leigh falou, consciente de que devia ajudar sua amiga, mas sem sentir nenhuma inclinação para fazer isso. No momento, não parecia haver problema em ficar ali e observar sua própria respiração sair em correntes quentes contra o ar gélido. Ia terminar com Russell. Ela ia mesmo terminar tudo assim? Cancelar o noivado, devolver o anel, tornar-se des-noivada? Ia, ia, ela ia.

— Meu Deus, isso não é civilizado! É inabitável! Por que escolhemos viver assim? — Emmy beijou Leigh na bochecha. — O Russell não está em casa, certo? Então podemos subir?

Leigh segurou a porta aberta e fez sinal para Emmy entrar. Usou sua chave para chamar o elevador que dava diretamente dentro do *loft* de andar inteiro de Russell, e as duas garotas puxaram a mala de Emmy para dentro.

O panorama de aço inoxidável e laca preta que as recebeu quando as portas do elevador se abriram foi suficiente para trazer Leigh de volta para o presente; assim que viu a coleção de esculturas de metal e as fotos em preto e branco escolhidas pelo decorador, sentiu a sensação familiar de suas unhas se enterrando na carne das palmas das mãos.

— Bem-vinda! — Leigh cantou com alegria fingida. — Há algo neste lugar que aquece o coração, não é?

Emmy deixou a mala perto da porta, jogou seu casaco acolchoado por cima de uma cadeira da sala de jantar e caiu desajeitada no sofá inacreditavelmente chique e duro como pedra.

— Posso citar sem a menor dificuldade três dúzias de mulheres que matariam para passar apenas uma noite neste apartamento.

Leigh lhe lançou um olhar de aviso.

— Só estou dizendo...

— Você tem razão, é claro. O que torna ainda mais irônico o fato de eu não ser uma delas. — Sua voz estava baixa e séria e, por um momento, Leigh ficou imaginando por que ainda não estava chorando.

Emmy deu alguns tapinhas num pedaço do sofá ao lado dela, mas sua mão acabou fazendo um som de pancada.

— Deus, isso é duro — resmungou. — Venha cá, sente-se e me conte o que está acontecendo. Eu me sinto como se isso tivesse saído do nada.

Leigh andou em direção a Emmy, mas sentou-se no sofá-cama Ligne Roset em frente a ela.

— Deve parecer isso mesmo, eu acho. Diabos, a sensação é essa. Mas não se eu for realmente honesta comigo mesma — Leigh sentiu sua garganta se contraindo e quase se sentiu aliviada por estar finalmente experimentando algo próximo de uma reação normal.

— O que está acontecendo? Vocês dois andaram brigando?

— Brigando? Não, é claro que não. Russell é tão gentil e generoso como sempre foi. Sei lá, eu só, bem, eu não sei...

— Aimeudeus! — Emmy deu um tapa na cabeça. — Como pude não ter adivinhado? Ele *é* homem, afinal de contas. Ele a está traindo, não é?

Leigh podia sentir seus olhos se arregalando, mas não conseguiu pronunciar nenhuma palavra.

— *Ai. Meu. Deus.* Aquele merda! O sr. Eu Sou Tão Perfeito a está traindo? Leigh, querida, infelizmente para nós duas, sei exatamente como você está se sentindo agora. Jesus, não acredito que ele esteja...

— Ele não está me traindo, Emmy. Eu o estou traindo.

Isso deixou tudo em silêncio por uns bons trinta segundos. Emmy parecia ter sido atingida, o rosto contorcido de surpresa enquanto esforçava-se para processar o que acabara de ouvir.

— Você está traindo o Russell?

— É. Bem, não. Não atualmente. Mas eu o traí.

— Quem? Com quem? Tanto faz.

Leigh suspirou.

— Não tem importância. O que importa agora é que acabou, mas tenho que pensar que aconteceu por um motivo. Pessoas que estão muito felizes em seus relacionamentos não traem.

Emmy ergueu a mão como que para pedir silêncio.

— Não tem *importância*? — perguntou. — Leigh, meu amor, você é uma das minhas duas melhores amigas neste planeta. Sem querer fazer isso ser totalmente sobre mim, mas qual é! Já é ruim o suficiente que eu não fizesse ideia de que você estava dormindo com outra pessoa enquanto isso estava acontecendo — e reconheço que agora provavelmente não é o momento ideal para ficar puta com você por isso —, mas sugerir que você não vai me contar depois do fato ocorrido é totalmente ridículo! Quer dizer, você realmente...

— Foi com Jesse. Jesse Chapman.

Emmy jogou as mãos para cima, exasperada.

— Jesus Cristo, eu não sei como ela faz isso. É como se tivesse uma espécie de sexto sentido para essas coisas. Ou talvez, se você transar com gente suficiente possa *sentir* quando alguém mais também está transando. I-na-credi-tá-vel. A garota é simplesmente inacreditável!

— Do que você está falando? Quem é inacreditável?

O som da voz de Leigh pareceu trazer Emmy de volta à realidade.

— Ah, me desculpe. É só que a Adriana vem insistindo há semanas — talvez meses — que você estava dormindo com Jesse e eu insisti que não estava. Jurei pela minha mãe mortinha atrás da porta que era a ideia mais ridícula possível. Quer dizer, você está noiva do Russell, pelo amor de Deus...

Emmy parou no meio da frase e tapou a boca com a mão.

— Me desculpe. Leigh, eu sinto muito, isso saiu totalmente errado.

Leigh deu de ombros.

— Bem, só para ficar registrado, eu não estou "dormindo com" Jesse e nunca estive. Aconteceu exatamente uma vez e nunca mais vai acontecer de novo. Então, da próxima vez que você falar com Adriana, pode lhe dizer que ela estava errada.

O telefone de Emmy tocou. A cara dela quando verificou o número confirmou que era Adriana.

— Meu Deus, ela fez você usar uma escuta? — Leigh falou, sacudindo a cabeça.

— Intuição latina, é o que ela diz — Emmy desligou o telefone e o enfiou de volta na bolsa. — Então, correndo o risco de parecer, hum, insensível aqui, posso perguntar por que você acha que tem que terminar tudo com Russell? Quer dizer, se Jesse foi uma coisa de uma vez só — e você quer que continue assim —, bem, será que sou uma pessoa totalmente horrível por sugerir que tente esquecer isso?

— Não é tão simples.

— Isso quer dizer que você gosta de Jesse?

— Não! Bem, sim. Mais ou menos. Mas Jesse na verdade não tem nada a ver com isso. Isso tem a ver comigo e com Russell.

Emmy puxou uma garrafa de água da bolsa, tomou um gole e a ofereceu para Leigh, que sacudiu a cabeça em negativa.

— Eu entendo — Emmy disse cuidadosamente. — Mas tenho certeza de que pensou em não contar a alguém algo que vai magoar só para se livrar da culpa. Tipo, saber não vai ajudá-lo, ele está melhor sem saber?

Leigh teve que lembrar a si mesma de relaxar as mãos e tentar afastar os ombros das orelhas. Não queria ficar tão irritada com Emmy, mas estava ficando difícil disfarçar. É claro que havia levado tudo isso em consideração e obviamente a situação era bem mais complicada do que Emmy estava pensando. Leigh com certeza não se sentia compelida a — como Emmy havia dito? — *se livrar da culpa* com Russell só porque fizera merda e queria perdão. Se fosse esse o caso, ela teria tomado a única decisão racional possível e feito exatamente o que Emmy recomendara: se sentiria culpada por trair seu noivo, juraria a si mesma que isso nunca aconteceria de novo e iria em frente. O problema vinha quando ela se permitia admitir que, apesar de provavelmente poder, ela não *queria* ir em frente.

Ela respirou fundo.

— Eu não estou apaixonada pelo Russell — falou.

— Ah, Leigh. — Emmy pulou do sofá e foi em direção ao sofá-cama, mas Leigh ergueu a mão.

— Não. Por favor, não.

Emmy se afastou e contentou-se em pousar a mão no braço de Leigh.

— Agora é quando eu falo algo completamente fútil e ridiculamente batido, tipo "eu *amo* o Russell, mas não estou *apaixonada* por ele", certo? — Leigh riu e esfregou uma lágrima gorda dos cílios de baixo para o canto do rosto. — Meu Deus, a situação toda é tão confusa. Quem imaginaria que seria possível? A perfeita — Marcia, Marcia, Marcia! — concorda em se casar com um cara que ela nem ama porque todo mundo o ama e ela acha que, com o devido tempo, também vai amá-lo. Aí, em vez de lidar com a situação que ela própria criou de uma maneira sensata e madura, decide dar para alguém com quem está trabalhando. Alguém casado! Destruindo assim tanto a carreira quanto a vida amorosa de uma tacada só. Seria engraçado se não fosse tão patético.

— Não é patético — Emmy falou automaticamente.

— Estou falando de mim na terceira pessoa. O que não é patético nisso?

— Ah, querida — Emmy suspirou. — Sinto muito. Eu realmente não fazia ideia de que fosse tão ruim. Nenhuma de nós fazia. Mas você não pode se castigar por algo que não sente. O Russell é um cara ótimo e, sim, ele certamente parece o cara perfeito. Mas nada disso importa se não é o cara perfeito para você.

Leigh assentiu.

— Tudo aconteceu tão rápido! Num minuto estávamos dando passeios românticos na Union Square e, quando vi, ele estava botando um anel de brilhante no meu dedo sem nem imaginar que a resposta podia ser qualquer coisa senão sim. Eu ficava pensando quando foi que nos afastamos tanto. Achei que era um namoro casual, que estávamos nos divertindo, o relacionamento perfeito-para-agora. Nenhum rompimento à vista, mas não necessariamente um grande caso de amor também. Mas noivos? *Casar*? Emmy, correndo o risco de soar como a maior idiota do mundo — ou a menos perceptiva —, eu simplesmente não previ isso. Passei cada minuto desde então esperando ter certeza, *saber* que é o certo, mas não tive, Em. Eu nunca, jamais senti isso com o Russell e acho que está na hora de encarar o fato de que nunca vou sentir.

Ambas as garotas congelaram com o som do elevador subindo. Antes que qualquer uma das duas pudesse dizer uma palavra, ouviram as portas se abrirem e os passos de

Russell cruzarem o saguão até a cozinha, onde a geladeira rapidamente se abriu e se fechou de novo, e então ele entrou na sala de estar.

— Ah, ei, Emmy. Me desculpe, eu não sabia que você estava aqui — Russell disse com um olhar distraído. Leigh podia ver, pela olhada rápida que ele lhe deu, que ele não estava a fim de visitas naquela noite. Bem, então eram dois.

Para mérito seu, Emmy não precisou de nenhuma indireta. Pulou do sofá e, depois de beijar primeiro Russell, depois Leigh, resmungou algo sobre um jantar obrigatório de trabalho e se mandou pela porta. Ela desapareceu tão rápido que Leigh não teve nem um minuto para preparar o que ia dizer. Ou quando. Ou como.

— Oi — Leigh falou timidamente, estudando o rosto de Russell atrás de alguma pista de que ele as estivesse escutado. Era impossível, é claro — elas ouviram o elevador no saguão e não haviam dito uma palavra enquanto ele subia —, mas não podia deixar de esperar que ele tivesse pego alguns trechos. Seria tudo tão mais fácil se ele tivesse pelo menos uma pista do que estava por vir.

— Espero não ter interrompido vocês. Ela saiu rápido à beça. — Ele afrouxou a gravata (a que os pais dela haviam lhe dado de aniversário no ano passado) e então, como se decidisse que ainda não havia espaço suficiente para respirar, puxou-a pela cabeça e a jogou na mesinha de centro de acrílico Lucite.

— É, bem, você conhece a Emmy, está sempre correndo.

— Hum. Você pediu comida?

— Desculpe. Emmy queria dar um oi vindo do aeroporto para casa e ficamos conversando por alguns minutos e, bem, eu esqueci. O que você quer? — Leigh perguntou, grata por ter alguma coisa para fazer. Ela puxou o celular e começou a procurar os números. — Sushi? Vietnamita? Aquele lugar no Greenwich tem ótimos rolinhos primavera.

— Leigh.

— Ou podemos só passar na lanchonete, se você quiser. Omelete de queijo e batatas fritas bem passadas? Isso seria muito bom neste momento.

— Leigh! — O volume dele permaneceu o mesmo, mas a voz estava mais cortante, mais insistente.

Os olhos dela se viraram para cima para encontrar os dele pela primeira vez desde que ele havia entrado. Russell nunca ficava irritado com ela, por causa de nada. E se alguma coisa tivesse acontecido no trabalho hoje? Talvez ele tivesse se metido numa briga com aquele produtor associado que sempre fora um babaca. Ou talvez a emissora tivesse decidido mudar seu horário de novo? Vinham falando em mexer na programação e Russell estava morrendo de medo de ser tirado do horário nobre. Pensando bem, ele lhe dissera mais cedo naquele dia que queria falar com ela sobre alguma coisa. E se, Deus me livre, algo ainda mais drástico tivesse acontecido e, por alguma razão desconhecida, imprevisível e totalmente bizarra Russell tivesse sido demitido? Você não podia terminar com alguém no mesmo dia em que ele era demitido, podia? Não se tivesse um pingo de decência, não podia — nem mesmo no mesmo mês. Leigh estremeceu só de pensar nisso.

— Leigh, o que está acontecendo com você? Você está um caco há várias semanas e eu não faço a menor ideia do porquê.

— Você não foi demitido?

— O quê? Do que diabos você está falando?

— Achei que ia me dizer que tinha sido demitido.

— É claro que não fui demitido. E eu sei que devíamos discutir todas as coisas do casamento esta noite, mas acho que é mais importante falarmos de você. O que há, Leigh?

Bem, não ia ficar mais fácil do que isso. Ele havia lhe dado literalmente a abertura mais perfeita que se podia imaginar. Ela respirou fundo, enterrou as unhas nas palmas das mãos de novo e começou a falar.

— Russell, eu sei que isso é difícil — me mata só de dizer isso, mas quero ser honesta com você. — Ela ficou olhando para o chão, podia senti-lo olhando para ela. — Eu acho que devíamos dar um tempo.

Bem, está bem, então isso não era inteiramente verdade — um tempo implicava um desejo de acabar resolvendo as coisas —, mas pelo menos ela conseguira dizer alguma coisa.

— Um o quê? — Russell perguntou. Leigh olhou para cima para ver o imperturbável Russell parecendo completamente confuso, o que a enervou ainda mais.

— Eu, hum, acho que a gente precisa de um tempo. Para repensar as coisas.

Ao ouvir isso, Russell pulou do sofá e a envolveu em seus braços.

— Leigh, do que você está falando, "dar um tempo"? Nós estamos noivos para *casar*, meu amor. Temos nossas vidas todas pela frente. Você quer realmente esperar para começar tudo isso?

O abraço de Russel era bem parecido com o que Leigh imaginava ser a sensação de ser atropelada por um ônibus. Seus pulmões recusavam-se a se encher de oxigênio e estava ficando difícil ignorar a pressão e as bolas de luz por trás dos olhos. Mas sabia que precisava perseverar.

— Russell, não tenho certeza se quero que a gente se case — ela disse suavemente, o mais suavemente que se podia dizer aquelas palavras cruéis.

O silêncio de Russell foi tão completo que, se ele não a afastasse e se sentasse novamente, ela teria ficado imaginando se a tinha ouvido.

Sentou-se ao lado dele, perto o suficiente para ter intimidade, mas não tão perto que estivessem se tocando.

— Russ, você me ama? Tipo me ama mesmo, de verdade? Você me ama tanto que quer passar o resto da sua vida comigo e só comigo?

Ele permaneceu estoicamente calado.

— Ama? — ela pressionou, pensando, sabendo, que a resposta certamente era não. Se ela suspeitava há tanto tempo que algo não estava certo, ele também devia suspeitar. Ela só precisava lhe dar a chance de dizer.

Ele respirou fundo e pegou sua mão. Sorriu.

— É claro que eu te amo tanto assim, Leigh. Foi por isso que pedi para se casar comigo. Você é minha companheira, minha noiva, meu amor. E eu sou o seu. Sei que pode parecer assustador às vezes, quando você percebe que encontrou algo tão bom, mas Leigh, querida, isso é normal. Não acredito que era com isso que você estava preocupada todo esse tempo. É só um pequeno ataque de ansiedade. Pobrezinha, sinto que tenha guardado isso dentro de si por tanto tempo.

Ele parou tempo suficiente para abraçá-la de novo, mas desta vez Leigh o afastou. A recusa dele em ouvir — em escutar de verdade — o que ela estava dizendo a enfureceu; era realmente tão impossível imaginar que ela podia não querer se casar com ele?

— Russell, você não está me escutando. Sabe que eu o amo, mas não posso deixar de imaginar se as coisas não aconteceram tão rápido conosco por causa das circunstâncias, sabe? Você começa a namorar alguém nessa idade e ele preenche cada critério de ser inteligente e bem-sucedida e atraente e todas as outras pessoas estão se casando e estão todos lhe perguntando quando você vai sossegar. E as coisas vão se direcionando para isso. O que poderia ter sido um namoro ótimo e divertido de um ano quando você tinha 25 anos, de repente começa a ter um outro peso aos 30, 32. Aí, antes que você perceba, está ficando noiva e comprometendo-se a passar a vida com alguém que não necessariamente conhece tão bem assim. Porque "está na hora", o que quer que isso signifique. Deus, eu não estou explicando isso direito...

O olhar de Russell, que há apenas alguns minutos pingava de empatia e bondade, foi ficando gelado.

— Na verdade, acho que você está se explicando com bastante clareza.

— Então você meio que entende o que eu estou dizendo?

— Você está dizendo que acha que isso tudo está errado e que já vem sendo por algum tempo mas nunca teve coragem de me dizer.

Agora ela queria contar a Russel toda a verdade, contar a ele tudo sobre Jesse e como ela se sentia feliz e relaxada quando estava com ele, como aquela única noite de sexo havia ficado plantada mais firmemente na sua cabeça do que 18 meses com Russell.

Estava a segundos de despejar a história toda quando, felizmente, se conteve. De que serviria contar sobre Jesse? Era realmente a melhor coisa a fazer? Russell não teria que levar a rejeição de modo tão pessoal se pudesse concentrar sua energia em odiar Leigh por sua indiscrição. Isso também não parecia certo. Para que magoá-lo desnecessariamente? Mas seria errado esconder isso dele, considerando-se a sabedoria convencional de que a atitude mais nobre era ser completamente honesto e direto? Confusa e exausta, ela decidiu não dizer nada. Pela frieza de sua última declaração e por seu olhar, Russell não parecia estar interessado em conversar mais. Para que tornar as coisas mais difíceis do que tinham que ser?

De repente ele a surpreendeu, agarrando seu rosto e olhando dentro de seus olhos.

— Olhe, Leigh, eu sei que o que você está sentindo não passa de uma ansiedade normal, natural. Por que não tira um tempo para si mesma, sabe, sozinha, como você sugeriu, e pensa sobre isso tudo? Pense com calma.

Leigh suspirou para si mesma. O pedido dele parecia quase mais insuportável do que sua raiva.

— Russell, eu tenho, hum... eu tenho... — *fale*, ela ordenou para si mesma, *puxe o band-aid rápido* — tenho medo de que isso só vá prolongar o inevitável. Acho que devíamos terminar tudo agora.

Obviamente isso era verdade. Ela sabia que não havia razão — razão nenhuma — para arrastar isso, independente do quanto fosse menos assustador retardar o desagradável. Sabia, sem a menor sombra de dúvida, que as coisas haviam acabado permanentemente, mas ouvir suas próprias palavras ainda a deixava totalmente chocada.

Russell se levantou e andou em direção à porta.

— Bem — disse baixinho, naquela sua voz controlada que funcionava tão bem no ar. — Acho que não há mais nada a dizer. Eu te amo, Leigh, e sempre vou te amar, mas gostaria que você fosse embora.

Essas foram as palavras que Leigh repetiu para si mesma enquanto ia para casa no banco de trás do primeiro táxi que ela chamou para si mesma ao sair do apartamento dele. Quase tão rápido quanto havia começado, seu relacionamento com Russell havia acabado e, com ele, a ansiedade que ela vinha alimentando havia meses. Inspirou longa e profundamente e, enquanto o táxi voava pela Sexta Avenida em direção ao seu edifício, ela finalmente admitiu para si mesma que, sim, sentia-se profundamente triste sobre o que acabara de acontecer mas, mais do que isso, sentia-se aliviada.

que seus peitos enormes e empinados lhe deem dor nas costas quando ela tiver trinta anos

— Emmy, eu lhe digo isso desde a primeira vez em que entrou no meu consultório. Você tem tempo suficiente.

— Não é isso que todas as revistas lá fora dizem! — Emmy falou e apontou na direção da porta. — Não é uma mensagem confusa me dizer que eu tenho todo o tempo do mundo e então encher sua sala de espera com mil artigos que me dizem que meus ovários estão murchando?

A dra. Kim suspirou. Era uma asiática bonita, que parecia pelo menos 15 anos mais jovem do que seus 42 anos, mas não era isso que incomodava Emmy. A boa doutora — que reassegurava a Emmy a cada consulta (e às vezes entre uma e outra) que seus anos férteis ainda não haviam se esgotado — tinha tido três crianças perfeitas, dois meninos e uma menina, todos antes de seu 31º aniversário. Quando Emmy perguntava repetidamente à dra. Kim como ela equilibrara um marido, a faculdade de Medicina, a residência e três crianças com menos de 5 anos, tudo enquanto trabalhava quatro dias por semana e estava de plantão uma noite a cada três e um fim de semana sim, outro não, a doutora só sorria, dava de ombros e dizia:

— Você só faz. Às vezes parece impossível, mas sempre dá certo, de um jeito ou de outro.

Emmy estava deitada de pernas abertas na mesa de exame exatamente um dia antes de seu trigésimo aniversário, e estava determinada a ouvir a notícia de encorajamento de novo.

— Conte-me sobre sua paciente média — Emmy estimulou, mal percebendo o dedo enluvado da dra. Kim dentro de si. Ela sentiu o beliscão do cotonete do papanicolau e prendeu a respiração para não se mexer.

— Emmy! Você pode contar para mim. Eu já lhe disse isso mais de cem vezes.

— Uma a mais não vai fazer mal.

A dra. Kim tirou o dedo e retirou a luva com um estalo. Ela suspirou de novo.

— Tenho aproximadamente 250 pacientes no meu consultório. Dessas mulheres, a idade média para a primeira gravidez é 34 anos. O que, é claro, significa que...

— Um monte delas tem que ser ainda mais velhas do que isso — Emmy terminou.

— Exatamente. E ainda que eu não queira distorcer nada aqui — é importante que entenda que este é o Upper East Side e, provavelmente, o único lugar do país, senão do mundo, onde essa estatística é válida —, a maioria não experimenta dificuldades.

— Então não há pacientes grávidas na faixa dos 20? — Emmy estimulou.

A dra. Kim desamarrou o avental de Emmy e começou a examinar seu seio esquerdo em um movimento firme e circular. Ficou olhando para a parede enquanto fazia isso, claramente se concentrando. Após terminar os dois lados, fechou o avental novamente e colocou uma das mãos no braço de Emmy.

— Apenas algumas — falou, olhando preocupada para Emmy.

— Algumas! Da última vez você disse "praticamente nenhuma".

— Só algumas esposas muito jovens de médicos mórmons de Utah fazendo suas residências no Mt. Sinai.

Emmy deu um suspiro de alívio.

— Ainda está satisfeita com sua pílula? — a dra. Kim perguntou, fazendo anotações no prontuário de Emmy.

— Está tudo bem — Emmy deu de ombros e sentou-se na mesa, retirando os pés dos estribos cobertos com meias. — Com certeza funcionam muito bem.

A dra. Kim riu.

— Mas é para isso que servem, não é? Vou lhe dar outra receita para mais seis meses na recepção, está bem? Enviaremos os resultados dos seus exames em uma semana, mas eu não antevejo nenhum problema. Tudo parece perfeitamente saudável. — Ela entregou a ficha de Emmy para a enfermeira e, depois de se assegurar que Emmy estava coberta, abriu a porta. — Eu a vejo daqui a seis meses. E, querida? Por favor, relaxe. Como sua médica, estou lhe dizendo que não há absolutamente nada com que se preocupar.

É fácil para você dizer, com seus três filhos, Emmy pensou enquanto sorria educadamente e assentia. *Você e Izzie e todas aquelas ginecologistas com montes de filhos ou mostrando aquela barriga de grávida gigantesca, me dizendo para não me preocupar.* Izzie ia dar à luz a qualquer momento agora — já passara três dias da data prevista, na verdade —, mas, para sua infelicidade, não sentira nenhuma contração, não dilatara uma fração de centímetro. Emmy concordara de má vontade em esperar até Izzie ter dado entrada no hospital para pular dentro de um avião para a Flórida (Izzie insistia que o primeiro bebê podia atrasar uma e até duas semanas, e era idiotice correr para lá antes que eles tivessem certeza), mas não conseguia parar de pensar na chegada iminente de seu sobrinho.

Depois de se vestir, Emmy pulou no trem 4 para a Union Square. Pensou em uma caminhada rápida até em casa para tomar uma ducha — algo que ela sempre se sentira compelida a fazer depois do exame cheio de lubrificante —, mas, quando saiu do metrô na 14ª com Broadway, viu-se indo direto para o prédio de Leigh e Adriana. Com a separação de Leigh há apenas uma semana e o recém-criado comprometimento de Adriana com o trabalho, pensou que pelo menos uma delas tinha que estar em casa, emburrada ou trabalhando ou as duas coisas, mas o porteiro sacudiu a cabeça.

— Mas elas saíram juntas — falou, verificando seu relógio. — Provavelmente há uma hora, mais ou menos.

Emmy passou a mesma mensagem de texto para as duas: *Que porra é essa? Estou na portaria de vocês. Onde vocês estão?*, e recebeu respostas praticamente simultâneas. A de Leigh dizia *Fazendo compras c/ Adi para seu aniversário de*

30! Nos falamos depois; a de Adriana era um pouco mais concisa: *Se quiser um presente de aniversário, vá para casa.* Emmy suspirou, agradeceu ao porteiro e começou a caminhada enlameada e gélida pela Rua Perry. Era uma noite fria e úmida de sexta-feira em fevereiro, e Emmy estava desesperada por um banho, mas conseguiu evitar voltar para seu apartamento vazio por quase duas horas, já que achou um motivo para parar em quase todos os quarteirões da Rua 13: um café quente do Grey Dog na University; uma olhada longa e apaixonada nos cachorrinhos brincando na vitrine da Wet Nose; uma manicure de improviso e uma pedicure de parafina no Silk Day Spa, onde foram gentis o suficiente para aceitá-la sem hora marcada. Não havia motivo para correr para casa só para se sentar sozinha enquanto o relógio batia meia-noite e ela dava adeus a seus 20 anos. Recusara veementemente a oferta das garotas para uma noite divertida na rua — descartara sugestões para tudo, desde um jantar elegante no Babbo (apesar de estar morrendo para experimentar sua pasta de hortelã com linguiça apimentada de carneiro) a uma noite nostálgica no Culture Club. Só depois de semanas de insistência e cutucões, Emmy finalmente concordou em aparecer na tarde do dia seguinte para algum tipo de atividade surpresa de aniversário. Adriana e Leigh só prometeram que não envolveria nenhum tipo de homem, então ela concordara de má vontade. Planejava encher as horas entre agora e então com uma garrafa de vinho e uma boa dose de autocomiseração. Talvez, se estivesse se sentindo realmente motivada, encomendasse alguns bolinhos da MaxDelivery.

Quando finalmente chegou a seu prédio e se arrastou para cima pelos cinco lances de escada, ela estava ensopada dos pés à cabeça: o cabelo pela chuva gélida, os pés pela lama imunda, e suas partes íntimas pela aplicação extracuidadosa de lubrificante. Não havia cartões de aniversário em sua caixa de correio e nem um único pacote no corredor do lado de fora da porta. Nada. Lembrou a si mesma que ainda era só a véspera, que, se todo o resto desse errado, ela poderia certamente contar com algo de sua mãe e de Izzie. Despiu-se assim que entrou, jogando as roupas molhadas em uma pilha perto do closet, e traçou uma reta até o banheiro. Assim que a água quente molhou totalmente seus cabelos, ela ouviu o celular tocar. Sua linha fixa tocou em seguida e então o celular de novo. Ela não podia deixar de ter esperanças de que fosse Rafi, que ele tivesse conseguido seu número de alguma maneira e estivesse ligando para se desculpar por ter sido tão babaca. Está bem, era improvável que ele tivesse conseguido tanto seu celular quanto seu telefone de casa, mas quem sabe? Parecia ser bastante despachado e, além disso, era provavelmente o único de seus homens — *casos* — recentes que podia ter se dado ao trabalho de procurá-la. George definitivamente já havia passado para a próxima estudante, e não havia motivo para acreditar que o Croc Dundee jamais fosse aparecer novamente.

Depois de secar os cabelos com a toalha e manobrar o corpo para perto da privada para poder abrir a porta, Emmy atravessou o pequeno conjugado e, ajoelhando-se, nua, puxou uma sacola de compras de debaixo da cama. Desamarrou com cuidado a fita de gorgorão que unia as alças e removeu alegremente o volume embrulhado em papel de seda. Então, perdendo toda a paciência, rasgou o adesivo monogramado de papel-alumínio ao meio, jogou o papel de seda numa pilha e enfiou as mãos na maciez do item mais caro que jamais possuíra. Chamar de roupão era um desserviço à maciez luxuosa do cashmere grosso, à sua cor profunda de chocolate e ao elegante "E" monogramado. Roupões eram para cobrir pijamas de flanela ou manter o mínimo de decência entre o vestiário e a piscina. Mas isso? Isso fora feito para envolver sensualmente cada curva (ou, no caso da Emmy, acentuar habilmente as poucas curvas que existiam), sentir-se leve como seda, mas quente como um edredom. Ele roçava ligeiramente no chão enquanto ela andava, e o cinto amarrado na cintura a fazia sentir como uma modelo. Ela foi instantaneamente inundada de alívio. Não fora um erro. Ela o vira algumas semanas antes na vitrine da boutique de lingerie mais cara do SoHo, um lugar onde era impossível comprar dez centímetros de tecido por menos que algumas centenas de dólares. Cada sutiã, cada calcinha, cada par de meias finas na loja era mais caro do que qualquer vestido que ela tivesse, o que fazia do roupão... bem... um pedaço maior do seu aluguel mensal do que ela gostaria de se lembrar. Como conseguira ter coragem até mesmo para entrar na loja? Isso permanecia um borrão. Ela só sabia como ficara linda usando aquele roupão no provador chique, com cortinas pesadas de brocado, da loja, os lábios franzidos e seu quadril direito projetando-se para fora, sensualmente em cima de um par de saltos altos fornecidos pela loja. Uma olhada no espelho esta noite confirmava que nada mudara nas semanas em que o roupão havia esperado, virginal e embrulhado, até seu grande aniversário. Ainda na frente do espelho, Emmy penteou o cabelo num coque chique e mordeu os lábios para fazê-los inchar. Pegou seu novo gloss de frutas vermelhas e passou um pouquinho nas bochechas. *Nada mau*, pensou com um prazer surpreso. *Nada mau para 30 anos.* Então, subitamente entediada com a transformação espontânea e morrendo de fome, enfiou um par de botinhas confortáveis de pele de carneiro, amarrou o sonho de *cashmere* em volta da cintura e se dirigiu à cozinha para fazer uma sopa.

O telefone fixo tocou assim que ela ligou a chapa quente.

Ligação não identificada. Hum.

— Alô? — falou, amparando o telefone entre a orelha e o ombro, enquanto abria uma lata de sopa de galinha com macarrão.

— Em? Sou eu.

Não importa quantos meses houvessem passado, parecia que Duncan sempre ia dizer "sou eu" e Emmy sempre saberia exatamente quem estava falando. Um milhão de pensamentos passaram pela cabeça dela. Ele estava ligando para lhe desejar feliz aniversário... o que significava que estava pensando nela... o que possivelmente significasse que não estava pensando na líder de torcida... a não ser, ah, Deus, que estivesse ligando para lhe dar a notícia... notícias que tinham tudo a ver com a líder de torcida... notícias que ela não estava preparada para ouvir, nem esta noite, nem nunca.

Pensando nisso, ela quase desligou, mas algo a forçou a manter o telefone na orelha. Se não dissesse algo logo, iria lhe perguntar diretamente se ele estava noivo; então, como uma manobra puramente defensiva, ela falou a primeira coisa que lhe veio à mente.

— Quando você transformou seu número em não identificado?

Ele riu. O riso divertido-mas-não-totalmente-encantado de Duncan.

— Nós não nos falamos há meses e isso é tudo o que você tem a dizer?

— Estava esperando outra coisa?

— Não, acho que não. Ouça, sei que acabou de chegar em casa e tudo o mais, mas esperava que me deixasse subir.

— Subir? Para meu apartamento? Você está aqui?

— Estou. Já estou aqui, hum, há algum tempo. Na copiadora do outro lado da rua, esperando você chegar em casa. Eles estão ficando meio assustados comigo, eu acho; então seria ótimo se eu pudesse entrar por um minuto.

— Então você ficou aí observando o meu apartamento? — Como era estranho achar algo tão esquisito e tão lisonjeiro ao mesmo tempo.

Duncan riu de novo.

— É, bem, eu liguei algumas vezes antes, logo que você entrou, mas você não atendeu. Prometo que não vou ficar muito tempo. Só quero falar com você cara a cara.

Então ele estava noivo. O babaca! Provavelmente achava que estava fazendo algo nobre ao ir até lá para lhe contar em pessoa. E no dia antes de seu aniversário, o que ela estava disposta a apostar qualquer dinheiro que ele havia esquecido completamente. Por ela, ele podia enfiar seu papo cara a cara no rabo, e, sem um momento de hesitação, Emmy disse isso a ele.

— Emmy, espere, não desligue. Não é isso. Eu só...

— Eu estou de saco cheio de ouvir o que você quer e não quer, Duncan. Na verdade, a minha vida tem sido mil vezes melhor sem você nela; então por que não vai para casa agora, para sua namoradinha dos pompons e a faz infeliz? Porque eu vou lhe dizer uma coisa: não estou interessada.

Ela bateu o telefone e sentiu uma tremenda onda de satisfação, que foi instantaneamente seguida de uma tremenda onda de pânico. O que havia acabado de fazer?

Mal se passaram 60 segundos antes de ela ouvir uma batida na porta.

— Emmy? É óbvio que eu sei que você está aí. Pode por favor abrir? Só por um minuto, eu prometo.

Ela sabia que devia estar supremamente passada por ele ter usado a chave que nunca se incomodara de devolver, mas uma parte dela estava muito curiosa: o que podia ser tão importante que Duncan — o sr. Indiferente em pessoa — apelasse para a perseguição escancarada? Também estava parcialmente aliviada; o Duncan que conhecia nunca, jamais faria tanto esforço para anunciar seu próprio noivado.

Sem nem se dar ao trabalho de tirar seus sapatos peludos, Emmy abriu a porta e apoiou-se nela.

— O que é? — perguntou sem um sorriso. — O que é tão importante?

Ofegante por causa da subida de cinco andares, mas significativamente menos do que costumava ficar — isto é, nas três ou quatro vezes em que ele se dera o trabalho de vir à sua casa —, ele parecia muito bonito e ela suspeitava que as mudanças positivas (rosto mais fino, nenhuma palidez cadavérica, ótimo corte de cabelo que escondia o pedacinho calvo) eram resultado do trabalho duro da líder de torcida, não dele próprio.

— Posso entrar? — ele perguntou com um de seus sorrisos especiais, um sorriso largo que ficava em algum ponto entre flertar e estar entediado.

Emmy encostou as costas na porta e fez um gesto com a mão na direção do apartamento, assegurando-se de que ele visse sua expressão extremamente indiferente.

Levou alguns segundos para fechar a porta e passar o trinco e, quando Emmy se virou de novo para encarar Duncan, ele estava olhando para ela com uma admiração descarada. Beirando a adoração, se ela fosse honesta consigo mesma. E por possivelmente a primeiríssima vez na presença de Duncan, ela não se sentia nem um pouco preocupada com sua aparência.

— Deus, Em, você está ótima — ele falou com mais sinceridade do que ela achava que seria capaz.

Emmy olhou para seu roupão, lembrou-se da minitransformação que fizera após sair do chuveiro e agradeceu secretamente ao universo por ele não tê-la visto apenas 30 minutos antes.

— Obrigada.

Os olhos dele continuaram a subir e descer pelo corpo dela, parando para apreciar de poucos em poucos centímetros.

— Não, quero dizer, muito, muito bem. Melhor do que nunca. O que quer que esteja fazendo, definitivamente está funcionando para você — ele disse sem nenhuma ponta de ironia.

Ah, você quer dizer dar que nem uma louca para virtualmente qualquer estranho atraente que eu encontro? Comprar lingerie sexy? Recusar-me a odiar meu corpo só porque você o odiava? É, surpreendentemente, as coisas estão indo bem.

— Obrigada, Duncan. — Foi tudo o que ela disse.

Ele olhou pelo apartamento.

— Cadê o Otis? — perguntou, os olhos fixos na gaiola vazia. — Ele finalmente...

— Ha! Quem me dera. Apesar de achar que foi a segunda melhor alternativa.

Duncan olhou para ela interrogativamente.

— Adriana cuidou dele durante minha última viagem a trabalho. Muito contra a vontade, tenho que dizer, e reclamou disso durante dias. Aí, do nada, eu chego em casa, ligo para ela para dizer que estou indo buscá-lo, muito obrigada por tomar conta dele, bla-bla-blá — literalmente, eu comprei para ela uma garrafa de vinho de cem dólares como agradecimento e pedido de desculpas —, e ela diz que ele pode ficar por algum tempo.

— Ficar com ela?

— É! Pode imaginar? Disse que ficaram amigos. Que eu não dava valor ao Otis e que ela lhe dera uma vida nova.

— O que você respondeu?

— Como se você tivesse que perguntar! Eu disse que ela estava absolutamente correta; eu não dava valor a ele e é verdade que definitivamente nunca fiquei sua amiga. Que, se ela quisesse que ele ficasse "por algum tempo", eu provavelmente poderia permitir. Isso foi há oito semanas. Falei com ela hoje de manhã e os dois estavam indo para o "spa dos passarinhos" — palavras dela, não minhas. Só estou prendendo a respiração e rezando para não ser tudo um sonho.

Duncan tirou seu sobretudo e o jogou em uma cadeira. Ele ainda usava terno; tinha vindo direto do trabalho.

Carregava uma sacola de compras de papel marrom e Emmy não pôde deixar de imaginar se seria um presente de aniversário para ela.

— Tome, eu trouxe uma coisa para você — ele falou quando a viu olhando para o saco.

— Trouxe? — Sua voz soava mais esperançosa do que ela gostaria. O saco era volumoso e pesado, e seu primeiro pensamento foi que devia ser algum tipo de livro de fotografias. Talvez um daqueles guias fotográficos de grandes hotéis, ou um *tour* por uma daquelas ilhas caribenhas que eles costumavam visitar durante as raras férias dele.

Emmy abriu o saco com impaciência e ficou momentaneamente chocada ao descobrir nada mais do que uma única resma de papel impresso.

Duncan percebeu a expressão surpresa de Emmy e deu de ombros.

— Fiquei na maldita loja por mais de uma hora. Eu tinha que comprar *alguma coisa.*

— Ahã. — Então ele não se lembrara do seu aniversário, ou escolhera ele mesmo o presente dela pela primeiríssima vez. Isso não devia ter sido surpreendente ou decepcionante, mas por algum motivo, era ambos.

— Então, você provavelmente está, hum, imaginando por que estou aqui... — Ele deixou sua voz sumir, mas Emmy não disse uma palavra. — Sei que toda a situação com Brianna não foi fácil para nenhum de nós dois, mas isso, é... acabou agora, e eu esperava que pudéssemos, hum, tentar superar isso.

Bem. Ali estava. Emmy estava tão surpresa que teve que agarrar a bancada para se apoiar. Sua mente mal sabia por onde começar. Ele acabara de soltar três bombas independentes, porém igualmente chocantes, em uma única frase. Primeiro, havia aquela história de chamar o final dramático de seu relacionamento de cinco anos devido à infidelidade dele com uma professora de educação física que Emmy havia lhe comprado de "situação" — sem falar naquele acréscimo nojento sobre não ter sido fácil para ele também. Aí, havia a declaração causal que a dita "situação" havia acabado, um detalhe que ele deve ter presumido que Emmy soubesse, porque como ela poderia não estar seguindo as minúcias de sua vida? E, finalmente, a maior de todas: Duncan estava sentado em seu apartamento numa noite fria de sexta-feira quando, em outra época, estaria na rua com seus amigos, sugerindo nervosamente que eles poderiam "superar isso". Emmy sabia que era dada a exageros e a delírios de grandeza — e é claro que eram necessárias outras confirmações —, mas parecia que ele estava pedindo para voltar.

Ela tinha um milhão, um trilhão de perguntas para ele (Por que haviam terminado? De quem fora a ideia? E, mais importante do que tudo, por que ele queria voltar para ela?), mas recusava-se a lhe dar essa satisfação. Em vez disso, apoiou as costas na bancada, cruzou os braços e ficou olhando para Duncan.

— Bem, não vai dizer nada? — ele perguntou antes de enfiar o indicador na boca e morder uma cutícula. *Número 818 sobre as coisas de que eu não sinto saudades*, Emmy pensou.

— Não estou muito a fim de papo esta noite — Emmy falou calmamente, olhando para ele.

Ele suspirou como se para sugerir que isso tudo era muito difícil.

— Em, olhe, eu sou um idiota, está bem? Sei que fiz merda e quero consertar as coisas. A história toda da Brianna foi um engano, um erro de percurso, uma coisa totalmente sem importância que nunca deveria ter acontecido para começo de conversa. Você e eu, nós fomos feitos um para o outro. Nós dois sabemos disso. Então, o que me diz? Estou diante de você com o chapéu na mão — ao dizer isso, ele fingiu estar tirando um chapéu e segurando-o na direção dela — implorando para você voltar para mim.

Ele andou até ela, passou os braços em volta de seus ombros e a beijou bem de leve na boca. Emmy permitiu-se ser beijada, deixou-o pressionar a boca na dela e deleitou-se com a familiaridade e o conforto daquilo. Duncan se afastou e, enquanto tirava gentilmente o cabelo do rosto dela, olhou em seus olhos e perguntou:

— Então? O que me diz?

Quer admitisse ou não, ela havia esperado dez meses por esse exato momento e aqui estava ele, e parecia tão incrível quanto ela havia previsto. Emmy devolveu o olhar com seu sorriso mais doce.

— O que eu digo? — disse recatadamente, em tom de flerte. — Eu digo que vou dar a mim mesma o melhor presente de aniversário do mundo e lhe dizer aqui, agora e pela última vez, *para dar o fora do meu apartamento.* É isso o que eu digo.

— Você *não fez* isso! — Adriana guinchou, juntando as mãos.

— Fiz — Emmy disse com um sorriso enorme.

— Fez nada!

— Fiz, sim. E não posso nem começar a dizer como me senti bem.

Adriana abraçou Emmy e puxou-a o mais perto que sua mesa minúscula permitia. Estavam no Alice's Tea Cup, no Upper East Side, lotado com dúzias, talvez centenas de mulheres de todas as idades imagináveis, revivendo o momento triunfal de Emmy.

— Fez a coisa certa.

— Hum, é! — Emmy falou com os olhos arregalados. — Não pense por um segundo que estou duvidando. Acredita que aquele babaca teve a coragem de aparecer no meu apartamento, na véspera do meu trigésimo aniversário, e me pedir para aceitá-lo de volta — e nem se deu o trabalho de pedir perdão? Ele é um canalha.

— Sempre foi — Adriana assentiu até perceber Emmy olhando para ela com uma expressão engraçada. — Ah, meu amor, eu não quis dizer isso. Só estava concordando que as ações dele foram especialmente repugnantes desta vez. — Deus do Céu, essas garotas podiam ser tão sensíveis!

Uma adorável garçonete extra-animada se aproximou da mesa.

— Estão comemorando alguma ocasião especial hoje, senhoras? — ela perguntou.

Emmy fungou.

— O que nos entregou? Os pés de galinha ou os três prodígios sem brilhantes no dedo, tomando chá da tarde, exatamente como vão estar fazendo daqui a 50 anos?

— Os três prodígios sem brilhantes no dedo? Essa é nova. — Adriana revirou os olhos e olhou de relance para Leigh, que estava sentada, impassível, a mão esquerda nua enfiada debaixo da coxa. Adriana sentiu-se mal; Emmy não devia saber que Leigh devolvera a aliança para Russell na noite anterior.

— Boa, não é? Acabei de inventar. Mas tem um certo brilho... há! Perdoem o trocadilho. — Emmy caiu na gargalhada.

— Me desculpem, só achei que já que... — a garçonete tossiu e olhou para os pés.

Adriana interrompeu.

— Não, nós pedimos desculpas. Na verdade, *estamos* comemorando... o trigésimo aniversário desta aqui. E, como pode ver, estamos com dificuldades.

— Trinta? Sério? Você está ótima para trinta anos! — a garota disse entusiasmadamente. Ela não podia ter um dia a mais do que 24. — Só espero estar tão bem quando chegar lá.

Felizmente, Leigh se meteu antes que Emmy pudesse dizer algo realmente grosseiro e falou:

— É, ela está, não é? Estamos prontas para pedir.

A garçonete sorriu enquanto anotava os pedidos e saiu saltitante, convencida de que acabara de fazer alguém ganhar o dia.

— Vadia — Emmy chiou baixinho. — Que seus peitos enormes e empinados lhe deem dor nas costas quando ela tiver trinta anos.

Adrianna bateu com a mão na mesa.

— Vocês viram o estrago causado pelo sol? Por favor! A garota vai parecer uma bruxa encarquilhada quando fizer trinta. Seus peitos são o menor de seus problemas.

— Não sei o que vocês duas estavam olhando, mas eu não consegui tirar os olhos do cabelo — Leigh falou.

— Do cabelo? Qual é o problema com o cabelo dela? — Emmy perguntou.

— Bem, não há nada errado com ele agora, mas dá para ver que ela é do tipo que perde cabelo. Eu certamente não gostaria de chegar aos trinta com a linha do cabelo retrocedendo e uma parte no meio da cabeça com cabelo fininho.

As três riram.

— É, bem, você está certa... isso provavelmente já devia ter acontecido há muito tempo — disse Emmy, voltando exatamente ao que estavam falando antes do incidente com a pobre garçonete. — Só é esquisito como tudo se desenrola, sabe? Eu só queria que Duncan voltasse e declarasse seu amor eterno por mim, que nós andássemos na direção do pôr-do-sol juntos, que ele percebesse que erro terrível havia cometido e então, no exato momento em que isso acontece, só quero que ele seja atropelado por um ônibus. Isso é normal?

— Perfeitamente — Adriana disse. — Você não acha, Leigh? — Adriana havia tentado incorporar Leigh à conversa antes, mas ela não dissera muito sobre nada, apenas se sentara ali com um sorriso distraído e murmurara ocasionalmente um "hum".

— Claro — Leigh dissera agora, virando-se para Adriana. — Nossa garotinha está crescendo! Acho que isso é tão... — O som do celular de Leigh a interrompeu no meio da frase.

Adriana ficou olhando enquanto ela o puxava da bolsa, verificava o identificador de chamadas e apertava ignorar.

— É o Jesse de novo? — perguntou.

Leigh assentiu.

— Ele já devia ter entendido o recado, a esta altura. Não retornei uma única ligação desde que ele voltou da Indonésia.

— É, *querida*? E exatamente que recado é esse? — É claro que não podia ser direta sobre isso com suas amigas, mas Adriana ficara muito feliz com as notícias sobre o caso de Leigh e seu subsequente rompimento com Russell. Não que ela não adorasse Russell — todo mundo adorava Russell. Mas adorava mais Leigh e queria o melhor para ela. Agora, um caso? Com um homem casado? Que por acaso também era brilhante, instável e enormemente inadequado em um milhão de outras maneiras? Esse era um passo maravilhosamente inesperado na direção certa. Se ao menos Leigh também pudesse ver isso...

— O que aconteceu entre nós foi um erro, uma coisa de uma vez só que aconteceu há meses, pelo amor de Deus, e sobre a qual não precisamos conversar. Só não entendo por que ele tem que tornar isso mais difícil do que já é.

Emmy riu.

— Querida, não pode culpar o cara por reconhecer que isso é um pouco mais complicado, não é? Ele sabe que você terminou com Russell?

A cabeça de Leigh chicoteou para cima.

— É claro que não — disse secamente. — O que houve entre mim e Russell não tem nada a ver com Jesse.

Adriana fungou. A garota estava delirando! Quando seria capaz de admitir que estava loucamente apaixonada pelo cara errado? Adriana começou a planejar sua próxima coluna; se sua amiga, perfeitamente sã e racional, podia ser tão cega, outras mulheres também deviam sofrer. Talvez ela pudesse chamar de "Pensamento Delirante: Uma Cartilha". Ou talvez "Por que eu insisto em mentir para mim mesma". É, isso podia funcionar bem.

Leigh olhou para ela.

— O que foi?

— Você realmente acredita nisso, *querida*?

— Sim, na verdade acredito piamente. Porque é verdade! Russell e eu estávamos — ela fez uma pausa, procurando as palavras certas — tendo problemas muito antes de eu conhecer Jesse. Posso dar o braço a torcer, talvez, que o que aconteceu com Jesse me ajudou a abrir os olhos para o que estava acontecendo com Russell, mas até mesmo isso é forçar a barra. Eu dormi com Jesse porque me sentia sozinha e provavelmente com um pouco de medo do que estava acontecendo entre mim e Russell. Foi uma decisão equivocada durante um momento particularmente vulnerável na minha vida. Nada mais, nada menos.

Emmy e Adriana trocaram olhares.

— O que foi? Por que vocês duas estão se olhando?

Adriana ficou grata quando Emmy assumiu as rédeas com seu tom mais tranquilizador e sua escolha diplomática de palavras.

— Não estamos dizendo que você não ache que seja verdade, mas... bem... isso quer dizer que também tem que ser verdade para Jesse?

— E não é necessário um psiquiatra para ver que você parece mil vezes mais relaxada do que o normal — Adriana se intrometeu.

Leigh revirou os olhos.

— Olhem, vocês duas sabem que eu amo vocês, mas isso está ficando ridículo! Independente de como eu me sinto — me sentia — em relação ao Jesse, vocês estão ignorando um detalhe bastante importante. Me acompanhem, está bem? Jesse. Chapman. É. Casado. Casado, como em *comprometido para o resto da vida com outra mulher*. Casado, como em *dormir comigo o torna um mentiroso e um traidor de quem minhas melhores amigas não deviam me encorajar a correr atrás*. Casado como em...

Adriana ergueu uma das mãos. Nada a incomodava mais do que quando Leigh começava a pregar sermão e a bancar a puritana para cima dela.

— Está bem, está bem, nós já entendemos — falou.

Outra pessoa apareceu, um homem desta vez, carregando uma bandeja de comida.

— Ah, não! Espero que não tenhamos assustado sua colega — disse Emmy. — Estávamos sendo meio nojentas.

O garçom olhou para ela de uma maneira estranha e começou a descrever a comida.

— Salada de peito de frango defumado Lapsang Souchong com molho à parte? — Ele o colocou na frente de Leigh. — E dois Chapeleiros Loucos, com os doces e sanduíches ao mesmo tempo, como pedido. Seu chá já vem. Posso trazer mais alguma coisa para as senhoritas?

— Um marido? Um bebê? Algum tipo de vida? — Emmy perguntou. — Há algo assim no cardápio?

Ele se afastou da mesa lentamente, como se ela fosse um animal selvagem.

— Eu, hum, volto já para ver se precisam de alguma coisa. Bom apetite — resmungou enquanto se mandava.

— Jesus, Emmy, controle-se. Está assustando as pessoas — Adriana advertiu, apesar de secretamente achar aquilo tudo extremamente divertido.

Emmy suspirou.

— E o que há de novo nisso?

— Andei pensando muito na última semana — Leigh falou, olhando para suas amigas. Adriana achou isso mau sinal. Leigh "pensar" quase sempre resultava no tipo de decisão que só a fazia mais infeliz. Adriana se preparou para a frase que certamente começaria com "eu acho que devia..."

— Eu acho que devia voltar para a faculdade — ela disse baixinho.

— O quê? — Adriana gritou. De onde isso podia estar vindo? Faculdade? — Por que diabos você faria isso?

Leigh sorriu.

— Porque eu sempre quis — falou.

— Quis? — Emmy perguntou.

Leigh assentiu.

— Para um MFA em redação criativa. Eu queria fazer isso logo depois da formatura, lembram-se? Mas meu pai me arrumou aquele emprego de assistente na Brook Harris e ficava dizendo que nenhum bom editor — ou escritor, para dizer a verdade — precisava de um mestrado, que a melhor coisa que eu podia fazer pela minha carreira era começá-la. — Ela riu amargamente. — O que nós dois não levamos em conta é que essa não era a carreira que eu queria.

— Mas Leigh, meu amor, você é tão boa nisso! Está a segundos de uma promoção enorme, trabalhando com um escritor bestseller...

Leigh interrompeu Emmy.

— Estava trabalhando. No passado.

Adriana suspirou. Leigh podia ser tão dramática às vezes.

— Só porque você transou com ele não significa que não pode editá-lo, Leigh. Se cada pessoa se recusasse a trabalhar com alguém com quem já dormiu, toda a economia mundial entraria em colapso.

— Concordo — disse Leigh. — Nós provavelmente poderíamos superar isso. E Deus sabe que Henry não ligaria, desde que aquele livro fosse entregue no prazo. Só falei que era no passado porque eu já pedi demissão. Ontem.

— Pare! — Emmy berrou. Um grupo de turistas de meia-idade virou-se para olhar para elas. — Você está brincando — ela sussurrou.

— Como é que você não me disse ontem, quando estávamos fazendo compras? — Adriana perguntou, agarrando o braço de Leigh. — Simplesmente esqueceu de mencionar?

— Eu precisava de um tempo para processar. Falei para o Henry que não estava com pressa nenhuma, que ficaria o tempo que fosse preciso para fazer uma transição tranquila, mas que eu definitivamente iria embora.

— Aimeudeus — Emmy falou ofegante.

— Como ele recebeu a notícia? — Adriana perguntou. Não podia deixar de ficar um pouquinho chateada por Leigh tê-la superado. Afinal de contas, ela tinha suas próprias novidades excitantes para anunciar.

— Ficou bastante surpreso. Falou que vinha recebendo telefonemas estranhos de Jesse há semanas dizendo que ele havia feito algo — um algo não especificado — que provavelmente me deixara desconfortável, que a culpa era inteiramente dele, que nunca mais aconteceria de novo e aparentemente implorou a Henry para não passá-lo para outro editor.

— Bem, isso foi legal da parte dele. Você não acha que Henry sabe, acha? — Emmy perguntou.

— Não. Pelo que ele disse, parece que acha que o Jesse me cantou de alguma forma, me deixou constrangida e eu me apavorei. Acha que é por isso que não quero mais trabalhar com ele e até tentou me falar que um escritor pervertido de vez em quando faz parte do negócio, um ponto negativo da profissão ou sei lá o quê. — Leigh riu pesarosamente e tomou um gole de chá. — Fico imaginando o que ele acharia se soubesse que eu praticamente arrastei Jesse para a cama?

— *Querida*, não acredito que deixou seu emprego! Quais são seus planos para o futuro?

— Adivinhe o quê? Pela primeira vez em toda a minha vida, eu não tenho certeza. — Leigh encheu sua xícara de chá de novo e não pareceu muito preocupada. — Quero dar um tempo, não aceitar nada correndo, talvez viajar um pouco antes de, eu espero, começar as aulas no outono. Ainda não pensei em tudo, mas provavelmente vou ter que vender meu apartamento e — ela fez uma pausa por um instante e virou-se para Emmy — encontrar uma colega de quarto? Sem pressão, Em, eu juro, mas sei que você odeia sua casa e vem falando em se mudar há séculos; então não precisa responder agora, mas talvez a gente possa achar um dois quartos bonitinho em algum lugar?

Leigh estava estragando tudo! Adriana tinha todo um plano. Estava tão animada para contar para Emmy, e agora Leigh estava estragando tudo. Ela tentou interromper.

— Bem, adivinhem! Eu tenho algo...

— Aimeudeus, está brincando? — Emmy estava praticamente gritando. — Eu ia amar isso. Amar, amar, amar isso. Não aguento aquela porra de conjugado nem mais um segundo. Eu me mudo para qualquer lugar. Qualquer lugar! Minha única exigência é um forno. E um fogão. Isso não deve ser difícil, certo? Só me diga quando.

— Fechado! — Leigh falou. — Vamos começar a procurar imediatamente. Estou pronta para me mudar assim que meu apartamento for vendido.

— Alôôôô? Vocês duas estão me ouvindo? Alô! — Adriana disse, um pouco mais rabugenta do que pretendia. — Tenho algo que pode interessar a vocês duas.

As garotas se viraram e olharam para ela com expectativa.

— Então. Não há nada finalizado ainda — e eu provavelmente não deveria nem estar falando nada —, mas é muito provável que eu me mude para Los Angeles.

Isso as silenciou. Era recompensador ver Leigh engasgar e o queixo de Emmy cair. *O que uma garota tem que fazer para conseguir um pouco de atenção por aqui?*, Adriana pensou.

— O quê?

— Por quê?

— É o Toby?

— Vai morar com ele?

— Seus pais sabem?

— É definitivo?

— Você vai se casar?

Isso era absolutamente delicioso, melhor ainda do que havia esperado. Ela suspirou dramaticamente.

— Está bem, está bem, vou lhes contar tudo. Apenas acalmem-se. — Com o que ela queria dizer *continuem fazendo perguntas, eu adoro isso!* Suas amigas concordaram alegremente e Adriana se esbaldou com a curiosidade delas até ter que pronunciar as palavras que nunca pensara que ouviria a si mesma dizer, palavras que a deixavam mais orgulhosa e mais entusiasmada do que ela jamais poderia ter imaginado.

— Recebi uma oferta de trabalho e pretendo aceitá-la — ela falou e se recostou para curtir as reações das amigas. Era tão delicioso jogar notícias excitantes em cima de suas amigas, que não desconfiavam de nada. De que outra forma você conseguiria fazer com que elas prestassem atenção?

— Uma o quê? — Leigh perguntou com uma expressão perplexa.

— O que exatamente você quer dizer com "trabalho"? — Emmy perguntou, parecendo igualmente confusa.

— Ah, qual é! O que vocês acham que eu quero dizer? — Aquilo era exasperante! Era realmente tão impossível imaginá-la com um emprego só porque ela nunca tivera um? Por favor. O mundo inteiro trabalhava; ela tinha certeza de que também podia fazer isso.

— Está bem, Adi, não nos faça implorar. Conte os detalhes — Leigh disse, inclinando-se para a frente por cima da mesa.

Adriana deu um suspiro fundo e dramático. Então que a matassem por querer curtir isso! Não era todo dia que Adriana de Souza era levada a sério.

— Vejamos, a versão CliffsNotes é bastante direta. Vocês já sabem sobre a coluna na *Marie Claire*?

Ambas as garotas assentiram.

— Bem, estávamos jantando na outra noite com alguns amigos do Toby, da Paramount. Ele estava se gabando das minhas colunas terem sido escolhidas — vocês deveriam ter visto, ele foi totalmente uma gracinha — e uma das mulheres, algum tipo de produtora, começou a agir toda interessada. Ficou fazendo um monte de perguntas sobre mim, sobre as colunas, como a *Marie Claire* havia me encontrado, quando a primeira ia ser publicada... e tipo mais um milhão de coisas. Eu meio que achei que só estava sendo educada, mas ela telefonou no dia seguinte e me disse que estava interessada em — estão preparadas para isso? — transformar minhas ideias em um filme!

— Aimeudeus — Emmy murmurou.

Leigh parecia emudecida.

— Nem vem. Não, não, nem vem!

Adriana assentiu alegremente.

— Sim, sim, sim! Eu mandei por e-mail as amostras que apresentei para a *Marie Claire* e ela me ligou de volta mais tarde, no mesmo dia. Disse que queria se antecipar a qualquer outra pessoa e começar a trabalhar nisso antes que a primeira coluna seja publicada e, nas palavras dela, "inevitavelmente se torne um fenômeno". Ela me chamou de a próxima Candace Bushnell.

— Fala sério! — suas amigas gritaram simultaneamente.

— Estou falando muito sério.

Leigh inclinou-se ainda mais para perto; ela estava praticamente pressionando o rosto contra o de Adriana.

— Então, o que isso significa? O que você vai fazer para ela?

— Eu também não entendi completamente, mas Toby disse que o primeiro passo é arrumar um agente — ele está recomendando um cara bom — e aí eles vão negociar um contrato de consultoria para mim. A produtora tem um acordo com a Paramount e um trailer no estúdio deles, e ela vai me botar para trabalhar com um roteirista, para desenvolver o roteiro. Se tudo der certo, vou me mudar dentro dos próximos dois meses.

O que ela não havia lhes contado era que a produtora não via problemas em ela trabalhar de Nova York — até esperava isso — e que a decisão de se mudar para LA era inteiramente sua. Estava na hora de uma mudança. Adriana estava em Nova York desde o dia em que se formara, e sabia que iria voltar em algum momento próximo. Se não tentasse viver em algum outro lugar agora, talvez isso nunca acontecesse. Além do mais, a ideia de ficar ainda mais longe de seus pais e de suas intromissões restritivas era extremamente atraente.

— Adriana, isso é incrível. Incrível. Parabéns! — Leigh disse enquanto se levantava da mesa e ia abraçar sua amiga.

— Ei, o que houve? — Adriana perguntou a Emmy, que havia começado a chorar.

— Me desculpe — ela fungou. — Eu realmente estou muito feliz por você. Só não acredito que vai se mudar.

— *Querida*! Você foi primeiro, lembra-se? Escola de culinária na Califórnia? Como se não houvesse escolas perfeitamente boas na Costa Leste. Mas você voltou e eu também vou voltar. Além do mais, tenho algo que talvez a faça se sentir melhor.

— O quê? — Emmy perguntou. Ela falou petulantemente, como uma criança teimosa e curiosa.

— Acho que você vai gostar muito, muito disso.

— O que é? Fale! O quê?

— Bem, eu estava imaginando se não gostaria de morar no meu apartamento enquanto estou fora. E — ela fez uma pausa dramática e virou-se para Leigh, que estava olhando fixo para ela — você também, *querida*. Eu não sabia que estavam planejando morar juntas, mas o que seria mais perfeito do que a minha casa? Falei com meus pais e eles ficaram felicíssimos de Emmy morar lá, e tenho certeza de que irão gostar ainda mais se ambas forem. Três quartos, sem aluguel, é claro, com apenas duas advertências: vocês têm que enviar a correspondência para eles, onde quer que estejam, uma vez por semana, e têm que lidar com suas visitas ocasionais a Nova York. Que devem ser significativamente menos frequentes já que eu não vou estar aqui. O que acham?

— Nossa, sei lá. Me parece uma roubada.

— É, sério. Uma tristeza. Um três quartos, sendo a única responsabilidade uma ida semanal ao correio. Meu Deus, Adriana, como é que você pode sugerir isso?

— Por favor, *querida*! Correio? Eca! Nós temos um acordo com a UPS; eles vêm ao apartamento, pegam o pacote de correspondência, embalam e enviam. Vocês só precisam pegá-la na caixa de correio na portaria — Adriana disse em sua melhor voz de isso-não-é-óbvio.

Leigh bateu com as mãos em cima da mesa.

— Puta merda, acabou de me ocorrer. A cobertura significa último andar.

— Está declarando o óbvio, Leigh — Adriana falou.

— E o último andar significa ninguém batendo no teto! Aimeudeus! — Ela começou a rir e chorar ao mesmo tempo. — Acho que nunca fiquei tão entusiasmada com nada em toda a minha vida!

Emmy fez um gesto dramático erguendo os braços e olhando para o teto.

— Cobertura A, aí vamos nós!

— E você, Adriana? — Leigh perguntou. — Onde, minha querida, você vai morar enquanto Emmy e eu dormimos no divino silêncio sem tamancos? Estou sentindo alguma coabitação no seu futuro imediato?

Adriana sorriu. Esta talvez fosse a melhor parte.

— Bem, o Toby me convidou para morar com ele — ela disse enquanto as garotas aplaudiam —, e ainda que as coisas estejam indo muito bem conosco, surpreendentemente bem, na verdade, acho que é uma razão ainda maior para não me precipitar com nada. — Ela parou, bebericou seu chá e fingiu meditar sobre algo. — Então... vou pegar o dinheiro que vou ganhar com a consultoria do projeto e as colunas, e alugar meu próprio apartamentinho na praia de Venice. Só um conjugado, o mais perto possível da praia. Perto do mercado de produtores, eu acho.

Emmy virou-se para Leigh e suspirou.

— Leigh, você acredita nisso? Nossa garotinha está crescendo. Está fazendo tudo sozinha!

Adriana ergueu as mãos pedindo silêncio.

— Não tão rápido, *querida.* Tenho um favor para pedir a vocês e é um grande favor. — Ela podia sentir-se ficando tensa, rezando para que Emmy dissesse sim.

Emmy a olhou com curiosidade.

— Um grande favor, é? Maior do que a cobertura A? Manda, Adi.

— Eu estava esperando que você me deixasse, hum, ficar com o Otis emprestado durante um ano? Ah, Emmy, eu sei que ele é seu animal de estimação e sei que é loucura arrastar o pobrezinho para o outro lado do país, mas nós ficamos tão próximos nessas últimas semanas. De uma forma esquisita, e por favor não riam de mim por isso, eu penso nele como meu amuleto da sorte. Minha vida meio que entrou nos eixos quando ele apareceu. Você se importaria muito? — Adriana sabia que Emmy não se incomodaria; na verdade, ficaria extasiada por ela querer ficar com ele, mas não havia mal em deixar Emmy pensar que estava se dando bem, certo? Era um presentinho para sua melhor amiga.

— Hum — Emmy murmurou, fingindo pensar sobre o assunto. — Acho que tudo bem. Quer dizer, quem sou eu para ficar no caminho do amuleto da sorte de alguém? Se quer levar o Otis com você, por favor, ele é seu.

— Ao Otis — Leigh falou, erguendo sua xícara de chá.

— À Emmy, no seu aniversário. Nas palavras imortais da nossa garçonete, que todo mundo esteja tão bem aos trinta anos! — Adriana acrescentou, erguendo sua xícara bem alto.

Emmy foi a última a erguer a xícara e brindar com suas amigas.

— Aos três prodígios sem brilhantes nos dedos. Que nós sejamos tão prodigiosas quanto somos, mas não tão sem aliança daqui a trinta anos.

— Eu brindo a isso! — disse Leigh.

— Eu também — acrescentou Adriana, cheia de entusiasmo por tudo que estava pela frente. — Saúde, *queridas.* À nossa.

seria nojento se não fosse tão fofo

Três meses depois

— Emmy! — Leigh gritou do antigo quarto de Adriana que, com o acréscimo de seu edredom macio, um monte de porta-retratos de prata e sua poltrona favorita, ela transformara facilmente em seu. — O carro está lá embaixo. Vamos nos atrasar!

Ela ouviu sua amiga indo e voltando dos quartos, inevitavelmente empacotando tudo o que não estava pregado.

— Você viu o meu Nano? Ou o carregador do celular? Não consigo encontrar nada!

Leigh fechou o zíper da sua mala de mão com rodinhas bem-arrumada e colocou cuidadosamente a mochila combinando em cima. Repassou uma lista mental e, depois de se convencer de que não havia esquecido nada, puxou seus pertences até o corredor. Entrou no quarto de Emmy — anteriormente o quarto de hóspedes dos de

Souza —, foi diretamente até a cômoda e pegou tanto o Nano quanto o carregador do celular dentro do aquário de vidro gigante que Emmy usava como porta-trecos.

— Aqui. Jogue isso na sua bolsa e vamos. Nós *não* vamos perder esse voo!

— Está bem, está bem — Emmy resmungou, passando uma escova pelos cabelos. — É uma hora obscena para estar acordada, sem falar em se mexer. Estou fazendo o melhor que posso.

Foram necessários mais 15 minutos para fazer Emmy sair pela porta e mais dez para o carro dar a volta no quarteirão, pegá-las e se dirigir para o aeroporto JFK. Estavam exatamente trinta minutos atrasadas em relação ao cronograma de Leigh — só porque as companhias aéreas sugeriam que você devia estar lá duas horas antes não queria dizer que duas horas e meia não fosse melhor — e normalmente ela estaria um caco, mas hoje estava animada demais para deixar que qualquer coisa a incomodasse. Fazia quase três meses que tinham visto Adriana, despedido-se dela com um megajantar no Waverly Inn para 25 de seus amigos mais próximos e queridos, e elas finalmente estavam indo para o Oeste visitá-la.

Depois que Adriana se mudou, Emmy nem se dera o trabalho de dar trinta dias de aviso prévio em relação ao seu apartamento; simplesmente pagara dois meses de aluguel e mudara-se imediatamente. Leigh esperava que fosse demorar um pouco para vender o seu — afinal de contas, levara mais de um ano para encontrá-lo —, mas o corretor ligara dois dias depois da primeira visita para dizer que tinham uma oferta. Ela acabou vendendo para o primeiro casal que viu o lugar (recém-noivos, naturalmente, e tontos de entusiasmo) por doze por cento mais do que havia pago um ano antes. Mesmo tirando a comissão do corretor, Leigh ganhou o suficiente em seu investimento inicial para financiar alguns meses fazendo absolutamente nada — ou pelo menos nada construtivo — antes de voltar à faculdade, em setembro.

— Então, acha que nós vamos para o Ivy? — Emmy perguntou, aninhando a garrafa térmica da Starbucks entre as mãos. — Quer dizer, eu sei que é um tremendo clichê e é batido e tudo o mais, mas *é* o nosso *brunch* de avaliação. Eu acho que temos que experimentar.

Apesar de ainda ser noite fechada, Emmy não parecia ser capaz de parar de falar.

— Não sei — disse Leigh, esperando não encorajá-la.

— Acredita que já faz um ano desde aquele primeiro jantar no Waverly Inn? — Emmy perguntou.

— Eu sei. Que loucura, não é? Parece que foi ontem.

— Ontem? Você está maluca. Parece mais que foi há uma década. Este deve ter sido o ano mais lento da minha vida. É como se o tempo tivesse parado. Como se eu estivesse vivendo nesse mundo onde o tempo congelou completamente e...

— Em, querida, por favor não leve isso a mal, mas eu preciso que você pare de falar. Só até chegarmos lá — disse Leigh.

Emmy ergueu uma das mãos e assentiu.

— Não precisa dizer mais nada. Sem problemas. Não sei por que eu fico assim. É como se a exaustão e uma necessidade compulsiva de falar andassem de mãos dadas. Quanto mais cansada eu estou, mais tagarela...

— Por favor.

— Desculpe. Me desculpe.

O telefone de Leigh tocou. Ela sentiu aquela sensação de reviravolta no estômago quando viu o identificador de chamadas.

— Oi! — sussurrou ao telefone. — O que faz acordado tão cedo?

— O que diria se eu lhe dissesse que botei o despertador só para poder lhe desejar uma boa viagem? — Jesse perguntou, parecendo cansado mas feliz.

— Eu diria que você é um grande mentiroso e que devia me contar a história verdadeira.

Ele riu e Leigh se sentiu começar a sorrir. Só o som da risada dele era suficiente para deixá-la tonta de entusiasmo.

— Bem, nesse caso, provavelmente já sabe que eu passei a noite acordado. Literalmente sentado aqui, esperando para ligar para você.

— O acordado a noite inteira eu acredito, mas tente de novo no esperando. — Ela se virou para ver Emmy olhando fixo para ela enquanto abria e fechava as mãos para imitar gente falando. Leigh sorriu e lhe soprou um beijo silencioso.

— Está bem, você me pegou. Acordado até as 3h escrevendo, aí das 3h às 6h jogando *Grand Theft Auto*, depois café, depois telefonema. Mais crível? — ele perguntou.

— Muito.

Com qualquer outro homem ela teria ficado horrorizada ao descobrir o vício em videogames. Tinha até estado em sua lista de coisas não negociáveis (bem ali, junto com cabelo excessivo nas costas e/ou suor, uma queda para humor escatológico e qualquer tipo de fundamentalismo religioso) mas, apesar de suas ardentes tentativas de desaprovação (zombar, revirar os olhos, implicar sem descanso), ela secretamente achava uma graça. E, verdade seja dita, ela meio que gostava quando ele a deixava escolher as roupas dos bandidos no começo de cada jogo. Isso era amor? Ainda não estava pronta para dizer, mas caramba, tinha que estar perto.

— Você está no carro? — ele perguntou.

Leigh suspirou, imaginando-o espreguiçado debaixo das cobertas, preparando-se para dormir por algumas horas antes de circular por Estia para sua ronda, no final da manhã.

— Estou. Na verdade, estamos quase lá; então tenho que desligar. Estou com saudades.

— Estou com saudades — sussurrou Emmy. — Ah, Jesse, amor, eu sinto tanto a sua falta. Como posso viver sem vê-lo por quatro dias inteiros? Aimeudeus, é como dois amantes predestinados. — Leigh se aproximou para cutucar sua amiga mas Emmy conseguiu se achatar contra a porta do carro.

— O que ela está dizendo? — Jesse perguntou.

— Nada — Leigh riu. — Eu ligo para você quando aterrissarmos, está bem? Durma um pouco. — Ela resistiu a fazer um som de beijo pelo telefone, pelo bem de Emmy.

— Meu Deus, seria nojento se não fosse tão fofo — Emmy disse com um suspiro longo e dramático.

Era nojento, Leigh sabia disso, mas estava feliz demais para se importar. Jesse ligara incessantemente durante dois meses inteiros depois do "incidente", como eles dois chamavam agora; mandou e-mails, deixou recados com a assistente dela, mandava mensagens de texto para o telefone dela três, quatro, cinco vezes por dia. Ela o filtrava todas as vezes, não querendo confundir mais ainda sua vida bagunçada. Só porque parecia complicado não significava que fosse; independente de quantas vezes ele ligasse ou pedisse desculpas ou tentasse se explicar, o fato era que Jesse era casado. Ponto. Ela já cometera um erro sério o suficiente só por dormir com ele; não precisava piorar tudo se envolvendo mais.

O que funcionou, dito e feito, até ela decidir sair da Brook Harris. Ainda ia até o escritório todos os dias, mas era só para ajudar a fazer a transição de seus autores para seus novos editores. Henry sabiamente ficara com Jesse para si e, de uma maneira que só um editor megaexperiente sabe fazer, convencera Jesse a limpar o texto sem ofendê-lo mortalmente. Quando leu a prova, Leigh só conseguiu aprovar a melhora: Jesse certamente tinha mais um grande sucesso nas mãos. Leigh conseguira até mantê-lo fora da cabeça a maior parte do tempo até o dia em que ele lhe mandou um e-mail todo em caixa alta. Não tinha descrição do assunto e dizia: "ENCONTRE-ME NO STARBUCKS DO ASTOR PLACE HOJE ÀS 19H. SÓ QUERO DEZ MINUTOS. DEPOIS DISSO, EU A DEIXAREI EM PAZ, SE VOCÊ QUISER. POR FAVOR, VÁ. J."

Leigh fez o que qualquer mulher sã confrontada com um e-mail assim faria: deletou para resistir à tentação de responder, esvaziou a lixeira para resistir à tentação de resgatá-lo e, então, ligou para o suporte técnico para restaurar todos os seus e-mails deletados recentemente. Brincou por um momento com a ideia de encaminhá-lo para Adriana e Emmy, para opiniões e análise, mas acabou decidindo que seria uma total perda de tempo; obviamente, ela iria.

Quando finalmente chegou ao Starbucks naquela noite — uma segunda-feira, ainda por cima — ela estava um caco. Completamente insegura, lembrando a si mesma como era imbecil só por pensar em falar com Jesse, o ex-amante e ex-escritor magnífico. Para quê? Então ela gostava dele — e daí? Pronto, ela admitira para si mesma. O que queria em troca, alguma espécie de prêmio? Só tornava tudo mais idiota e masoquista se submeter a esse encontro, um encontro que certamente lhe traria mais decepção num mês já menos do que maravilhoso. O fato de Jesse finalmente chegar, dez minutos atrasado, ladeado por uma garota asiática tão jovem que podia ser sua filha não ajudou em nada para melhorar a perspectiva de Leigh.

— Leigh — ele disse com um sorriso enorme, esticando a mão para ela. — Estou tão feliz que esteja aqui.

— Hum — ela respondeu, sem se levantar para cumprimentar nenhum dos dois. Não que houvesse qualquer necessidade de se levantar — a garota sorridente estava puxando uma cadeira e logo ela e Jesse estavam sentados à sua frente.

— Tuti, eu gostaria que você conhecesse Leigh. Leigh, esta é Tuti... minha esposa.

Os olhos de Leigh primeiro se voltaram para Jesse, que não parecia nem um pouco constrangido, e então de volta para a garota que, depois de uma inspeção mais profunda, Leigh decidiu ser ainda mais jovem do que havia pensado a princípio, apesar de não tão bonita. Tuti tinha cabelos lindos, negros e grossos, mas era cortado num formato esquisito para sua cabeça.

— Ai, meu Deus — Leigh disse antes que pudesse evitar.

Tuti riu docemente e Leigh viu que ela era dentuça. Se isso tivesse acontecido sob quaisquer outras circunstâncias, Leigh pensou que teria achado essa garota uma graça. Encantadora, até. Mas esta noite? Assim? Era mais do que ela podia suportar.

— Tuti, é um prazer conhecê-la. Eu, hum — ela ia dizer automaticamente "ouvi muito a seu respeito", mas era carregado demais de significado. Em vez disso, falou:

— Odeio sair correndo, mas eu estava só dando uma passada.

Ao ouvir esse anúncio, o rosto de Tuti desmoronou.

— Já? — perguntou franzindo o cenho. — Está bem, então vou pegar algo para beber e deixar vocês dois sozinhos. Leigh, Jesse? Querem alguma coisa?

Jesse deu um tapinha no ombro dela e balançou a cabeça dizendo que não, e Tuti correu em direção ao balcão.

— O que estava pensando ao trazê-la aqui? — Leigh se ouviu perguntar, como se seu cérebro e sua boca não estivessem mais em contato. Jogou três Nicorettes para dentro da boca e esperou a onda de calma invadi-la. — Não, não responda. Não me interessa o que você estava pensando. Eu só quero ir embora. — Ela começou a juntar suas coisas, mas Jesse fechou a mão em cima de seu braço.

— Ela tem 23 anos e é da Indonésia. Ilha de Bali, aldeia de Ubud. Eu fui parar lá um ano depois de *Desencanto* ser publicado, fui com um grupo de europeus super-ricos para uma festa de um mês de duração na casa do pai de alguém. Estava tudo muito bem até que um deles teve uma overdose e, no dia seguinte, a Al Qaeda explodiu aquela boate em Bali.

Leigh assentiu. Ela se lembrava disso.

— Desnecessário dizer que o grupo foi embora, mas algo me fez ficar lá. Fui embora de Kuta, a cidade do atentado, e me dirigi para o centro da ilha, em direção às montanhas e às aldeias de plantação de arroz, onde li que todos os artistas, artesãos e escritores de Bali vivem. E, com certeza, Ubud estava transbordando deles. O lugar era incrível! Todo dia havia alguma espécie de festival, uma comemoração enorme e hipercolorida da estação ou um feriado ou algum acontecimento. E as pessoas! Meu Deus, elas eram lindas. Tão hospitaleiras, tão abertas. Eu e o pai de Tuti ficamos amigos. Ele só tem quatro anos a mais do que eu e é pai dela... — Ao dizer isso, Jesse sacudiu a cabeça. — Ele é um carpinteiro talentoso, na verdade, mais um artesão. Nos conhecemos um dia, quando fui a sua oficina e ele me convidou para jantar em sua casa. Linda família. Para resumir muito, muito, uma história longa, eu devo muito ao pai de Tuti. Ele botou minha vida nos eixos de novo; de várias formas ele a salvou, eu acho; então realmente não pensei duas vezes quando me pediu para casar com Tuti.

Leigh não sabia direito onde a história iria acabar, mas estava fascinada — sem falar que agora fazia todo sentido o motivo de os tabloides não terem sabido da história. Mas nem morta ia demonstrar isso para ele; em vez disso, ela deu um gole em seu café, tentou parecer indiferente e disse:

— Ela é muito doce, Jesse. Posso ver por que se casou com ela.

O que ela não disse foi *Por que está me contando isso?*

Jesse riu.

— Leigh, eu fui bastante literal quando disse que me casei com Tuti porque o pai dela é muito importante para mim e ele me pediu isso. Ela era uma criança — ainda é — e eu gosto profundamente dela, mas nunca tivemos um relacionamento amoroso, e certamente nunca teremos.

— Ah, é, bem, isso faz todo o sentido. — Ela não queria seguir o caminho do sarcasmo, mas a situação era muito confusa.

— Depois do 11 de Setembro, os Estados Unidos colocaram a Indonésia em sua lista de países terroristas. Então, apesar de a ilha de Bali ser 98 por cento hindu — ao contrário do resto do país, que é muçulmano na mesma porcentagem — Tuti não conseguia visto nem para visitar os Estados Unidos. Seus pais trabalharam a vida inteira para mandá-la para cá para estudar, como fizeram com seu irmão mais velho, mas a nova situação política tornou isso impossível. Foi aí que eu entrei.

— Você se casou com ela para que ela pudesse conseguir o visto? — Leigh perguntou, chocada. Isso não acontecia só no cinema?

— Casei.

Leigh só conseguia sacudir a cabeça, sem acreditar.

— Acha isso realmente tão pavoroso? — Jesse perguntou. — Foi por isso que eu não quis tocar nesse assunto antes.

— Eu não diria *pavoroso*, mas definitivamente é... esquisito — Leigh olhou para ele, examinou seu rosto. — Você nunca quis se casar um dia com alguém que realmente amasse? Ou nem levou isso em consideração?

— Sei que provavelmente vai parecer estranho para você, mas, para ser sincero, não; não levei isso em consideração. Eu tinha acabado de sair de um primeiro livro extremamente bem-sucedido e estava pensando só nas viagens e nas festas e nas mulheres; casamento era a última coisa em que eu pensava. O que estava realmente sacrificando ao me casar com Tuti só no papel? Ela mora com três amigas num edifício sem elevador no Lower East Side. Faz faculdade à noite, tem um namorado que parece ser um bom garoto. Eu a levo para almoçar duas vezes por mês, e ela adora levar sua roupa suja para meu apartamento porque a minha faxineira a lava para ela. É como ter uma sobrinha ou uma irmã mais nova. E nunca teve nenhum impacto negativo na minha vida... até agora.

Mesmo agora, três meses depois, Leigh podia se lembrar de cada palavra do que Jesse havia dito em seguida. Como ele ficara intrigado com Leigh a partir do momento em que se conheceram no escritório de Henry; como ele passara a adorá-la e respeitá-la durante as viagens de trabalho aos Hamptons que haviam partilhado; como ele não se achava capaz de gostar tanto de alguém. Ele lhe dissera que sabia que tudo estava acontecendo muito rápido, mas que não queria perder mais nada da sua vida fazendo joguinhos ou transando por aí. Ela podia usar o tempo de que precisasse, especialmente tendo em vista o que acontecera com Russell (Henry lhe contara tudo), mas estava comprometido com ela e só com ela. Para ela lhe dizer agora se sentia o mesmo; se houvesse uma mínima chance que sim, ele a esperaria. Havia a mínima chance? Ela sorriu agora, só de se lembrar de tudo.

O voo para Los Angeles foi sossegado. Como prometido, Adriana estava esperando por elas na esteira de bagagens, falando a mil por hora, cheia de animação e ideias sobre como as garotas passariam o fim de semana.

— Primeiro e acima de tudo, vamos fazer compras — Adriana anunciou enquanto abria as portas de seu BMW M3 conversível vermelho-cereja zerinho.

— Carro bacana! — Emmy murmurou, passando a mão pelo capô.

Adriana sorriu alegremente.

— Não é o máximo? Como você pode morar na Califórnia e não dirigir um conversível? É um sacrilégio. Foi meu "presente de independência" dos meus pais.

— Está brincando — Leigh disse, encantada pelas três poderem cair direto no padrão de sempre.

— Nem um pouco — Adriana cantarolou. — Eles queriam "encorajar" minha decisão de me sustentar. — Estou pagando meu apartamento sozinha; por falar nisso, então aqui está ele. Quer dizer, eu podia ter recusado por princípio, mas isso parece uma bobagem, não é?

As garotas se empilharam dentro do conversível e prosseguiram com um almoço no Ivy, pulando de loja em loja na Robertson para que Emmy pudesse comprar um par de botinhas Ugg para seu sobrinho e um tour de carro pela praia de Venice, o novo bairro de Adriana. Seu conjugado era claro e moderno, um espaço limpo e despojado, só a dois quarteirões tanto do mar quanto de todas as lojas e restaurantes da Main Street. Leigh não conseguia se lembrar de se sentir tão feliz, tão *satisfeita*, em muito tempo e, enquanto as garotas bebericavam vinho e se vestiam para o jantar, ocorreu a ela que as palpitações cardíacas relacionadas à ansiedade e as mãos suadas e unhas-enterradas-na-palma-da-mão eram coisa do passado. O Nicorette sumira. Ela até conseguia dormir na maioria das noites. Era quase impossível imaginar mas, se tivesse que escolher uma única palavra para descrever seu atual estado emocional, ela poderia escolher *relaxada*.

Cantando Shakira no carro durante todo o caminho até West Hollywood, as garotas estavam prontas para uma bela noite fora. Só ficou ainda melhor quando Adriana entregou o carro para o manobrista no Koi e foi recebida como uma estrela do rock, com dois beijinhos de veneração e um "linda para cacete, Adriana!" pelo normalmente nojento *maître*. Foram guiadas imediatamente através de montes de grupos de comedores de sushi e bebedores de saquê, e depositadas em uma das melhores mesas do restaurante, uma localização de primeira que oferecia vista de 360 graus do salão de jantar e do bar, e vislumbres do frenesi dos *paparazzi* no jardim da frente. Uma rodada de martínis de lichia simplesmente se materializou e, em minutos, as amigas estavam em sua melhor forma.

— Então, qual é o plano? — Leigh perguntou a Adriana, que tinha sido abordada e cumprimentada por não menos do que três pessoas nos últimos dez minutos.

— Você é como uma celebridade local — Emmy falou, balançando a cabeça. — Não que eu esteja nem um pouco surpresa, mas mesmo assim...

Adriana mostrou os dentes perfeitos e jogou os cabelos sensualmente, ao que Leigh podia jurar serem gemidos audíveis das mesas próximas.

— *Querida*, por favor, eu estou corando!

— Sei, está bem — disse Emmy. — Nossa flor tímida e frágil, só esperando para desabrochar.

— Está bem, talvez não tão tímida — Adriana concordou. — E, quanto ao nosso plano, não somos obrigadas a fazer nada. Podemos encontrar com Toby mais tarde ou — Adriana sorriu maliciosamente de novo, indicando claramente qual escolha seria de sua preferência — podemos ia para a Vine e encontrar alguns daqueles caras da Endeavor. Um deles tem uma casa enorme e sempre dá ótimas festas na piscina...

— O que foi isso que eu ouvi? Um novo interesse amoroso, talvez? E quanto a Toby? — Leigh perguntou, jogando um pedaço de sashimi de salmão na boca.

— E quanto a Toby? — Adriana falou, o sorriso eu-vou-aprontar aparecendo de novo. — Ele é uma graça, como sempre. Mas isso não quer dizer que não haja muito mais gracinhas por aí...

— Ele sabe? — perguntou Emmy.

Adriana assentiu.

— Ele é maravilhoso, doce, até divertido às vezes. Eu disse a ele que adoraria continuar a vê-lo em termos não exclusivos, se não tivesse problema para ele, e não teve. Podem realmente esperar que uma garota numa cidade nova com tantas delícias para saborear escolha uma só? É desumano!

— Então, quanto ao nosso pacto... — Emmy disse, deixando as palavras sumirem.

— Sim, é por isso que estamos aqui, não é? Faz exatamente um ano desde o nosso acordo, e devemos avaliá-lo este fim de semana. Declarar uma vencedora — disse Leigh.

Adriana afastou a ideia com a mão.

— O pacto? Por favor. Isso para mim já era.

Emmy riu.

— Então está admitindo a derrota?

— De jeito nenhum, cem por cento, nem por um segundo — Adriana falou, bebericando seu martíni e lambendo delicadamente os lábios. — Admito, não há aliança — ela balançou a mão esquerda, o dedo esticado —, mas poderia ter havido. E ainda pode haver, de Toby ou de qualquer outro. Posso ter trinta anos num oceano de lindas garotas de vinte e poucos, mas quanto mais tempo passo aqui, mais óbvio fica. Elas são amadoras. São menininhas. Não sabem nada sobre seduzir ou segurar um homem. Nós somos mulheres... em todo o sentido da palavra.

O garçom apareceu na mesa e começou a abrir uma garrafa de Dom Pérignon.

— Não pedimos isso — Leigh disse, olhando para suas amigas para confirmar.

— É dos cavalheiros sentados no fundo do bar — ele respondeu, o espocar festivo da rolha pontuando suas palavras.

As três garotas giraram imediatamente para olhar.

— Eles são gatinhos! — Leigh falou da forma como as garotas comprometidas falam no mundo inteiro. *Eles são ótimos... para vocês. Eu não vou partilhar porque estou totalmente apaixonada por alguém muito melhor...*

— Mauricinhos demais — Adriana disse automaticamente, seus olhos de águia avaliando os quatro homens.

— Não temos que dormir com eles, mas temos que convidá-los para tomar um drinque — Leigh falou em sua voz mais sensata.

— Por favor, nós não lhes devemos nada além de um sorriso de agradecimento e um acenozinho — Adriana disse, fazendo as duas coisas com um floreio, enquanto falava.

Nenhuma das duas notara que o rosto de Emmy estava vermelho-beterraba, que ela estava torcendo as mãos e recusando-se a olhar de volta para o bar.

— Você está bem? — perguntou Leigh, imaginando se Emmy estava tendo algum arrependimento relativo a Duncan ou, pior, se os rapazes eram amigos dele.

Pareciam mauricinhos da Costa Leste, nem um pouco nativos da Califórnia e, enquanto Leigh observava Emmy ficar cada vez mais desconfortável, ela tinha certeza de que tocara em alguma ferida. — Eles são amigos do Duncan? — perguntou.

Emmy fez com a cabeça que não.

— Estou tão humilhada. Meu Deus, achei que nunca mais o veria. O que acontece no exterior fica no exterior, certo? Ou o que não acontece...

— Do que ela está falando? — Adriana perguntou a Leigh.

Leigh deu de ombros; ela não fazia ideia.

— Um deles tem cartão de sócio do Tour de Puta? Ou talvez mais de um? — Adriana perguntou com um sorriso malicioso.

— Deus, quem me dera — Emmy suspirou. — Um deles, o cara com a camisa social listrada, é o Paul. Não acredito que ele tenha me reconhecido. Isso é muito constrangedor. O que devo fazer?

— Quem é Paul? — Leigh perguntou, escaneando o cérebro para se lembrar dos nomes das conquistas de Emmy no último ano. — O israelense?

— Croc Dundee? — perguntou Adriana.

— O cara na praia em Bonaire?

— Alguém totalmente diferente de quem ainda não ouvimos falar e que, portanto, vamos torturá-la para saber?

— Não! — Emmy chiou, parecendo estressada. — Conheci o Paul no Costes, em Paris, na primeira viagem que fiz depois que o tour começou. Foi nele que eu me joguei em cima, que me rejeitou completamente. Tinha que ir à festa de sua ex-namorada. Isso faz lembrar alguma coisa?

Ambas as garotas assentiram.

— Isso foi há um ano — disse Leigh. — Tenho certeza de que ele nem se lembra de você tê-lo convidado para o seu quarto, só da ótima conversa que tiveram.

— Ahã, continue contando suas mentiras para ela — falou Adriana.

— Você não parece ter muita escolha — Leigh sussurrou. — Ele está vindo para cá. Às três horas. Duas. Uma...

— Emmy? — ele disse, parecendo encantadoramente nervoso. — Não tenho certeza se você se lembra, mas nós nos conhecemos em Paris, no pior hotel do mundo. Paul? Paul Wyckoff?

— Oi! — Emmy falou com a quantidade perfeita de entusiasmo. — Obrigada pelo champanhe. Estas são minhas amigas Leigh e Adriana. Este é Paul.

Todos apertaram as mãos e sorriram e trocaram um minuto ou dois de conversa fiada antes que Paul soltasse duas bombas consecutivas na conversa. Acontece que, apesar de Paul estar em LA para passar a semana visitando sua sobrinha recém-nascida, na verdade ele havia se mudado para Nova York seis meses antes e estava morando em um ótimo apartamento no Upper East Side. Se isso não fosse o bastante para digerir, ele conseguiu mencionar como ficara chateado quando Emmy nunca respondera o bilhete que deixara para ela, como sentia por tê-la abandonado daquele jeito, mas que esperava ter notícias dela para poder compensá-la.

— Bilhete? Que bilhete? — Emmy perguntou, a pretensão de bancar a desinteressada desaparecendo completamente.

— Como nos esquecemos rápido! — Paul riu e Emmy achou que talvez tivesse que se levantar e mordiscar seus lábios bem ali. — O bilhete no qual eu escrevi todo aquele pedido de desculpas por ter saído tão intempestivamente, e lhe dei todas as minhas informações de contato e basicamente implorei para você me procurar. Eu o deixei na recepção do Costes quando fiz o checkout no dia... — Sua voz foi sumindo e ele sorriu quando percebeu o que tinha acontecido. — Você nunca recebeu, não é?

Emmy sacudiu a cabeça.

— Não recebi mesmo — ela disse alegremente. Essa era, muito possivelmente, a melhor notícia que recebera o ano inteiro.

Paul suspirou.

— Eu devia saber. — Ele se virou para as garotas e, dirigindo-se a Leigh e Adriana, perguntou se podia interromper seu jantar e roubar sua amiga para um drinque no jardim.

— Ela é toda sua — Leigh falou, despachando a amiga com um gesto, encantada por ver Emmy tão feliz.

— Só por alguns minutos! — Adriana gritou enquanto saíam. — Temos planos para depois do jantar.

Adriana virou-se para Leigh e balançou o dedo, advertindo-a.

— Não facilite tanto para ele — repreendeu.

Quando Emmy voltou, vinte minutos mais tarde, estava corada de entusiasmo.

— Então, como foi? — Leigh perguntou. — A julgar pela sua cara agora, acho que não foi totalmente humilhante.

Emmy riu.

— Pelo menos, não para mim. Ele disse que teve que juntar coragem para mandar o champanhe hoje, porque ainda se sentia envergonhado por eu nunca ter lhe telefonado. Vocês acreditam nisso?

— Inacreditável — Leigh disse, sacudindo a cabeça. — E ele mora em Nova York agora? Está de brincadeira?

Emmy sorriu alegremente, mas mal houve chance de comemorar. Um minuto depois, Paul voltou à mesa das garotas.

— Ei, odeio ter que fazer isso de novo — falou com um sorriso encabulado —, mas eu tenho que ir.

Emmy ficou tão surpresa que isso a impediu de dizer o que estava pensando, isto é, que Paul podia pegar sua ceninha de "Ah, eu sinto tanto que você nunca tenha recebido o meu bilhete" e enfiar. Apenas alguns minutos antes, ela estivera repassando uma lista mental do que precisava fazer antes de ir para casa com ele naquela mesma noite (anotar o endereço de Adriana para poder voltar para casa na manhã seguinte, pegar um ou dois Tampax extras com Leigh, verificar se estava usando o corpete bonitinho que achava estar usando) e agora estava prestes a ser abandonada... de novo.

— Vai a outra festa de ex? — Adriana perguntou docemente.

— Na verdade, eu vou, hum... Deus, isso parece tão idiota.

Pode mandar, Emmy pensou de si para si. *Juntando as três, nós já ouvimos todas as desculpas idiotas que existem.*

Paul verificou o relógio antes de enfiar as mãos nos bolsos. Ele limpou a garganta.

— Vou cobrir o turno da noite para o meu irmão e minha cunhada, e vai começar mais ou menos agora, então...

— O turno da noite? — perguntou Emmy.

— É, é apenas a quarta noite desde que voltaram do hospital e eles estão meio apavorados. Cansados também. Eu, hum, tive umas férias extras e pensei que sou bastante bom em ficar acordado até tarde, então me ofereci para tomar conta do bebê à noite. — Ele balançou a cabeça. — Ela dá trabalho.

Leigh e Adriana trocaram olhares. Esse cara podia muito bem ter O FUTURO PAI DOS FILHOS DE EMMY tatuado na testa.

— Ah, que gentil! — Emmy arrulhou, toda a raiva e decepção imediatamente esquecidas. — Sua cunhada tira o leite e o deixa para você nas mamadeiras? O bebê está bem? Aposto que ela fica com um pouco de cólica se fica acordada a noite toda. Minha irmã também acabou de ter um bebê, e ele é um malandrinho.

— É, ela está tendo dificuldades para amamentar. Disse que é a coisa mais difícil que já fez, então por enquanto é uma combinação de leite materno e mamadeiras. Mas o bebê, Stella é o nome dela, é muito bonzinho. Ela é só tão novinha sabe? Acorda a cada duas horas.

— Aaawww — Emmy arrulhou, olhando para Paul com adoração indisfarçada. — Ela parece adorável.

— É, então é melhor eu correr. — Ele fez uma pausa e pareceu pensar sobre alguma coisa. — Ei, sem nenhuma pressão... sei que está aqui com as suas amigas e tudo o mais, mas seria ótimo ter companhia, se...

Emmy não esperou que ele terminasse.

— Eu adoraria — ela o interrompeu. — Sou praticamente uma especialista agora e posso ver que você está precisando demais de ajuda.

Paul sorriu e até a Adriana achou que ele parecia absolutamente apetitoso.

— Excelente! Vou pegar o casaco e me despedir dos meus amigos. Eu a encontro na porta em alguns minutos?

Emmy assentiu e ficou olhando enquanto ele caminhava de volta para o bar.

— Você não vai *de verdade*, vai? — Adriana perguntou de uma forma que indicava que ela já sabia que a resposta era *É claro que não.* — Ele não pode esperar encontrá-la por acaso e levá-la por aí que nem um cachorrinho.

Emmy deu um longo gole em seu martíni, colocou-o de volta na mesa cuidadosamente e sorriu para Adriana.

— Acho que eu devia fazer *au-au* agora.

— Emmy! — Adriana começou a dizer. — Não lhe ensinei nada sobre...

Ela ergueu a mão e Leigh se pegou torcendo por ela em silêncio.

— Pare de ser a nazista das regras, Adriana. Guarde-as para suas fãs mais jovens e inexperientes. Nós — ela fez um gesto incluindo a mesa toda e deu um sorriso enorme para suas melhores amigas — somos especialistas agora. E fizemos isso à moda antiga.

Adriana abriu a boca para discordar, mas pareceu reconsiderar.

— Está bem — falou com um assentimento de compreensão. — Eu aceito isso.

— À nossa — Leigh disse, o copo erguido.

As garotas brindaram e beberam e sorriram. Podia ser o fim do pacto mas, de alguma forma, elas todas sabiam: as coisas boas estavam apenas começando.

agradecimentos

Obrigada primeiro e principalmente a Marysue Rucci, que é muito mais do que a melhor editora do mundo; a Sloan Harris por me convencer a não me jogar de todos os parapeitos na cidade; e a David Rosenthal por me fazer cair na gargalhada, seguidas vezes, sabendo sempre quando é mais necessário (e menos apropriado). Obrigada à equipe inigualável da Simon & Schuster, especialmente a Aileen Boyle, Tracey Guest, Victoria Meyer, Katie Grinch, Leah Wasielewski, Jackie Seow e Ginny Smith. Tenho com JoAnna Kremer, copidesque extraordinária, uma grande dívida por fazer parecer que sei mais do que as regras rudimentares da gramática. Uma gratidão especial a Melissa Perello pelo curso rápido em todas as coisas relacionadas à profissão de *chef*. A Deborah Schneider, Vivienne Schuster, Betsy Robbins, Lynne Drew, Claire Bord, Helen Johnstone, Dave Patane, Kyle White, Stephen Frank, Judith Hirsch e Cathy Gleason, obrigada pelos muito apreciados conselhos e direcionamento em suas várias áreas de especialidade.

Obrigada um milhão de vezes às minhas amigas, cujas histórias eu roubei descaradamente: Audrey Kent, Victoria Stein, Helen Coster, Alli Kirschner, Julie Hootkin, Laura Dave, Megan Deem e Gretchen Bylow. Aos Cohen — Allison, Dave, Jackie e Mel — por me receberem na família com os braços abertos e muito vinho. Mamãe, papai e Dana — obrigada por serem mais engraçados e sarcásticos do que eu, por me lembrarem disso todos os dias e por retribuírem os meus incessantes maus humores e reclamações com apoio e compreensão... eu amo muito vocês todos. Acima de tudo, quero agradecer ao Mike, que aturou inúmeras conversas "hipotéticas" sobre como "meus personagens" deviam ficar noivos, e ainda assim conseguiu me surpreender com o pedido mais perfeito da vida real. Do primeiro ataque de pânico até a edição da última linha, você ajudou este livro (e esta escritora) de mais maneiras do que jamais vou admitir.

sobre a autora

Lauren Weisberger é autora de *O diabo veste Prada*, que passou mais de um ano nas listas de bestsellers do *New York Times.* A versão cinematográfica estrelando Meryl Streep e Anne Hathaway ganhou um Globo de Ouro e arrecadou mais de 300 milhões de dólares no mundo inteiro. Seu segundo romance, *Todo mundo que vale a pena conhecer*, também foi um bestseller do *New York Times.* Ela mora em Nova York com seu marido.

Este livro foi impresso no
Sistema Digital Instant Duplex da Divisão Gráfica da
DISTRIBUIDORA RECORD DE SERVIÇOS DE IMPRENSA S.A.
Rua Argentina, 171 - Rio de Janeiro/RJ - Tel.: (21) 2585-2000